C0-AUL-813

TRAITÉ DES PRINCIPES

SOURCES CHRÉTIENNES

Fondateurs: H. de Lubac, s. j., et † J. Daniélou, s. j.
Directeur: C. Mondésert, s. j.

N° 253

ORIGÈNE

TRAITÉ DES PRINCIPES

TOME II

(Livres I et II)

COMMENTAIRE ET FRAGMENTS

PAR

Henri CROUZEL et Manlio SIMONETTI

Cet ouvrage est publié avec le concours
du Centre National de la Recherche Scientifique

LES ÉDITIONS DU CERF, 29, BD DE LATOUR-MAUBOURG, PARIS
1978

La publication de cet ouvrage a été préparée avec le concours de l'Institut des Sources Chrétiennes (E.R.A. 645 du Centre National de la Recherche Scientifique).

ISBN 2-204-01326-9

COMMENTAIRE ET FRAGMENTS

Préface de Rufin

Le personnage visé par les §§ 1-2 est Jérôme : il n'est pas nommé, mais s'est bien reconnu (*Apol. adv. lib. Ruf.* I, 1). Or l'appréciation de Jérôme sur Origène est, à ce moment, bien différente de celle qu'il avait portée avant 393, quand il le traduisait. Il en est devenu un adversaire farouche et Rufin s'est mesuré à lui en Palestine, alors qu'ils participaient, chacun dans un camp opposé, au conflit d'Épiphane de Salamine contre Jean de Jérusalem. Puis une réconciliation est intervenue et Rufin est retourné en Occident.

Cette préface est-elle de la part de Rufin une provocation délibérée ou une maladresse, à vrai dire bien forte? En faveur de la seconde hypothèse on peut faire valoir que Rufin n'avait aucun intérêt à ranimer la querelle et que son tempérament ne le portait pas à ce genre de manifestation. Cependant nous trouvons dans cette préface plusieurs « perfidies ». D'abord le rappel des deux éloges d'Origène que Jérôme a faits dans les préfaces aux traductions des *HomCant.* et des *HomÉz.*, le second étant répété dans celle du *Liber de nominibus hebraicis* : Jérôme y a été sensible comme le montre la *Lettre* 84, 7, et Rufin revient sur le sujet dans *Apol. c. Hier.* I, 22 ; II, 16-17 ; II, 28. Ensuite, le rappel de la promesse de traduire d'autres écrits d'Origène, que Jérôme oublie maintenant pour faire œuvre propre : cette promesse ne se trouve pas, malgré Rufin, dans la préface aux *HomCant.*, mais dans celle aux *HomÉz.* ; dans la première il explique qu'il n'a pas traduit les dix tomes du *ComCant.* car cela aurait été un trop gros travail. Puis Rufin considère au § 2 comme traductions d'Origène, à côté des homélies mises en latin par Jérôme (2 *HomCant.*, 9 *HomIs.*, 14 *HomJér.*, 14 *HomÉz.*, 39 *HomLc*), les commentaires sur *Gal.*, *Éphés.*, *Philém.*, *Tite*, qui sont largement inspirés d'Origène, mais que Jérôme a présentés sous son propre nom. Enfin Rufin, pour justifier sa méthode, s'appuie sur l'exemple de Jérôme, qui lui répondra dans la *Lettre* 84, 7, et dans *Apol. adv. lib. Ruf.* III, 12. Sur les circonstances historiques, voir les livres cités dans H. Crouzel, *Bibliographie*, d'après l'index des matières aux mots « Jérôme » et « Rufin » ; plus récemment P. Nautin, « Études de chronologie hiéronymienne (393-397) », *REA*, 18 (1972), p. 209-218 ; 19 (1973), p. 69-86, 213-239 ; 20 (1974), p. 251-284 ; du même, « L'excommunication de saint Jérôme », *Annuaire de l'École pratique des Hautes Études* (Ve section : Sciences religieuses), 80-81 (1971-1973), fasc. 2, p. 7-37.

L'intérêt de cette préface, c'est, en relation avec celle de l'*Apologie* de Pamphile et celle de *PArch.* III, l'exposé de la méthode utilisée par Rufin traducteur : voir Introd. IV, 2°. Rufin parle de ses préfaces dans *Apol. c. Hier.* I, 12 s. Cette préface dut être écrite après l'achèvement de la traduction des deux premiers livres.

1. *Doctorem* : Jérôme a *magistrum* dans les deux cas. *Apostolos* : c'est la leçon de la préface du *De nom. hebr.*, mais celle des *HomÉz.* porte *Apostolum*, c'est-à-dire Paul.

2. Ce personnage est connu par Rufin, préface et postface de l'*Apol.* de Pamphile, préfaces de *PArch.* I et III, et *Apol. c. Hier.* I, 11 ; de même par une courte notice du *De viris illustr.* de Gennade, 28. Voir G. Bardy, *Recherches*, p. 90-92.

3. Sur le second sens, voir Introd. II : ἀρχή peut s'appliquer aux Principautés angéliques ou démoniaques (*Col.* 1, 16) ; mais cette signification ne conviendrait qu'à quelques chapitres du livre.

4. Rufin veut probablement dire : selon la règle de foi dont Origène témoigne dans ses autres écrits.

5. Il est difficile de donner des exemples de ce comportement. En *Apol. adv. lib. Ruf.* II, 11, Jérôme prétend que Rufin a inséré en I, 1, 8, un passage des scolies composés par Didyme sur le *PArch.*

6. Jérôme reprend cette affirmation : *Apol. adv. lib. Ruf.* III, 39.

7. Allusion aux calomnies auxquelles avait donné lieu une lettre de Jean de Jérusalem à Théophile d'Alexandrie contenant une profession de foi : voir RUFIN, *Apol. c. Hier.* I, 16. Jérôme cite en partie le contenu de cette lettre et indique le reste dans *C. Joh. Hier.* : cf. P. NAUTIN, « La lettre de Théophile d'Alexandrie à l'Église de Jérusalem et la réponse de Jean de Jérusalem », *RHE* 69 (1974), p. 365-394.

8. *Rerum* : ce mot désigne les mystères divins qui sont le but de la connaissance religieuse. Il correspond à πράγματα souvent employé par Origène continuant une tradition platonicienne. Il se retrouve dans la conception scolastique du sacrement défini par les deux mots *sacramentum et res.*

9. Sur ces mots, cf. H. I. MARROU, *Histoire de l'éducation dans l'antiquité*, Paris 1955, p. 553. La ponctuation désignerait la séparation des mots par des barres dans les *codices* à écriture continue.

10. Adjurations semblables : *Apoc.* 22, 18-19, reprenant *Deut.* 4, 2 ; 13, 1 ; 29, 19. Pareillement Irénée à la fin de son ouvrage perdu *Sur l'Ogdoade*, d'après EUSÈBE, *Hist. Eccl.* V, xx, 2. A cet endroit, les manuscrits *B* et *C* ajoutent : « En tout cela que le lecteur observe très attentivement cette recommandation de l'Apôtre : Éprouvant tout, gardez ce qui est bon (*I Thess.* 5, 21) » : voir l'apparat critique.

Préface d'Origène

Cette préface a une importance considérable : introduction à la réflexion théologique du livre, elle indique le point de départ, le but et les ambitions de l'auteur ; elle présente en outre l'état de la règle de foi dans l'Église d'Alexandrie au début du IIIe siècle, en précisant les points certains et les questions qui restent ouvertes. Toute vérité religieuse est venue aux hommes par Jésus-Christ, même dans l'Ancien Testament, car le Christ y était mystérieusement présent : pour les Pères primitifs, les théophanies de l'ancienne alliance sont l'œuvre du Christ, unique médiateur (G. AEBY, *Missions*) (1). Il y a cependant entre les chrétiens de nombreuses divergences, même sur des points d'importance : Origène pense aux hérésies. Seule la règle de foi, transmise depuis les apôtres par la prédication de l'Église, est la norme de vérité (2). Mais les apôtres n'ont précisé que les points essentiels, ils n'ont guère indiqué le pourquoi et le comment de leurs assertions, laissant ainsi un vaste champ ouvert à la recherche éclairée par l'Esprit Saint : voir Introd. VI, 2o-3o et PAMPHILE, *Apol.* I (*PG* 17, 552 B) (3). Origène passe alors en revue les affirmations certaines et les questions qui restent ouvertes à propos des divers points de foi : sont davantage soulignées les affirmations qui s'opposent aux hérésies du temps (4-10). Une petite dissertation sur le mot ἀσώματος, « incorporel », y est intercalée : non scripturaire, ce terme n'en revêt pas moins de l'importance dans les spéculations qui vont suivre, car il est lié à la nature de Dieu et à celle des âmes. Souvent il désigne, dans le langage courant, non l'incorporéité absolue, mais une corporéité plus subtile que celle de notre corps épais (8-9). Avec ces données de tradition, la réflexion du théologien va tenter de construire un corps de doctrine (Introd. VI, 4°) à partir de l'Écriture et par le moyen du raisonnement (10). C'est donc la tâche propre du théologien qu'expose cette préface. Voir une analyse de ce texte dans J. F. BONNEFOY, « Origène théoricien », malgré sa tendance à l'interpréter dans un sens trop scolastique.

1. Ce début est conservé en grec — Rufin a traduit littéralement — par EUSÈBE, *C. Marcellum* I, 4. Marcel d'Ancyre a cité l'expression οἱ πεπιστευκότες καὶ πεπεισμένοι comme empruntée à PLATON, *Gorgias* (454 e), et y a vu la preuve qu'Origène a écrit le *PArch.* à partir des doctrines de Platon. Eusèbe cite alors le passage pour montrer qu'il n'a rien à voir avec Platon : le rapport est en effet lointain, tout juste au plus une réminiscence.

2. Idée courante chez Origène : *SérMatth.* 28 ; *HomIs.* I, 5 et VII, 2 ; *HomJér.* IX, 1 ; *CCels.* VI, 5 et 21.

3. Origène cite toujours *Hébr.* comme de Paul, tout en pensant que cette épître a été rédigée par un disciple, les idées étant de Paul : voir EUSÈBE, *Hist. Eccl.* VI, XXV, 11-14.

4. Sur cette opposition : *ComJn* XXXII, 16 (9), 183 ; *SérMatth.* 33 ; CLÉMENT, *Strom.* VII, 15, 90.

5. L'expression *et de aliis creaturis* fait penser que le Saint Esprit au moins est compris dans les créatures. Mais, selon K. SCHNITZER (p. 2, note), il s'agit seulement d'une tournure pléonastique fréquente en grec : ἀλλὰ καὶ περὶ ἄλλων κτίσεων. Cependant pour Origène la κτίσις ne correspond pas strictement à « créature », elle englobe tout ce qui vient de Dieu, y compris le Fils et l'Esprit : voir Introd. V, 4°.

6. La *regula fidei* ou *pietatis* de Rufin correspond chez Origène, du moins quelquefois, à κανών : ainsi *PArch.* IV, 2, 2 (9). De l'abondante littérature sur le sujet, citons R. Cl. BAUD, « Les règles ».

7. *Praedicatio* = κήρυγμα, le kérygme.

8. *Traditio* = παράδοσις : IRÉNÉE, *Adv. Haer.* I, 9, 4 ; I, 10, 1 ; III, 2, 2 (Massuet) ; TERTULLIEN, *Praescr. Haer.* XIII ; *Apol.* XLVII, 10 ; *Virg. vel.* I, 3 ; *Adv. Prax.* II, 2 ; CLÉMENT, *Strom.* VII, 16, 94-95 ; VII, 17, 107. Chez Origène : *ComJn* XIII, 16, 98 ; cf. R. P. C. HANSON, *Tradition.*

9. La sagesse et la connaissance (*scientia* traduit habituellement γνῶσις) sont des charismes plus parfaits que la simple foi, mais celle-ci est leur base : Origène en parle souvent en dépendance de *I Cor.* 12, 7-9. Voir H. CROUZEL, *Connaissance*, p. 443-460. Tout progrès dans la connaissance est l'œuvre de l'Esprit Saint : *ComCant.* III (*GCS* VIII, p. 208).

10. La recherche théologique est exercice, γυμνασία (Introd. VI, 2°) : *PArch.* I, 6, 1 ; I, 7, 1 ; I, 8, 4 ; *ComMatth.* XV, 33 ; *ComJn* XXXII, 24 (16), 305 ; *HomJér.* I, 7 ; H. CROUZEL, *Connaissance*, p. 400-409.

11. Autres catalogues de vérités de foi : *ComJn* XX, 30 (24), 269-272 ; XXXII, 16 (9), 187-193 ; *SérMatth.* 33 ; *FragmTite* (*PG* 14, 1303).

12. L'affirmation de la création *ex nihilo*, inconnue des Grecs, se retrouve dans *PArch.* I, 3, 3, citant le *Pasteur* d'HERMAS, Préc. I (26), 1 ; et II, 1, 5, citant *II Macc.* 7, 28, et le même passage du *Pasteur*. On ne peut douter de l'authenticité origénienne de cette affirmation, car on la retrouve, basée toujours sur Hermas et *II Macc.*, dans un écrit grec presque contemporain, *ComJn* I, 17 (18), 103 ; même citation d'Hermas en *ComJn* XXXII, 16 (9),

187. Voir la création *ex nihilo* avant Origène dans : ARISTIDE, *Apol.* 4 ; TATIEN, *Oratio*, 4 s. ; THÉOPHILE D'ANT., *Autol.* I, 4 ; IRÉNÉE, *Démonstr.* 4. Le *Pasteur* est cité encore par Origène en *PArch.* IV, 2, 4 ; *HomJos.* X, 1 ; *ComRom.* X, 31 ; *HomPs. 37*, I, 1 ; *HomNombr.* VIII, 1 : voir J. DANIÉLOU, *Message*, p. 455-456. Il est présenté comme Écriture, mais l'Alexandrin reconnaît que sa canonicité est discutée : *ComMatth.* XIV, 21. Voir J. RUWET dans *Biblica* 23 (1942), p. 33-35.

13. L'identité du Dieu Créateur de l'Ancien Testament et du Père du Christ, du Dieu juste et du Dieu bon, est constamment répétée dans le *PArch.* (cf. II, 4-5) contre les gnostiques et les marcionites.

14. JÉRÔME, *Lettre* 124, 2 : « *Et statim in primo uolumine Christum filium dei non natum esse sed factum.* — Et dès le premier volume (il dit) que le Christ, Fils de Dieu, n'est pas né, mais fait. » Voir le commentaire à la note 21 contenant la même affirmation concernant l'Esprit Saint. Sur la génération éternelle du Fils, voir *ComJn* II, 4, 36 et bien des passages du *PArch.*

15. L'affirmation que le Fils a aidé le Père dans la Création est fréquente chez les anténicéens et on la trouve encore après la crise arienne : elle traduit un subordinatianisme qui n'a rien d'hétérodoxe, le Père étant le premier par l'origine et dans l'« économie » : voir *CCels.* II, 9 ; V, 12 ; VI, 60 ; *ComJn* I, 19 (22), 110-111 ; II, 3, 19 ; II, 10 (6), 77 ; II, 30 (24), 183 : de même K. SCHNITZER, p. 4 en note, et E. R. REDEPENNING, *De Princ.*, p. 91, qui cite d'après Delarue nombre de Pères antérieurs, mais aussi postérieurs à Arius, comme Hilaire de Poitiers, Marius Victorinus, Épiphane.

16. *HomLc* XVII, 4 ; *CCels.* I, 66 ; I, 69 ; II, 23 ; II, 31.

17. *ComJn* XXXII, 16 (9), 191.

18. *FragmJn* LIII (*GCS* IV) ; *CCels.* II, 16.

19. κοινὸν θάνατον : *ExhMart.* XXXIX. Cela signifie la mort commune à tous : c'est la mort physique, moralement indifférente, comme l'exprime une terminologie d'origine stoïcienne : μέσος ou son synonyme ἀδιάφορος, « indifférent ». Elle est ainsi distinguée de la « mort au péché » qui est bonne et de la « mort du péché » qui est mauvaise : voir entre autres textes *DialHér.* 25-27.

20. L'insistance d'Origène sur la réalité du corps du Christ, de ses souffrances, de sa mort et de sa résurrection a pour cause le docétisme professé par les gnostiques lui attribuant un corps spirituel et une mort apparente.

21. Jérôme, *Lettre* 124, 2 : « *Tertium dignitate et honore post patrem et filium adserit spiritum sanctum. De quo cum ignorare se dicat utrum factus sit an infectus, in posterioribus quid de eo sentiret expressit, nihil absque solo deo patre infectum esse confirmans.* — Il affirme qu'après le Père et le Fils, le Saint Esprit est le troisième en dignité et en honneur. Il déclare qu'il ignore s'il a été fait ou non fait, mais dans la suite il exprime ce qu'il pense de lui, affirmant que rien en dehors du seul Dieu le Père a été non-fait. » Cette dernière affirmation est à chercher en I, 2, 6, où Rufin traduit par *nihil ingenitum*, *id est innatum*, ce que Jérôme a rendu par *infectum.* Nous traitons ici en même temps du passage analogue concernant le Fils (note 14). Il ne s'agit pas d'une citation, mais d'un résumé de la pensée d'Origène, telle que Jérôme l'a comprise, dans une énumération de propositions condamnables. Comme cela a été dit dans l'Introduction (V, 4°), Origène avait certainement écrit γενητός et ἀγένητος, non distingués par lui de γεννητός et ἀγέννητος. La distinction ayant été faite pour répondre aux ariens, Jérôme a traduit ces termes conformément à l'usage de son temps et leur a donné une signification hérétique : l'interprétation de

Rufin est la seule conforme à la pensée d'Origène, telle qu'elle se manifeste dans l'ensemble de son œuvre. On peut donner plusieurs preuves de cette indistinction chez Origène. G. L. Prestige (*Dieu*, p. 128-129) cite *CCels.* VI, 17, qui appelle le Logos ἀγένητος et cependant « l'aîné de toute la nature γενητῆς » et conclut : « Il faut se rendre à l'évidence que, si le Logos est à la fois *génètos* et *agénètos*, l'un de ces termes ne peut signifier exactement le contraire de l'autre. Il est *agénètos* ou non créé, parce qu'il appartient à la triade de la déité et que la vie incréée est la substance de son être. D'autre part il est *génètos* ou dérivé, parce qu'il n'est pas lui-même la source et l'origine de cet être, mais qu'il le tire du Père. Les deux affirmations ne sont nullement contradictoires ». Le *FragmJn* II (*GCS* IV) nie que le Verbe soit γενητός. Dans le *CCels.*, la génération de Jésus par Marie est constamment désignée par γένεσις, non par γέννησις : I, 7 ; I, 28 (le mot est de Celse) ; I, 37 (les verbes γένεσθαι et γεννᾶσθαι sont aussi employés indifféremment pour la naissance de Jésus) ; I, 40 ; etc. Ce texte de la préface concernant le Saint Esprit n'a fait aucune difficulté à Pamphile, qui fut martyrisé en 309-310, alors qu'Arius, diacre en 308, prêtre en 311, entrera en conflit avec son évêque entre 318 et 322. Pamphile en effet commente : « En se demandant s'il est né ou non né, sans aucun doute Origène ne le considère pas comme créature, autrement il aurait ajouté cela à sa recherche » (*Apol.* I, *PG* 17, 550 C). Il veut dire que si γενητός peut signifier engendré ou créé, le second sens est à exclure, car Origène autrement aurait examiné la question du Saint Esprit créature : l'indistinction subsiste donc encore à la veille de la révolte d'Arius. Épiphane (*Panarion* 64, 8), tout en distinguant les deux termes, accepterait qu'ils soient synonymes chez un autre qu'Origène, mais non chez Origène qu'il accuse de mal parler du Fils unique. Mais E. R. Redepenning (*De Princ.*, p. 91, note 18) répond que la mentalité d'Origène n'est pas du tout celle des ariens, car il affirme constamment que le Fils est engendré par le Père : voir *P Arch.* I, 2, 6 ; IV, 4, 1 ; *HomJér.* IX, 4, qui représente cette génération comme éternelle et continuelle. Voir G. DE DURAND *in SC* 231 (CYR. D'ALEX.), p. 369 s.

22. *ComJn* II 10 (6), 75-76.

23. Affirmation toujours dirigée contre les gnostiques opposant les deux Testaments et leurs Dieux.

24. *CCels.* III, 31 ; VIII, 48 ; VIII, 52.

25. Toutes les âmes raisonnables ont une nature unique : Origène s'oppose ainsi à la classification des hommes en pneumatiques, psychiques et hyliques par les valentiniens, les « hérétiques aux natures » : *CCels.* III, 69 ; IV, 83 ; *FragmTite* (*PG* 14, 1305 A).

26. *ComJn* XX, 40 (32), 378.

27. Sont visés tous les partisans du destin et certains gnostiques, surtout les valentiniens à qui Origène attribue un prédestinatianisme strict : les pneumatiques sauvés, les hyliques perdus : *HomJér.* XX, 2 ; *ComJn* XXXII, 16 (9), 189 ; *FragmJn* XLIII (*GCS* IV).

28. *PEuch.* XXVII, 12.

29. Les croyances astrologiques soumettant l'homme à un destin fixé par les astres étaient courantes à l'époque, tant chez les philosophes que dans le peuple. Un long passage du *ComGen.*, conservé par *Philoc.* 23 et par EUSÈBE (*Prép. Évang.* VI, 11), montre que les astres ne sont pas les agents du destin des hommes, mais en sont seulement les signes : cf. *ComMatth.* XIII, 6.

30. La première théorie, dite traducianisme, est tenue par Tertullien et fera hésiter Augustin. La même distinction dans *ComCant.* II (*GCS* VIII, p. 147) : « *utrum... in semine corporali etiam ipsius substantia continetur et origo eius pariter cum origine corporis traducitur, an perfecta* *extrinsecus ueniens parato iam et formato intra uiscera muliebria corpore induitur* — est-ce que sa substance est contenue aussi dans la semence corporelle, et son origine est-elle transmise également avec celle du corps, ou bien vient-elle du dehors déjà parfaite et revêt-elle un corps déjà préparé et formé dans les entrailles de la femme. » L'âme engendrée, c'est encore le traducianisme. L'âme venant du dehors, c'est soit sa création par Dieu à l'occasion de la génération du corps, soit la préexistence : voir Introd. V, 3°. Le mot *extrinsecus* est un écho du θύραθεν aristotélicien (*De gener. anim.* II, 3) : il est reproduit en *CCels.* III, 80. Voir *PArch.* III, 4, 2 ; *CCels.* IV, 30 ; *ComJn* II, 30 (24), 182 ; *FragmTite* (*PG* 14, 1306 B).

31. Voir Introd. V, 3°.

32. IRÉNÉE, *Démonstr.* 16 ; ATHÉNAGORE, *Legatio* 24. Pour Origène : *PArch.* I, 5, 4-5 ; *CCels.* VI, 44-45 et les textes cités par H. CROUZEL, *Image*, p. 151-152, 189.

33. *CCels.* I, 37 ; IV, 9 ; IV, 21 ; *ComJn* I, 26 (24), 178.

34. L'existence d'un sens spirituel est donc pour Origène communément admise par l'Église : voir *PArch.* IV, 1-3.

35. Cette phrase est conservée en grec par Antipater de Bostra, selon JEAN DAMASCÈNE, *Sacra Parallela*, *PG* 96, 501. La traduction de Rufin est à peu près littérale, sauf l'explication *id est incorporei*, nécessaire puisqu'il conservait le mot grec, et le redoublement, caractéristique de son style, de οὐκ ἴσασιν en *inusitata est et incognita.* Sur ἀσώματος, voir *HomGen.* I, 13 (l'homme intérieur) ; *ComJn* XIII, 22, 132 ; *PEuch.* XXVII, 8.

36. La *Petri Doctrina* est-elle le *Kerygma Petrou* ? Cette citation se trouve chez IGNACE, *Smyrn.* 3, 2 qui n'en dit pas l'origine. Ignace est repris par EUSÈBE, *Hist. Eccl.* III, XXXVI, 11, et par Jérôme. Ce dernier la cite dans *Vir. Ill.* XVI selon Ignace et dans *ComIs.* XVIII, préface, il dit qu'elle vient de l'*Évangile selon les Hébreux*. Elle correspond à *Lc* 24, 36-39 : les apôtres voyant Jésus ressuscité croient voir un fantôme et Jésus leur fait toucher son corps pour les convaincre. Voir E. von Dobschütz, *Das Kerygma Petri*, *TU* XI/1, Leipzig 1893, p. 13, 82-84.

37. Sur le canon origénien des Écritures et le comportement de l'Alexandrin à l'égard des apocryphes, citons entre autres trois articles de J. Ruwet dans *Biblica* 2 (1921), p. 57-60 ; 23 (1942), p. 18-42 ; 24 (1943), p. 18-58 ; 25 (1944), p. 143-166, 311-334.

38. Sur les corps subtils des démons, voir aussi Tertullien, *Apol.* XXII, 5. Pour Origène, les anges aussi ont des corps « éthérés, une lumière étincelante » (*ComMatth.* XVII, 30). Seule la Trinité est incorporelle : *PArch.* I, 6, 4 ; II, 2, 2 ; IV, 3, 15 (27).

39. *CCels.* VI, 64 ; VII, 27 ; VII, 38 ; VII, 66 ; VIII, 49 ; *SelGen.* 1, 26 (*PG* 12, 93). Tertullien considère au contraire Dieu comme corporel, car la corporéité est pour lui inséparable de la réalité : conséquence du matérialisme stoïcien que l'on retrouve à cette époque chez nombre de chrétiens de la Grande Église, les anthropomorphites. Pour Tertullien, voir entre autres *Adv. Prax.* VII, 8.

40. Le texte grec est conservé par Antipater de Bostra selon Jean Damascène, *Sacra Parallela*, *PG* 96, 501. La traduction de Rufin est à peu près littérale.

41. Que les astres soient des êtres animés est affirmé par Platon, *Timée* 38 e. Origène partage cette opinion commune aux philosophes de son temps : *PArch.* I, 7 ; *CCels.* V, 10-11 ; *HomJér.* X, 6. Elle lui fut reprochée pendant les querelles origénistes : anathématisme 6 de Justinien en 543 (Denzinger-Schönmetzer 408).

42. Voir M. Martinez, *Luz*, p. 178-196.

43. Sur ce paragraphe, Introd. VI, 4°.

Premier cycle de traités

Premier traité (I, 1-4)

Les chapitres 1-4 forment un ensemble traitant de la Trinité : en effet la première phrase du chap. 5 marque la transition du traité sur les trois personnes à celui sur les natures raisonnables. A l'intérieur, une transition en I, 1, 9 fait passer de la section concernant le Père à celle qui concerne le Fils ; de même du Fils à l'Esprit par la dernière phrase de I, 2, 13 et la première de I, 3, 1. La quatrième section commence au début de I, 3, 5 par l'indication du sujet, qui, coupé par deux digressions dont la fin est nettement indiquée au début de I, 3, 8 et en I, 4, 2, s'achève en I, 4, 2 d'une manière qui semble bien conclure le traité tout entier en introduisant le suivant sur les créatures raisonnables. Dans ces conditions, I, 4, 3-5 paraît une sorte d'appendice, peut-être surajouté postérieurement.

Première section (I, 1)

A propos du titre latin il faut remarquer que le mot Dieu, pris absolument, désigne pour Origène le Père, source de la divinité : c'est en quelque sorte son nom propre. En ce qui concerne le Fils et l'Esprit, le mot Dieu n'est qu'attribut, car ils reçoivent du Père leur divinité avec leur existence. Tel est le sens de la distinction faite par

ComJn II, 2, 13 s. entre le Père ὁ θεός et le Fils θεός, sans article, donc attribut : subordinatianisme si l'on veut, mais qui n'est pas hétérodoxe, car il concerne seulement l'origine. Il est conforme au prologue de Jean : καὶ θεὸς ἦν ὁ λόγος (*Jn* 1, 1), et à *Rom.* 9, 5.

Le chapitre a pour sujet l'incorporéité de Dieu. Certaines expressions scripturaires pourraient faire croire que Dieu est corps : ainsi feu, souffle (esprit), lumière. Mais ces expressions sont des figures : ainsi Dieu est lumière parce qu'il rend possible la connaissance (1). Il est feu parce qu'il consume le mal qui est en nous. Le mot esprit (souffle) est constamment opposé au corporel par l'Écriture (2). On ne participe pas à l'Esprit comme on se partage un corps, mais plutôt comme un art ou une science, réalités intellectuelles, auxquelles on participe sans les partager (3). C'est par opposition aux cultes corporels de Jérusalem et du Garizim que Jésus a dit à la Samaritaine : « Dieu est esprit » (4).

Dieu est incompréhensible : on peut seulement monter jusqu'à lui à partir d'analogies terrestres ou de ses œuvres. L'intelligence humaine est trop faible pour le connaître vraiment (5-6). Dieu est une nature intellectuelle absolument simple, sans composition aucune. L'intelligence de l'homme elle-même ne dépend pas du corps pour son exercice, bien que le corps puisse la troubler. La croissance de l'intelligence n'est pas de nature corporelle : elle se produit par l'exercice et l'enseignement. L'intelligence est incorporelle, car elle doit être de même nature que les vérités qu'elle perçoit, de même que les cinq sens ont une affinité de nature avec leurs objets. Prétendre que l'intelligence serait corps est une injure qui rejaillit sur Dieu, puisque l'intelligence humaine est son image (7).

Puisqu'il n'est pas corporel, Dieu ne saurait être visible : le Fils lui-même ne voit pas le Père, mais le connaît, car voir exprime une action corporelle, connaître une action intellectuelle. Mais fréquemment l'Écriture exprime de façon imagée, par les organes des sens, la connaissance intellectuelle (8). Hal Koch, *Pronoia*, p. 256-258, compare la doctrine origénienne de l'incorporéité divine à celle du mésoplatonicien Albinos (*Epitome* 10) : bien des arguments sont les mêmes.

Peri Archon I, 1

1. Ce sont les anthropomorphites qui prennent à la lettre les anthropomorphismes bibliques, membres corporels ou passions attribués à Dieu, ou qui comme Tertullien, sous l'influence du matérialisme stoïcien, ne conçoivent pas d'existence qui ne soit corporelle. Dans *SelGen.* 1, 26 (*PG* 12, 93), Origène compte Méliton de Sardes parmi les anthropomorphites. Voir *CCels.* VIII, 49 ; *ComRom.* I, 19 ; *PArch.* IV, 4, 4 (31) ; *ComJn* XIII, 21 ; sur ce dernier texte : A. Orbe, *Espiritu*, p. 26-29.

2. A cause de ce texte les gnostiques représentent le Démiurge, le Dieu inférieur de l'Ancien Testament, comme un être de feu. Voir *Elenchos* (attribué à Hippolyte) VI, 32, 7 ; Clément, *Exc. Theod.* 38.

3. Telle est la conception stoïcienne du πνεῦμα qu'Origène signale dans *CCels.* VI, 71. Voir G. Verbeke, *L'Évolution de la doctrine du Pneuma du stoïcisme à saint Augustin*, Paris/Louvain 1945. On la trouve chez Tertullien, *Adv. Prax.* VII, 8, et Novatien s'y réfère probablement en *Trin.* 7.

4. Sur cette interprétation du *Ps.* 35 (36), 10, chez Origène : H. Crouzel, *Connaissance*, p. 132-133 ; M. Martinez, *Luz*, p. 81-90. Voir *HomJos.* VIII, 7 ; *ComJn* II, 23 (18), 152. On la retrouve plus tard dans la théologie alexandrine : Alexandre d'Alexandrie, *Epist. Alex.* 40 (Opitz, p. 26).

5. Sur Dieu feu dévorant et *I Cor.* 3, 11-15, rapporté à la purification eschatologique ou présente : H. Crouzel, dans *Epeklasis*, p. 273-283. Principaux textes : *HomJér.* II, 3 ; XVI, 6 ; *CCels.* IV, 13 ; *ComJn* XIII, 23, 138 ; *PArch.* II, 8, 3 ; II, 10, 4.

6. Ce sont des ἐπίνοιαι ou dénominations du Fils, les différents noms qui lui sont donnés dans l'Écriture et qui représentent les divers aspects sous lesquels il se manifeste. Voir *PArch.* I, 2 et surtout *ComJn* I qui en est l'exposé le plus complet ; mais il en est question dans tout Origène et la littérature les concernant est considérable, car aucun écrit touchant la christologie d'Origène ne peut se dispenser d'en traiter.

7. La présence du Christ dans l'âme, son inhabitation, ainsi que celle des autres personnes, est un des grands thèmes spirituels d'Origène : *PEuch.* XX, 2 ; XXIII, 1 ; XXV, 1 ; *HomJér.* VIII, 1 ; *HomJos.* XX, 1 ; XXIV, 3 ; *CCels.* VIII, 18 ; voir G. Aeby, *Missions*, p. 146 s.

8. De même *CCels.* VI, 70 : la plupart des anciens ignorent la distinction moderne de l'intellectuel (conceptuel et discursif) et du spirituel (intuitif et mystique), et les deux notions sont mêlées.

9. Pour cette exégèse de *II Cor.* 3, 15-18 : *HomJér.* V, 8 ; *CCels.* V, 60 ; *FragmÉphés.* 9 (*JTS* 3, p. 399), *HomGen.* VI, 1 ; *HomÉz.* XIV, 2 ; voir H. Crouzel, *Image*, p. 232-235 et *Connaissance*, passim (voir index scripturaire). Le voile est tantôt l'intelligence littérale de la Bible, tantôt la corporéité, tantôt le péché.

10. *CCels.* VI, 70 ; *HomNombr.* VI, 2. La conception d'une participation sans partage est commune dans la philosophie de l'époque : Nouménios selon Eusèbe, *Prép. Évang.* XI, 18 ; voir A. Orbe, *Procesión*, p. 599 s. et G. Gruber, *Zoè*, p. 224-225 note 80.

11. Les métaphores médicales sont fréquentes chez Origène et dans la philosophie grecque depuis Platon :

PArch. I, 4, 1 ; I, 8, 3, etc. Origène donne des renseignements médicaux pris à la science du temps : A. v. Harnack, *Medicinisches aus der ältesten Kirchengeschichte*, *TU* VIII/4 b ; A. S. Pease, « Medical allusions in the works of saint Jerome », *Harvard studies in classical philology*, 25, 1914, p. 73-86 (Jérôme dépend d'Origène) ; Fr. X. Dölger, « Der Einfluss des Origenes auf die Beurteilung der Epilepsie und Mondsucht im christlichen Altertum », *Antike und Christentum* IV, 1934, p. 95-109. Dieu et le Christ sont souvent comparés à des médecins : G. Dumeige, « Le Christ Médecin dans la littérature chrétienne des premiers siècles », *Rivista di archeologia cristiana* 1972, p. 115-141. Ainsi *PArch.* III, 1, 13.

12. *Subsistentia* correspond à ὑπόστασις avec un sens individuel et non plutôt général comme *substantia* : ὑπόστασις est attribué à la personnalité propre de chaque personne divine en *ComJn* I, 24 (23), 151 ; II, 10 (6), 75-76 ; *CCels.* VIII, 12. F. Schnitzer (p. 15 note) reconstitue ainsi ce passage : ὑπόστασίς ἐστι νοητὴ καὶ ὑφίσταται ἰδίως καὶ ὑπάρχει ; mais *subsistit et extat* est peut-être un redoublement de Rufin.

13. La Vérité, ἀλήθεια, s'identifie au μυστήριον et au πρᾶγμα, c'est-à-dire aux mystères surnaturels et eschatologiques contenus dans le Christ en tant que Sagesse ; la vérité s'oppose aussi à l'ombre (l'Ancien Testament), son pressentiment, et à l'image, une participation réelle, mais diminuée : ainsi l'Évangile temporel, le Nouveau Testament ici-bas vécu, est identique à l'Évangile éternel, aux réalités eschatologiques, par son ὑπόστασις, sa réalité profonde, et en diffère par l'ἐπίνοια, une conception humaine des choses. Voir H. Crouzel, *Connaissance*, p. 31-35, 324-370. L'opposition de vérité à image est platonicienne et on la trouve chez les auteurs orthodoxes (Barnabé 7 s. ; Justin, *Dial. Tryph.* 40 s.) et chez les gnostiques (*Exc. Theod.* 47 ; Héracléon selon Origène, *ComJn* X, 33 (19),

210-216 et XIII, 19, 114-118 ; PTOLÉMÉE, *Lettre à Flora*, 5, 8).

14. Origène semble ici mettre sur le même plan le culte de Jérusalem et celui du Garizim. Dans *ComJn* XIII, 13, 80 s., il les distingue : le premier est l'ombre du vrai culte en esprit et en vérité, mais le second symbolise le culte hérétique.

15. Lieu commun du judaïsme et du christianisme comme de la gnose et du moyen platonisme : J. DANIÉLOU, *Message*, p. 297 s.

16. *CCels.* V, 11 ; *ComJn* II, 17 (11), 120 s. Le soleil est constamment pour Origène le symbole de la lumière divine : M. MARTINEZ, *Luz* ; H. CROUZEL, *Connaissance*, p. 130-154. De même PHILON, *Migr.* 40. Origène utilise ici la *via analogiae* dont les philosophes mésoplatoniciens se servaient, comme de la *via negationis* et de la *via eminentiae*, pour parvenir à une certaine idée de Dieu : ALBINOS, *Epit.* 10, 5 ; MAXIME DE TYR, *Oratio* XI, 7-12 ; Celse dans *CCels.* VII, 43. Mais Origène discutant ce passage traite assez cavalièrement ces procédés indiqués par Celse, préoccupé comme il l'est d'insister sur le fait que la connaissance est un don de la liberté divine et de distinguer la grâce chrétienne de la conception platonicienne. Mais la *via analogiae* est sous-jacente à tout son symbolisme et il se sert aussi de la *via eminentiae*, par exemple *ComCant.* préf. (*GCS* VIII, p. 72 s.). Voir Hal KOCH, *Pronoia*, p. 256-258 ; A. J. FESTUGIÈRE, *Le Dieu inconnu et la gnose*, Paris 1954, p. 92 s.

17. *CCels.* VI, 17 ; VIII, 32 ; *ComJn* II, 30 (24), 182 ; CLÉMENT, *Strom.* V, I, 7.

18. M. MARTINEZ, *Luz*, p. 114 s.

19. C'est une application de la *via eminentiae*, motif déjà utilisé par les apologistes : THÉOPHILE, *Autol.* I, 5.

Chez ORIGÈNE : *CCels.* I, 23 ; III, 77 ; IV, 48 ; VII, 46 ; VIII, 38 ; *HomLc* XXII, 9 ; il s'oppose ainsi à la conception négative que les gnostiques avaient du monde.

20. Conception courante : PLATON, *Timée,* 28 c ; ALBINOS, *Epit.* 10, 3 ; PLUTARQUE, *Defect. orac.* 29 ; APULÉE, *De Platone* I, 11 ; *Corpus Hermet.* I, 12 ; I, 31 ; PHILON, *Decal.* 107 ; 134. Parmi les auteurs chrétiens, après Paul, *Éphés.* 4, 6 : CLÉMENT DE ROME, *Cor.* 19, 2 ; JUSTIN, *I Apol.* 63 ; TATIEN, *Orat.* 4 ; CLÉMENT D'ALEX., *Protr.* V, 66 ; *Pédag.* I, 5, 21 ; I, 6, 42 ; *Strom.* I, 28, 178 ; V, 1, 6 ; V, 11, 71 ; ORIGÈNE, *PArch.* I, 3, 3 ; *ComJn* I, 9 (11), 57 ; *CCels.* VIII, 53.

21. *PEuch.* XXVII, 8, de toute nature incorporelle. Sur la simplicité de Dieu : *ComJn* I, 20 (22), 119 ; *CCels.* VII, 38.

22. La définition de Dieu comme monade est pythagoricienne : Xénocrate d'après Stobée (DIELS, *Doxographi graeci*, p. 304). Le mot se trouve dans *ComJn* V, 5 et dans CLÉMENT, *Strom.* V, 11, 71. Dieu est dit l'Un, τὸ ἕν, dans la tradition platonicienne, chez PHILON (*Cher.* 87 ; *Leg.* II, 2) et CLÉMENT (*Pedag.* I, 8, 71 ; II, 8, 75 ; *Strom.* V, 12, 81). L'expression *ut ita dicam* montre qu'Origène a conscience, sinon de forger un néologisme, du moins d'employer un mot rare. Sur l'Un chez lui : *CCels.* I, 23 ; VII, 38 ; *ComJn* I, 20 (22), 119. Certains pythagoriciens tardifs semblent avoir distingué, comme Origène ici, la Monade, l'unité première qui engendre la multitude, et l'Un-en-soi, un absolu sans relation avec qui que ce soit : E. ZELLER, *Die Philosophie der Griechen*, I Teil : *Vorsokratische Philosophie*, I, Leipzig 1919, p. 464-481.

23. Dieu est dit ici νοῦς, mais en *CCels.* VII, 38, il est dit au delà du νοῦς et de l'οὐσία, comme en *ExhMart.* 47, au delà des intelligibles, νοητά, et en *ComJn* XIX, 6 (1), 37, au delà de l'οὐσία : même oscillation chez Philon et Clément, le platonisme et la gnose.

24. *CCels.* VII, 34 ; VI, 64 ; *PEuch.* XXVII, 8 ; Clément, *Strom.* V, 11, 71 ; VII, 6, 30.

25. Clément, *Strom.* II, 2, 6 ; V, 12, 81.

26. Grégoire Thaum., *RemOrig.* VI, 85-88, écho de l'enseignement d'Origène.

27. Clément, *Strom.* IV, 26, 164 ; Origène, *CCels.* VI, 63 ; VII, 24. Origène dans ces textes est dichotomiste, tandis que la plupart du temps il est trichotomiste, distinguant l'esprit (πνεῦμα/*spiritus*), l'âme (ψυχή/*anima*), le corps (σῶμα/*corpus*) : H. Crouzel, « L'anthropologie » ; J. Dupuis, *L'esprit de l'homme.* Mais l'« esprit » est un don divin qui ne fait pas partie à proprement parler de la personnalité : *ComJn* II, 21 (15), 138 ; *PArch.* II, 8, 2 ; II, 10, 7 ; *ComMatth.* XVII, 27.

28. *CCels.* VI, 63.

29. A la base des raisonnements qui suivent est le principe venant d'Empédocle et de Platon : seul le semblable connaît le semblable. C'est l'axiome fondamental de la mystique origénienne qui découle de la création de l'âme à l'image de Dieu et de son progrès jusqu'à la ressemblance par la pratique des vertus, qui l'assimilent de plus en plus à Dieu : *CCels.* III, 40 ; *ComJn* XIII, 5, 26 ; XIX, 4 (1), 21-25. De là, le double raisonnement dans chaque sens : l'âme doit être incorporelle pour recevoir la connaissance de réalités incorporelles ; inversement, si à chaque sens correspondent des qualités sensibles, les incorporels supposent une intelligence incorporelle.

30. *HomJér.* XXXIX, 2 (*Philoc.* X, 2) ; *ExhMart.* 47. Les adversaires sont les matérialismes stoïciens et épicuriens, ainsi que l'anthropomorphisme.

31. Philon, *Opif.* 20.

32. *PEuch.* XXVII, 8, distingue deux conceptions de

l'οὐσία : celle des êtres intellectuels et incorporels, d'origine platonicienne; celle des êtres matériels, de source stoïcienne. De même *PArch.* III, 6, 7, sous le nom de « natures générales ». L'expression qu'emploie ici Origène évoque l'épiphénoménisme moderne.

33. *PArch.* III, 1, 13 ; IV, 2, 7 ; IV, 4, 10 ; *ExhMart.* 47.

34. Le νοῦς est le lieu du « selon-l'image » : H. CROUZEL, *Image*, p. 156-160.

35. Même aux anges : *FragmJn* 13 (*GCS* IV).

36. JÉRÔME, *Lettre* 124, 2 : « *Deum Patrem per naturam inuisibilem, etiam a Filio non uideri* — (Il dit) que Dieu le Père est invisible par nature et n'est pas vu même par le Fils. » Ce n'est pas une citation explicite. Koetschau insère dans le texte même de Rufin une phrase de Jérôme dans le *C. Joh. Hier.*, § 7 : « De même qu'il est incongru de dire que le Fils peut voir le Père, de même il ne convient pas de penser que l'Esprit Saint peut voir le Fils », et il cite en note un autre passage du même livre, § 9 : « Le Fils ne voit pas le Père et le Saint Esprit ne voit pas le Fils. » Mais ce ne sont pas là des traductions littérales. RUFIN déclare (*Apol. c. Hier.* I, 19-20) qu'on avait inséré dans le texte, après *absurdum*, à la place de *rationem quippe dabimus consequenter* : « que, de même que le Fils ne voit pas le Père, de même l'Esprit Saint ne voit pas le Fils ». Rufin avoue avoir traduit ce texte sans assez de précision, mais refuse cette correction comme venant d'un faussaire : il n'accepte pas que cette phrase se soit trouvée dans le grec.

Deux passages d'ÉPIPHANE concernent le même sujet. *Ancor.* 63 : « Comment Origène n'a-t-il pas jugé indigne de dire que le Fils ne voit pas le Père ? Mais il dit que le Fils ne peut pas voir le Père et que le Saint Esprit ne peut pas voir le Fils. Et de même : les anges ne peuvent pas voir le Saint Esprit et les hommes ne peuvent pas voir les anges. » *Panarion* 64, 4 : « Celui-ci (Origène), ayant eu l'audace de parler du principe, dit d'abord que le Fils unique ne peut voir le Père, mais aussi que l'Esprit ne peut voir le Fils, ni les anges l'Esprit, ni les hommes les anges. Telle est sa première erreur. » De même JUSTINIEN, non dans le florilège, mais au début de la *Lettre à Ménas* (Mansi IX, 489 B) — ce n'est donc pas une citation — : « Il ajoute ceci à son impiété que le Fils ne peut voir le Père, ni le Saint Esprit le Fils. »

Rufin a-t-il donc ôté du texte l'opinion que le Saint Esprit ne voit pas le Fils — et les anges le Saint Esprit, et les hommes les anges —, selon Jérôme, Épiphane et Justinien, ou bien les trois contradicteurs ont-ils ajouté cela de leur propre cru par un raisonnement logique? Rufin nie que le texte ait parlé du Saint Esprit ne voyant pas le Fils. S'il avait trouvé cette affirmation dans le texte, pourquoi l'aurait-il ôtée, alors que, si hétérodoxie il y a, elle n'ajoute rien à l'affirmation que le Fils ne voit pas le Père? Remarquons de même que Jérôme, quand dans la *Lettre à Avitus* il se réfère au *PArch.* avec plus de précision, ne mentionne que le rapport du Fils au Père.

Tout cela a soulevé un grand scandale : on y a vu un témoignage choquant de l'infériorité du Fils à l'égard du Père. Cependant l'explication que donne sitôt après le texte rufinien devrait satisfaire : Origène veut seulement affirmer l'incorporéité de Dieu ; voir est une opération sensible. Mais si le Fils ne voit pas le Père, le Fils connaît le Père : connaître est un acte intellectuel qui convient à la divinité. Mais cette explication est-elle d'Origène? Ce n'est pas ce que dit Jérôme dans *Apol. adv. lib. Ruf.* II, 11 : « Dans le livre premier du *Peri Archon*, là où Origène a blasphémé d'une langue sacrilège, disant que le Fils ne voit pas le Père, toi aussi tu en donnes les raisons, comme si tu étais l'auteur, et tu traduis un scolie de Didyme, où ce dernier s'efforce vainement de défendre l'erreur d'un autre et de montrer qu'Origène a bien parlé. »

Didyme l'Aveugle avait composé, nous dit Socrate (*Hist. Eccl.* IV, 25), des ὑπομνήματα où il justifiait des affirmations du *Peri Archon* : Jérôme les appelle *commentarioli* (*Apol. adv. lib. Ruf.* I, 6 ; II, 16). Il est possible que cette information soit vraie, mais Origène s'exprime si souvent sur la connaissance que le Fils et l'Esprit ont du Père (H. Crouzel, *Connaissance*, p. 95-98) que le scandale des trois accusateurs ne manifeste guère d'intelligence dans la compréhension d'Origène. Si ce développement est de Didyme, il n'en est pas moins conforme à la pensée de l'Alexandrin et au contexte du chapitre : il n'y a là aucun caractère subordinatien. Dans la pratique, bien souvent Origène ne fait guère de distinction entre voir et connaître et emploie le premier mot pour le second. Voir H. Crouzel, *Connaissance*, p. 375-382, où θεᾶσθαι, θεωρεῖν, ὁρᾶν, βλέπειν, τρανοῦν et les mots de mêmes racines sont étudiés dans leur contexte de contemplation spirituelle.

37. *PArch.* I, 1, 5-6. La même citation est étudiée dans le même contexte : *CCels.* VII, 33 ; *FragmJn* XIII (*GCS* IV). A propos des idées suivantes : *CCels.* VI, 69 ; VII, 34 ; VII, 44 ; *ComJn* XXVIII, 4-5, 23-38 ; *SérMatth.* 85 ; *PEuch.* XIII, 4.

38. Le texte reçu de *Prov.* 2, 5 (LXX) porte ἐπίγνωσιν, « connaissance », et non αἴσθησιν que suppose *sensum.* Cette citation est constamment liée au thème origénien des sens spirituels, comme on peut s'en rendre compte avec les index scripturaires de l'édition *GCS*.

39. Dans les anthropomorphismes bibliques — membres ou organes corporels attribués à Dieu ou à l'âme et passions prêtées à Dieu —, il faut voir, selon Origène, des activités de Dieu ou des facultés de l'âme. Le fameux thème origénien des cinq sens spirituels, qui aura une longue histoire chez les mystiques, jusqu'à l'« application des sens » des *Exercices Spirituels* d'Ignace de Loyola, est le chapitre le plus important de cette solution donnée au problème des anthropomorphismes. Les passages qui en traitent sont innombrables : *DialHér.* 16 s. ; *CCels.* I, 48 ; *ComCant.* I (*GCS* VIII, 101-108) ; *PArch.* IV, 4, 10 (37), etc. Voir K. Rahner, « Le début d'une doctrine des cinq sens spirituels chez Origène », *Revue d'Ascétique et de Mystique*, 13 (1932), p. 113-145 ; H. Crouzel, *Connaissance*, p. 258-262 (anthropomorphismes), 504-507 (sens spirituels).

40. Le mot cœur désigne donc la faculté de connaissance, plus intuitive que discursive, dans la Bible et dans l'antiquité chrétienne, et même au XVIIe siècle chez Pascal, et non, comme chez nos contemporains, l'affectivité et l'amour : le cœur est chez Origène l'équivalent de νοῦς ou de ἡγεμονικόν, qui désignent la partie supérieure de l'âme.

41. Transition claire de la partie consacrée à Dieu (le Père) à celle qui traite du Fils.

Deuxième section (I, 2)

Après avoir indiqué au début qu'il y a dans le Christ le Fils de Dieu et l'homme, ce chapitre ne s'occupe que du Fils de Dieu : l'Incarnation n'intervient, selon Rufin, qu'au § 8 pour la comparaison des deux statues, mais *PArch.* II, 6 lui sera entièrement consacré. La doctrine des ἐπίνοιαι ou dénominations du Christ, qui est le centre de la christologie d'Origène, est le sujet de ce chapitre : ce sont les différents noms donnés au Fils par l'Écriture, entendus allégoriquement quand il s'agit de l'Ancien Testament ; ils correspondent à des aspects différents de son activité dans l'unité de sa personne. Ou, plus précisément, il s'agit ici de l'*épinoia* principale, la Sagesse : comme l'explique *ComJn* I, 19 (22), 109-118 et I, 31 (34), 222-223, c'est elle qui, selon *Prov.* 8, 22, a été constituée ἀρχή, principe, des voies de Dieu, tellement que *Jn* 1, 1 signifie : « Dans la Sagesse (le Principe) était la Parole », l'*épinoia* Parole étant subordonnée et postérieure — d'une postériorité de raison — à celle de Sagesse. Principe, la Sagesse l'est en ce qu'elle contient, nous le verrons plusieurs fois dans ce chapitre, le Monde Intelligible des idées — platoniciennes, sens général — ou des raisons — stoïciennes, sens individuel, les germes des êtres — qui vont présider à la création du monde, ainsi que les mystères. Cette section va donc étudier les différents noms ou attributs donnés à la Sagesse par l'Écriture. Le plan qui suit ne donne qu'une faible idée de la grande richesse du chapitre où apparaissent nombre de thèmes que répète toute l'œuvre d'Origène.

Après avoir montré par l'Écriture que le Fils est Sagesse (1), Origène précise que ce terme abstrait ne met pas en danger son existence indépendante, son incorporéité, ni l'éternité de sa génération : elle contient en elle les plans de la création future ou les germes des êtres à venir (2). La Sagesse s'identifie à la Parole (le Verbe), médiatrice de la connaissance, pareillement éternelle (3) ; de même à la Vérité, la Vie, la Résurrection, la Voie. Mais il ne faut pas comparer la génération de la Sagesse par le Père à une génération humaine ou animale qui comporterait division de substance, l'engendré devenant extérieur au géniteur : et cela à cause de l'incorporéité de Dieu (4). Il faut en conclure que pour Origène le Fils ne sort pas du Père, quoique ayant une hypostase propre : il participe à la même divinité. Tel est l'équivalent origénien de l'unité de nature qui sera définie à Nicée : cette idée est présente dans toute la seconde partie du chapitre.

Le Fils est l'image invisible du Dieu invisible et le contenu de la notion d'image est expliqué : sa génération est comparée à celle de la volonté par l'intelligence qui ne comporte rien de corporel (5-6). Il est dit aussi le rayonnement de la gloire de Dieu (7), la figure et expression de sa substance, notion illustrée par la comparaison des deux statues (8), un souffle de la puissance de Dieu (9), une émanation très pure de la gloire du Tout-Puissant (10), la rayonnement de la lumière éternelle (11), le miroir sans tache de l'activité de Dieu (12), l'image de sa bonté (13). Dans l'explication de ces diverses appellations Origène insiste constamment sur l'éternité et l'incorporéité de la génération du Fils que, selon lui, elles impliquent, et prouve le premier point par un raisonnement basé sur l'immutabilité divine : Dieu n'a pas pu être un moment sans Fils, sans Sagesse, sans Parole, sans Puissance, parce qu'il se serait alors produit en lui un changement.

Peri Archon I, 2

1. Quelle que soit l'authenticité origénienne du terme de nature à cet endroit, il n'y a pas de doute sur la véracité de l'affirmation elle-même : en *ComJn* XIX, 2, 6, φύσις est employé pour la « nature plus divine » ; *CCels.* III, 28 (la nature divine et humaine) ; VII, 17 etc. Voir Méliton, *PPasch.* 8 (*SC* 123, 64), qui dans le fragment 6 parle de deux οὐσίαι. Tertullien emploie *substantia* pour chaque nature dans *Adv. Marc.* III, 8, 2-3 ; *Adv. Prax.* 27, 10-15 ; 29, 2-3. Dans *Carn. Chr.* 5, 7, on trouve à la fois *substantia*, *conditio* et *natura*.

2. *Dispensatio* est la traduction habituelle d'οἰκονομία, le plan de Dieu sur le monde et les hommes, surtout celui qui s'est réalisé par l'Incarnation.

3. Les ἐπίνοιαι : voir *supra*. Par opposition à l'absolue simplicité de Dieu, le Fils, un par son hypostase, est multiple dans ses aspects et dans ses relations aux hommes et au monde : *ComJn* I, 20-22 (22-23), 119-141. Cette distinction se retrouve dans le *Nous* de PLOTIN (*Enn.* V, 1, 4 ; V, 3, 10, etc.), le Dieu d'ALBINOS (*Epit.* 10, 3), celui de PHILON (*Her.* 23) et chez CLÉMENT (*Strom.* IV, 25, 156 ; *Exc. Theod.* 7). Mais cette diversité ne compromet pas l'unité d'hypostase : *ComJn* I, 28 (30), 196-197, 200 ; voir PLOTIN, *Enn.* IV, 8, 3. Cette affirmation s'oppose à la théologie valentinienne où ces dénominations étaient devenues autant d'Éons séparés. Parmi les *épinoiai*, Origène distingue celles qui se rapportent à la préexistence éternelle du Verbe et celles qui ont trait à l'économie de la Rédemption : les premières font l'objet de ce chapitre. Voir Fr. BERTRAND, *Mystique* ; A. ORBE, *La Epinoia*, Rome 1955. Sur les divers noms du Dieu unique en relation avec ses diverses manifestations : H. v. ARNIM, *SVF* II, p. 305.

4. Ce présent (γεννᾷ με) qui suit une série d'aoristes est, d'après *HomJér.* IX, 4, l'indice de la génération éternelle et continuelle.

5. Avant Origène les auteurs voient dans la Sagesse soit le Fils (JUSTIN, *Dial. Tryph.* 61), soit l'Esprit (IRÉNÉE, *Adv. Haer.* IV, 20, 3, Massuet).

6. Pareillement *ComJn* I, 24 (23), 151-152. Ces affirmations sont dirigées contre les modalistes (Introd. V, 2°) qui font du Fils et de l'Esprit des modes d'être d'une unique personne divine (*ComJn* X, 37 (21), 246-247 ; *PEuch.* XV, 1 ; *DialHér.* 4 ; *FragmTite*, *PG* 14, 1304 D). Mais sont peut-être aussi visés les valentiniens qui considéraient la Sagesse comme étant sans subsistance avant son émanation du Père : Origène les accuse de se représenter l'émanation de la Sagesse sous forme corporelle, comme division de substance (*PArch.* IV, 4, 1). Dans l'affirmation que la Sagesse est l'*épinoia* première du Fils (cf. *supra*), il y a peut-être aussi une pointe contre les valentiniens qui en faisaient le dernier des Éons.

7. Même affirmation : *ComJn* VI, 38 (22), 188 ; I, 34 (39), 244 ; *PEuch.* XXVII, 12 ; *CCels.* VIII, 12.

8. Rufin reproduit le terme grec et donne l'équivalent latin, équivalent parfait selon l'étymologie, mais pas tellement dans son emploi, car l'hypostase grecque est ici la substance individuelle et la *substantia* latine, correspondant davantage à l'οὐσία, peut avoir un sens soit individuel, soit générique ou spécifique, et cela provoquera des difficultés au temps de la controverse arienne. On ne peut donc affirmer que Rufin reproduit toujours par *substantia* ὑπόστασις. Voir le sens de subsistance individuelle dans *CCels.* VIII, 12 ; *ComJn* II, 10 (6), 75, et néanmoins la tendance à identifier ὑπόστασις et οὐσία : *ComJn* I, 24 (23), 151 ; X, 37 (21), 246. Sur la différence des deux termes : A. Orbe, *Procesión*, p. 439 s. Dans l'*Apologia* de Pamphile, Rufin a traduit dans le même passage ὑπόστασις par *subsistentia* qui a plus clairement le sens individuel.

9. De même, avec des raisonnements analogues, un fragment du *ComGen.* I conservé en grec par Eusèbe, *Contra Marcellum* I, 4, et en latin dans l'*Apol.* de Pamphile (*PG* 17, 560 D ou 12, 45 C). Dans une note de son édition (p. 107 note 8), E. R. Redepenning pense qu'Origène, à la suite de Philon, distingue du temps actuel un *aevum* précédant notre temps, qui serait sans intervalles de temps, mais non sans un ordre et une succession. Le Fils aurait été engendré dans cet *aevum*, car il est dit que son « temps, si j'ose dire, est coextensif à la vie de Dieu sans principe et éternelle » et elle « est pour lui cet aujourd'hui où le Fils a été engendré » (*ComJn* I, 29 (32), 204, trad. C. Blanc, *SC* 120). Mais par ailleurs le Logos est dit πρεσβύτερος, plus ancien, que l'Esprit (*ComJn* II, 10 (6), 73). Ce mot traduit-il quelque chose qui ressemblerait dans l'*aevum* à une antériorité quasi temporelle, ou s'agit-il, mode de penser fréquent des philosophes et des théologiens, d'une antériorité de raison,

Origène voulant simplement dire, comme il le développe dans le même passage, que l'Esprit vient du Père par le Fils ? Un emploi analogue de ce mot impose le second sens : *ComJn* I, 19 (22), 118, après avoir montré que la Sagesse est ἀρχή, ajoute : « de sorte qu'on pourrait dire avec audace que la Sagesse est la plus ancienne des dénominations du Premier-Né de toute créature ». Si Origène excuse une pareille expression, c'est qu'elle est impropre et qu'elle exprime une antériorité de raison, non une antériorité réelle : la distinction du commencement temporel et du commencement de raison est d'ailleurs faite ici-même, en *PArch.* I, 2, 2, un peu plus loin. On ne peut dire de même avec Redepenning que l'expression « coéternel à Dieu » a un autre sens appliquée au monde qu'appliquée au Fils, car le monde dont il s'agit est le Monde Intelligible contenu dans le Fils-Sagesse.

10. *HomJér.* IX, 4 : à propos de *Prov.* 8, 25, la génération du Fils par le Père est dite continuelle, toujours actuelle, en même temps qu'éternelle. De même *PArch.* I, 2, 4 ; *ComJn* I, 29 (32), 204 ; II, 1, 8-9. Conceptions analogues chez PLOTIN, *Enn.* V, 1, 6, et ALBINOS, *Epit.* 14, 3.

11. Le monde des idées, au sens platonicien, n'existe pas pour Origène de façon autonome (*PArch.* II, 3, 6), mais il est contenu dans le Fils, Monde Intelligible en tant que Sagesse : *PArch.* I, 4, 4-5 ; *ComJn* I, 19 (22), 111 ; XIX, 22 (5), 146-150 ; *CCels.* V, 39 ; VI, 24 ; *ComCant.* III (*GCS* VIII, p. 208) ; H. CROUZEL, *Connaissance*, p. 54-61. C'est là une conception couramment admise dans le moyen platonisme (pour ALBINOS, *Epit.* 9, les idées sont les pensées de Dieu : cf. Hal KOCH, *Pronoia*, p. 254-256), chez PHILON et CLÉMENT (*Strom.* IV, 25, 155 ; V, 11, 73 se référant à Platon).

12. Est-ce la distinction de la substance (οὐσία) et des qualités (ποιότητες), *PArch.* II, 1, 4 ; II, 3, 2 ; IV, 4, 7 (34), ou, comme en *PArch.* II, 9, 3, celle des *principalia*, les créatures raisonnables, et des *consequentia*, les animaux et autres êtres? En *ComJn* XIII, 62 (60), 441, sont employés, mais dans un autre sens (les deux venues du Christ), les termes προηγουμένη et ἑπουμένη.

13. *Initia* = ἀρχαί, *rationes* = λόγοι, *species* = εἴδη. Dans le Monde Intelligible d'Origène sont non seulement les idées, à signification générale (genres et espèces), mais les *raisons* à sens individuels, germes (λόγοι σπερματικοί) des êtres à venir : *PArch.* I, 4, 5 (Rufin et Justinien) ; II, 3, 6 ; *ComJn* I, 19 (22), 113-115 ; 34 (39), 244 ; 38 (42), 283 ; II, 18 (12), 126 ; V, 5 ; XIX, 22 (5), 146-150 ; *CCels.* V, 22 ; V, 39 ; VI, 64 ; *FragmÉphés.* VI (*JTS* III, p. 241).

14. *Prov.* 8, 22 exprimait la production de la Sagesse par κτίζειν. Arius en tirait prétexte pour faire du Christ une créature. Pour Origène, ce mot n'a pas le sens précis de créer, réservé à ποιεῖν (cf. Introd. V, 4°) : *PArch.* IV, 4, 1. La phrase *et quomodo creata esse dicitur* est-elle de Rufin qui aurait voulu harmoniser avec l'orthodoxie nicéenne le fait que la Sagesse soit dite créée et aurait alors expliqué qu'elle est créée en ce sens qu'elle contient la préfiguration de la création à venir (M. SIMONETTI, *Studi sull'Arianesimo*, p. 20 s.)? Cependant l'explication peut paraître tout à fait origénienne : la création du Monde Intelligible coïncide avec la génération du Fils (*PArch.* I, 4, 4-5).

15. Apocryphe perdu qui n'est pas à confondre avec les *Actes de Paul et de Thècle* ; cité en *ComJn.* XX, 12, 91 et avec le même texte qu'ici en *HomJér.* XX (XIX), 1 ; de même dans EUSÈBE, *Hist. Eccl.* III, III, 5 ; III, XXV, 4. Sur ce livre : A. v. HARNACK, *Patristische Miscellen*, *TU* 20, 1900 ; K. SCHMIDT, *Die alten Petrusakten*, *TU* 24, 1903. J. E. GRABE (*Spicilegium SS. Patrum, ut et haereticorum* I, p. 128) pense qu'Origène a eu en mains un exemplaire fautif ou que l'exemplaire du *PArch.* qu'avait Rufin était fautif et que le grec portait ζῶν et non ζῷον ζῶν. Mais E. R. REDEPENNING (*De Princ.* 109, note 1) lui objecte que le Fils-Sagesse est dit en *PArch.* I, 2, 2 *uelut animal quoddam sapiens*, que les anges sont dits ζῶα λογικά, que le Fils et l'Esprit sont dits ζῶα dans le fragment de Justinien en I, 3, 4 et qu'il ne manque pas d'endroits où Dieu est dit ζῶον. Dans le langage d'Origène, ajoutons-nous, les mots ἔμψυχος, « animé », et ζῶν, « vivant », sont fréquemment accolés aux mots abstraits désignant les *épinoiai* du Fils pour indiquer qu'il s'agit d'un être subsistant en propre : *ComJn* I, 19 (22), 115 ; XIII, 25, 152 ; XIX, 8 (2), 45 ; XXXII, 7 (6), 83 ; 11 (7), 127 où le Christ est magnifiquement appelé : « la Vertu tout entière, animée et vivante ». De même GRÉGOIRE THAUM., *RemOrig.* IV, 39.

16. L'argument essentiel d'Origène pour la génération éternelle du Fils est donc que si le Fils a eu un commencement, même de raison, on met en Dieu un changement, car on suppose qu'il fut auparavant sans Fils : cela est incompatible avec sa perfection absolue. Les apologistes, ATHÉNAGORE (*Legatio* 10), TATIEN (*Oratio* 5), THÉOPHILE (*Autol.* II, 10), tombaient, semble-t-il, sous ce reproche en distinguant un moment où le Verbe était immanent au Père et un moment où le Père l'engendrait comme un être existant en propre, en vue de la création.

17. *ComJn* I, 21 (23), 126 ; I, 37 (42), 267 s. ; *CCels.* VII, 16. Plus précisément sur le Christ-Vie : II, 16 (10), 114 s. ; VI, 19 (11), 107 ; G. GRUBER, *Zoè*. Il s'agit surtout de vie surnaturelle.

18. *ComJn* VI, 38 (22), 188 ; *PEuch.* XXVII, 2 ; H. CROUZEL, *Image*, p. 168-175. Sur *uerbum uel ratio*, traduction rufinienne de l'unique λόγος, voir Introd. VII, 3°. Cette expression se retrouve continuellement,

Rufin ne pouvant exprimer autrement le double sens du mot grec, présent dans tous les emplois de ce terme attribué au Fils.

19. Sur les trois sortes de morts, voir préface note 19 : il s'agit ici de la mort du péché, car « s'éloigner de la vie » est un acte volontaire : *ComJn* I, 37 (42), 267 ; XX, 39 (31), 363 s. ; XXXII, 18 (11), 233 s.

20. *ComJn* I, 37 (42), 268 ; H. Crouzel, « La ' première ' et la ' seconde ' résurrection des hommes selon Origène », *Didaskalia* 3, 1973, p. 3-19.

21. *ComJn* II, 18 (12), 124 ; *CCels.* VI, 44.

22. *ComJn* VI, 19 (11), 103-107 ; XXXII, 7 (6), 80-82.

23. *ComJn* XX, 5, 34 s.

24. Selon l'opinion la plus courante dans l'antiquité, il n'est question de semence que venant du père, la mère étant le terrain où la semence paternelle est déposée et se développe. Telle est l'opinion d'Origène en *ComRom.* III, 10 (*FragmRom.* XIX en *JTS* XIII, p. 223 ou en 12, Scherer p. 170-174) et dans *FragmGal.* (*PG* 14, 1298 A). Cette opinion est-elle variable ou Rufin a-t-il attaché peu d'attention à ce détail ?

25. *CCels.* II, 69, sur la naissance de Jésus d'une vierge. Ce passage est dirigé contre les partisans de la προβολή ou *prolatio* qui, concevant la génération du Fils par le Père à la manière d'une génération corporelle, faisaient sortir le Fils du Père, alors que pour Origène le Fils ne sort pas du Père, tout en ayant une hypostase distincte : il y reste dans un certain sens, même lorsque dans l'Incarnation il est présent au milieu des hommes avec son âme humaine. Ainsi *HomJér.* X, 7, le Père est la maison du Fils ; *ComJn* XX, 18 (16), 153-159, le Père est le « lieu » du Fils, le Père est dans le Fils et le Fils dans le Père ; ou, selon GRÉGOIRE LE THAUMATURGE, *RemOrig.* IV, 37, le Père « s'enveloppe » du Fils. Les partisans de la προβολή sont les gnostiques accusés de cela en *PArch.* IV, 4, 1, mais aussi nombre d'apologistes et d'auteurs chrétiens orthodoxes : A. ORBE, *Procesión*, II, p. 519-744. Sur la génération du Fils par le Père selon Origène : H. CROUZEL, *Image*, p. 83-98.

26. *CCels.* VIII, 14 ; IRÉNÉE, *Adv. Haer.* II, 28, 6, Massuet.

27. La même image, ainsi que celle du feu, dans JUSTIN, *Dial. Tryph.* 61, 128 ; TATIEN, *Oratio*, 5, TERTULLIEN, *Adv. Prax.* 8, 5 (c'est pour lui un exemple de προβολή). Origène s'appuie sur Dieu-Lumière de *I Jn* 1, 5, et sur le Christ rayonnement du Père selon *Hébr.* 1, 3 ; il y voit une preuve supplémentaire de l'éternité du Fils, car il n'existe pas de lumière sans rayonnement : *HomJér.* IX, 4 ; *FragmHébr.* (*PG* 14, 1307). Le Fils est rayonnement de *toute* la gloire du Père : *ComJn* XXXII, 18 (28), 353. Voir M. MARTINEZ, *Luz.*

28. *FragmIs.* (*PG* 13, 217) ; *ComJn* II, 10 (6), 76 ; *FragmJn* 108-109 (*GCS* IV) ; *HomJér.* IX, 4 ; *FragmÉphés.* III (*JTS* 3, p. 237) confirmé par JÉRÔME, *ComÉphés.* I, sur 1, 5 (*PL* 26, 448 B) ; J. RIUS-CAMPS, *Dinamismo*, p. 212 s.

29. Sur Paul et *Hébr.*, voir préface note 3.

30. *ComJn* XIII, 25, 153 ; *CCels.* III, 72 ; VIII, 14.

31. Dans *ComJn* II, 2, 18, Origène assimile la génération continuelle du Fils par le Père à sa contemplation incessante du mystère paternel. Ce motif de la contemplation créatrice est chez PLATON (*Phèdre* 249 *c*), ALBINOS (*Epit.* 14, 3) et PLOTIN. Voir R. ARNOU, « Le thème néoplatonicien de la contemplation transformante chez Origène et chez saint Augustin », *Gregorianum* 13, 1932, p. 124-

136 ; H. Crouzel, *Image*, p. 85-87, et p. 232-236 le thème de la contemplation transformante qui s'applique aux hommes.

32. *ComJn* II, 6 (4), 52 ; *ComMatth.* X, 11.

33. En *PArch.* I, 3, 3 et II, 3, 6, Origène dit qu'il a déjà expliqué *Gen.* 1, 1-2, ici qu'il n'a pas encore expliqué *Gen.* 1, 26 : le *PArch.* et le *ComGen.* ont donc été écrits simultanément. Voir *HomGen.* I, 13 et *SelGen.* 1, 26 (*PG* 12, 93).

34. Philon (*Confus.* 147) et Clément (*Protr.* X, 98, 4) avaient déjà vu l'Image de Dieu dans le Logos, mais les milieux chrétiens étaient plutôt portés à la voir dans le Verbe incarné : Irénée, *Démonstr.* 22, où l'image est le Verbe incarné existant idéellement dans les desseins paternels ; Novatien, *Trin.* 18 (26), où l'image s'applique au Christ apparaissant sous forme humaine dans les théophanies de l'Ancien Testament. Les gnostiques voyaient aussi dans le Fils une image visible de Dieu : A. Orbe, *Procesión*, p. 411 s. Origène revient sur ce thème en *ComJn* XIII, 36, 228-235 : le Fils est image parce qu'il fait toute la volonté du Père ; et *CCels.* VII, 43.

35. L'idée semble bien origénienne (*PArch.* IV, 4, 9), mais les termes employés le sont-ils, du moins pour *substantia*, alors que οὐσία et ὑπόστασις ont souvent chez lui un sens individuel ? On a douté ainsi de l'authenticité du mot ὁμοούσιος cité en grec par Rufin dans sa traduction de *FragmHébr.* (*PG* 14, 1306) selon *Apol.* de Pamphile. Ainsi M. Simonetti, *Studi sull'Arianesimo*, p. 125, et R. P. C. Hanson dans *Epektasis*, p. 293-303, s'appuyant sur l'usage de deux disciples, Denys et Eusèbe. Mais οὐσία ne s'applique pas toujours chez lui à une réalité individuelle et l'usage de disciples, qui sont des théologiens indépendants, n'est pas nécessairement identique à celui du maître. Quoi qu'il en soit de l'authenticité d'ὁμοούσιος dans ce contexte, il y a indiscutablement chez Origène une certaine idée de la consubstantialité du Père et du Fils (cf. H. Crouzel, *Image*, p. 98-110) qui résulte de toute une série d'affirmations : le refus de la προβολή dont la conséquence est que le Fils ne sort pas du Père, mais reste en son sein, les comparaisons utilisées pour exprimer la génération, l'unité de lumière, de volonté, de bonté, d'amour entre le Père et le Fils, l'unité aussi de l'amour qu'on doit leur porter, etc. L'unité de nature est aussi affirmée équivalemment : *ComJn* II, 10 (6), 76 ; XIX, 2 (1), 6, et elle résulte de l'unité d'amour, de volonté et d'action (*CCels.* VIII, 12 ; *DialHér.* 2 s. ; *ComCant* prol., *GCS* VIII, 69). Mais cela ne veut pas dire que *natura* chez Rufin traduise nécessairement ici φύσις.

36. Sur cette comparaison, *ComJn* XIII, 36, 228-234, surtout 234 ; *FragmJn* 108 (*GCS* IV). Elle exprime une conception dynamique de l'image : le Fils est image par son action. Il est représenté comme volonté du Père par Tertullien, *Orat.* 4 ; par Clément, *Pédag.* III, 12, 98 ; *Strom.* V, 1, 6 ; cf. A. Orbe, *Procesión*, p. 387-512, surtout 401 s. ; J. Rius-Camps, *Dinamismo*, p. 92-93. Il ne faudrait pas en conclure que l'union du Père et du Fils serait d'ordre purement moral, car, comme le montre la phrase suivante, ce vouloir qui procède du Père constitue existentiellement le Fils : H. Crouzel, *Image*, p. 90-94 ; P. Nemeshegyi, *Paternité*, p. 87-100.

37. Dans ces trois dernières phrases, Origène selon Rufin veut dire : dans l'exercice de sa volonté, le Père n'use de rien d'autre que de ce que lui conseille sa volonté ; cela suffit pour donner l'existence à ce qu'il veut. L'expression *ad subsistendum hoc quod uult Pater* se trouve en grec à propos de la création de la matière dans le fragment du *ComGen.* sur *Gen.* 1, 12, cité par Eusèbe, *Prép. Évang.* VII (*PG* 12, 48 A) : « Il faut chercher si, quand Dieu a décidé de faire subsister ce qu'il veut (ὑποστῆσαι ὅ τι βούλεται), comme sa volonté n'est pas dans l'embarras ni ne se relâche, il peut faire subsister ce qu'il veut (δύναται ὑποστῆσαι ὃ βούλεται). » Rufin a donc exactement traduit cette expression. On la retrouve chez un néoplatonicien du ve siècle, que Hal Koch, *Pronoia*, p. 291-301, représente comme fortement influencé par Origène, Hiéroclès, à propos de la matière qu'il déclare créée par Dieu : il est cité par Photius, *Bibl.* codex 214 et codex 251 : Hal Koch (p. 294) ne paraît pas avoir perçu la parenté flagrante des deux expressions. Athanase emprunte à Origène l'idée que le Fils est la Volonté hypostasiée du Père (*Contra Arianos* II, 31 : *PG* 26, 212).

38. Jérôme, *Lettre* 124, 2 : « *nihil absque solo Patre infectum esse confirmans* — Il affirme que rien en dehors du seul Dieu le Père a été non fait. » Toujours le même contresens sur ἀγένητος : voir préface, note 21. La même phrase se trouve en grec en *ComJn* II, 10 (6), 75, mais avec ἀγέννητος : « croyant que rien d'autre que le Père n'est inengendré ». Peut-être faudrait-il mettre ici le fragment de Justinien que Koetschau place en I, 3, 3 : voir I, 3, note 20.

39. Dans l'impossibilité de trouver un terme qui traduise προβολή/*prolatio* (voir note 26), nous francisons le mot latin. Voir Justin, *Dial. Tryph.* 128.

40. L'invisibilité de l'image qu'est le Fils tient donc à son unité de nature avec le Père qui le rend tout à fait semblable au Père.

41. Jérôme, *Lettre* 124, 2 : « *Filium, qui sit imago inuisibilis patris, comparatum patri non esse ueritatem ; apud nos autem, qui dei omnipotentis non possumus recipere ueritatem, imaginariam ueritatem uideri* — (Il dit) que le Fils, qui est l'image invisible du Père, comparé au Père, n'est pas la vérité : pour nous, qui ne pouvons recevoir la vérité qu'est le Dieu tout-puissant, il semble une vérité en image (ou : imaginaire). » Et Jérôme continue : « de telle sorte que la majesté et la grandeur du plus grand soient perçues circonscrites d'une certaine façon dans son Fils ».

Une apologie anonyme lue par Photius, *Bibl.* codex 117, énumère parmi les griefs faits à Origène : « ὅτι ἡ εἰκὼν τοῦ θεοῦ ὡς πρὸς ἐκεῖνον οὗ ἐστιν εἰκών, καθ' ὃ εἰκών, οὐκ ἔστιν ἀλήθεια — que l'image de Dieu, par rapport à celui dont elle est l'image, en tant qu'image, n'est pas vérité ».

Théophile d'Alexandrie, dans sa lettre synodale traduite par Jérôme (*Lettre* 92 dans la corrrespondance de Jérôme), § 2 : « *quod filius nobis conparatus sit ueritas, et patri conlatus mendacium* — que le Fils comparé à nous serait vérité, comparé au Père mensonge ».

Dans ce contexte on situe aussi un fragment de Justinien (Mansi IX, 525) : « Γενόμενοι τοίνυν ἡμεῖς κατ' εἰκόνα, τὸν υἱὸν πρωτότυπον ὡς ἀλήθειαν ἔχομεν τῶν ἐν ὑμῖν καλῶν τύπων. Αὐτὸς δὲ ὁ υἱός, ὅπερ ἡμεῖς ἐσμεν πρὸς αὐτόν, τοιοῦτός ἐστι πρὸς τὸν πατέρα ἀλήθειαν τυγχάνοντα. — Donc, ayant été faits selon l'image, nous avons le Fils prototype en tant que Vérité des belles empreintes qui sont en nous. Ce que nous sommes par rapport au Fils, le Fils l'est par rapport au Père qui est Vérité. »

A la version de Rufin s'opposent donc les interprétations, non présentées comme citations explicites, de Jérôme et de Théophile, et l'accusation à laquelle répondait l'*Apologie* anonyme lue par Photius. Comme cela a été dit dans Introd. V, 1°, les accusateurs ne comprennent guère que pour le platonicien Origène la vérité s'identifie au mystère originel, au modèle, et s'oppose à l'image, non habituellement au mensonge et à l'erreur : voir l'étude du mot ἀλήθεια dans H. Crouzel, *Connaissance*, p. 31-35. L'expression de Jérôme, *imaginaria ueritas*, est ambiguë, car elle nous fait glisser de l'opposition vérité/image à vérité/fausseté, *imaginarius* signifiant aussi imaginé, et faux. D'autre part, Jérôme voit là un subordinatianisme de grandeur/petitesse qui n'est pas exprimé et qui n'est qu'une conclusion qu'il tire. Quant à Théophile, il oppose délibérément vérité à mensonge, en opposition flagrante avec les intentions d'Origène. Contre Koetschau qui écrit, dans l'apparat critique de son édition, que Rufin a intentionnellement modifié ce passage, A. ORBE, *Procesión*, p. 418 s. montre la vraisemblance de la version rufinienne : le Fils est image du Père par rapport à nous, image intermédiaire par laquelle nous connaissons le Père ; mais, par rapport au Père il est Vérité, comme principe exemplaire auquel participe tout être en tant qu'il est vrai. Il est Vérité absolue et principe de toute vérité participée. Le mot ἀλήθεια, et même αὐτοαλήθεια, Vérité-en-soi, est une des dénominations du Fils : *HomJér.* XVII, 4 ; *CCels.* III, 41 ; *ComJn.* VI, 6 (3), 38. Ce dernier texte confirme le raisonnement de A. Orbe mentionné ci-dessus : « Il faut penser qu'il (= le Christ) est la Vérité-en-soi substantielle (οὐσιώδης) et, pour ainsi dire, le prototype de la vérité qui se trouve dans les âmes raisonnables, et que des sortes d'images de cette Vérité sont imprimées dans ceux qui pensent selon la vérité. » Le Fils est donc d'une part Vérité, de l'autre image intermédiaire. M. J. DENIS, *Philosophie*, p. 350 note 1, préfère lui aussi résolument Rufin à Jérôme. Pour le Christ-Vérité chez le gnostique Ptolémée, voir A. ORBE, *Espiritu*, p. 144.

Le cas du fragment de Justinien est plus complexe. Il présente l'idée très origénienne du Fils comme image intermédiaire : *ComJn.* II, 3, 20 ; XIII, 25, 153 ; *CCels.* V, 11. Il se rencontre de façon frappante avec *ComJn.* VI, 6 (3), 38 qu'on vient de citer. On pourrait objecter cependant que Vérité n'est pas un des noms du Père, mais du Fils : l'attribution de ce titre au Père pourrait se justifier par la relation vérité/image. Mais ce fragment est-il ici à sa place? Ne coupe-t-il pas le fil du discours? Est-ce une citation explicite d'Origène ou une présentation de ce qu'il est censé penser? Nous n'oserions écrire comme G. BARDY, *Recherches*, p. 136 : « l'authenticité du fragment n'est pas douteuse », ce que pense aussi P. NEMESHEGYI, *Paternité*, p. 54 note 3, qui juge que Rufin a maladroitement corrigé, que Justinien conserve le vrai texte, tout en repoussant comme tendancieux Jérôme et Théophile.

42. *ComJn.* XIX, 6 (2), 35 ; XXXII, 29 (18), 359 ; *CCels.* VII, 43-44.

43. JÉRÔME, *Lettre* 124, 2 : « *Deum patrem esse lumen incomprehensibile. Christum conlatione patris splendorem esse perparuum qui apud nos pro imbecillitate nostra magnus esse uideatur* — (Il dit) que Dieu est la lumière incompréhensible, que le Christ comparé au Père en est un tout petit rayonnement qui, à cause de notre faiblesse, nous paraît grand. » Ce n'est pas une citation, mais un résumé : il n'y a pas lieu de voir là, avec Koetschau, une lacune de Rufin, mais une interprétation de Jérôme, tendancieuse par son subordinatianisme exagéré qu'Origène ne professe jamais sous cette forme. On peut dire la même chose de Théophile traduit par Jérôme, *Lettre* 92, 2 de la correspondance de Jérôme : « *Quantum differt Paulus et Petrus saluatore, tanto saluator minor est patre* — Autant Paul et Pierre diffèrent du Sauveur, autant le Sauveur est plus petit que le Père. »

44. *ComRom.* II, 5 ; *ComJn.* XIII, 25, 153 : le subordinatianisme de ce dernier passage dépasse-t-il la considération de l'origine et suppose-t-il une inégalité de puissance? En tout cas ce n'est pas clair. Voir M. MARTINEZ, *Luz*, p. 93-120 ; H. CROUZEL, *Image*, p. 87-90.

45. Comme il n'est pas question d'incarnation dans le contexte — c'est le cas en revanche de *HomJos.* III, 5 —, on ne peut supposer, semble-t-il, que ce rayonnement est adouci par l'humanité revêtue par le Verbe. Il y aurait donc là une infériorité du Fils à l'égard du Père. Cependant le Fils est rayonnement de *toute* la gloire du Père, dont des rayons partiels parviennent aux créatures qui ne pourraient autrement la soutenir (*ComJn* XXXII, 28 (18), 352-353). Et par ailleurs une des caractéristiques du Fils est qu'il peut s'adapter aux capacités de ceux qui le reçoivent : ainsi *CCels.* VI, 67 : « La lumière véritable, étant animée, sait ceux à qui il faudra montrer l'éclat et ceux à qui il faudra montrer la lumière, sans leur présenter elle-même sa splendeur à cause de la faiblesse qui affecte encore leurs yeux » (trad. M. Borret, *SC* 147). On peut citer dans le même sens le thème des nourritures : le Logos se fait herbe pour les âmes encore animales, lait pour les enfantines, légumes pour les malades, nourriture solide pour les forts (H. Crouzel, *Connaissance*, p. 166-184). Dans ce cas la phrase du *PArch.* que nous étudions ne serait pas nécessairement une preuve de l'infériorité du Fils, mais de sa capacité d'adaptation.

46. Ce redoublement doit correspondre chez Origène au seul mot ὑπόστασις, dont Rufin veut souligner avec *subsistentia* le sens de substance individuelle, alors que *substantia* désigne la substance générale. Rufin donne de ces deux mots une définition dans le premier des deux livres qu'il a ajoutés à sa traduction de l'*Histoire Ecclésiastique* d'Eusèbe : « *Substantia* exprime la nature même ou la manière d'être de quelque chose, ce qui la constitue *(naturam rationemque, qua constat)*, mais la *subsistentia* d'une personne montre cela même qui existe et subsiste *(quod extat et subsistit).* » (*Hist. Eccl.* I, 29 dans *PL* 21, 499 D, ou X, 30 dans *GCS*, *Eusebius Werke* II/2, p. 992 ligne 22). C'est en somme la distinction scolastique de l'essence et de l'existence.

47. *HomGen.* I, 13, avec la même citation de *Phil.* 2, 6-8.

48. Ce qui suit est ainsi résumé par Jérôme, *Lettre* 124, 2 : « *Duarum statuarum maioris et paruulae, unius quae* *mundum inpleat et magnitudine sua quodammodo inuisibilis sit, et alterius quae sub oculos cadat ponit exemplum, priori patrem posteriori filium conparans.* — Il donne en exemple deux statues, une plus grande, l'autre toute petite, celle-là remplissant le monde et invisible d'une certaine façon à cause de sa grandeur, celle-ci tombant sous les yeux : il compare la première au Père, la seconde au Fils. » Ici, pour la seule fois de tout le chapitre, Origène, si on suit Rufin, se réfère à la kénose du Christ dans l'Incarnation. Cela n'apparaît pas dans ce que dit Jérôme. Si Rufin a introduit la mention de l'Incarnation pour éviter l'infériorité du Fils en tant que Dieu, il a profondément remanié ce passage où les allusions à l'humanité du Christ sont nombreuses : il est difficile de se prononcer entre Rufin et Jérôme.

49. *Jn* 10, 30 est pareillement rapporté à la ressemblance de l'action du Fils avec celle du Père dans *CCels.* VIII, 12 : de même *HomGen.* I, 13 ; *PArch.* I, 2, 12.

50. *HomJér.* X, 7 ; *ComJn* XX, 18 (16), 153-159.

51. *ComJn* XIII, 25, 153 : voir note 44. Ici Origène veut dire que ce souffle (ἀτμίς) qu'est la Sagesse dérive directement de Dieu (sa puissance ou sa volonté), non d'un de ses effets comme gloire, lumière ou bonté. Voir A. ORBE, *Procesión*, p. 404 s. Même idée dans *FragmHébr.* (*PG* 14, 1308) : le Fils engendré de la substance (*substantia* représentant οὐσία) du Père. Sur ce dernier texte, voir note 36.

52. Sur le Christ-Puissance (*uirtus* = δύναμις) de Dieu : JUSTIN, *Dial. Tryph.* 128 ; THÉOPHILE, *Autol.* II, 10 ; CLÉMENT, *Hypotyposes fragm.* 23 (*GCS* III, p. 202) selon PHOTIUS, *Bibl.*, codex 109. Chez Origène, *HomJér.* VIII, 1 ; *ComJn* I, 33 (38), 242 ; XX, 15 (13), 120.

53. Cette conception de Dieu en tant que force qui

maintient le monde, comme l'âme du monde des platoniciens et le *pneuma* des stoïciens, est courante dans la pensée philosophique, comme chez Justin, Irénée et Clément : elle joue un rôle central dans la cosmologie d'Origène comme le souligne Hal Koch, *Pronoia*. Cette force de Dieu est le Fils, comme l'indique la phrase qui suit. Sur les deux phrases suivantes, voir J. Rius-Camps, *Dinamismo*, p. 91 s.

54. *CCels.* VIII, 12 ; *ComJn* X, 37 (21), 246. Il y a en Dieu une puissance qui lui est immanente et une puissance devenue un être propre.

55. C'est la première expression par Origène du fameux adage qu'Athanase opposera aux ariens à propos de la génération éternelle du Fils : « Οὐκ ἦν ὅτε οὐκ ἦν. — Il n'y a pas eu de moment où il n'était pas. » De même *PArch.* IV, 4, 1, selon Rufin et Athanase ; et *ComRom.* I, 5 : « *Non erat quando non erat.* »

56. Raisonnement analogue dans Clément, *Strom.* V, 14, 141.

57. A. Orbe, *Procesión*, p. 169, note 14, remarque que le παντοκράτωρ de *Sag.* 7, 25 est mal traduit par Rufin qui devrait dire *omnitenens*, *omnipotens* rendant παντοδύναμος. Déjà F. Prat, *Origène*, p. 71-73, avait observé qu'avec cette traduction « on ôte sa pointe à l'argument d'Origène ». Dans παντοκράτωρ se trouve l'image du souverain : l'empereur est αὐτοκράτωρ.

58. A ce raisonnement, P. Koetschau rattache un passage de Méthode dans *Xénon ou Des Créatures*, connu par Photius, *Bibl.*, codex 235. C'est un résumé par Méthode de ce qu'il pense être l'opinion d'Origène. On peut citer ce passage ici, ou en I, 4, 3-5, où Origène revient sur le sujet d'une manière plus complète. Voici la traduction du texte : « Origène que l'auteur (Méthode) appelle le

Centaure (surnom non autrement attesté), disait l'univers coéternel au seul sage et au seul qui est sans besoin, Dieu. Il disait en effet : S'il n'y a pas d'ouvrier (δημιουργός) sans œuvres, ni de créateur (ποιητής) sans créatures, ni de souverain de tout (παντοκράτωρ) sans sujets — car il faut appeler quelqu'un ouvrier à cause de ses œuvres, créateur à cause de ses créatures, souverain de tout à cause de ses sujets —, il est nécessaire que tout cela ait été fait dès le début par Dieu, et qu'il n'y ait pas eu de temps où cela n'était pas. En effet, s'il y a eu un temps où les créatures n'étaient pas, vois quelle impiété s'ensuit. Mais il en résultera que le Dieu immuable et inchangeable est changé et se transforme : s'il a fait l'univers plus tard, il est clair qu'il est passé du non-faire au faire. C'est une absurdité d'après ce qui a été dit plus haut. On ne peut pas dire alors que l'univers n'est pas sans commencement et coéternel à Dieu. »

Méthode se représente ensuite comme discutant avec Origène et le réfutant. Mais il n'a pas compris quel est pour Origène ce monde créé de toute éternité, ce que montre clairement *PArch.* I, 4, 3-5 : c'est le Monde Intelligible des idées (platoniciennes) ou des raisons (stoïciennes) créé de toute éternité par Dieu dans la génération de son Fils qui le contient en tant qu'il est Sagesse. Voir notes 12 et 14 de ce chapitre. Fr. H. KETTLER a soutenu encore récemment que la création *ab aeterno* des créatures raisonnables préexistantes, τὰ νοερά, était tenue par Origène, car il les confond avec les idées, τὰ νοητά, mais ses arguments ne nous paraissent pas tenir contre *PArch.* I, 4, 3-5 : voir « Die Ewigkeit der geistigen Schöpfung nach Origenes » dans : *Reformation und Humanismus*, Robert Stupperich zum 65 Geburtstag, Witten 1972, p. 272-297. En sens inverse : P. NEMESHEGYI, *Paternité*, p. 113-126, qui remarque que cette accusation de Méthode n'est reprise par personne dans l'antiquité et au Moyen Age. Elle ne se retrouve que chez les modernes.

Hal Koch, qui partage l'opinion de Méthode, rapproche ce que dit Origène d'Albinos, *Epit.* 14, 3 ; Philon, *Prov.* 6-7 ; Kalvisios Tauros d'après Jean Philopon, *De aetern. mundi.* Voir *Pronoia*, p. 259-260, 274-275.

59. Le problème est de concilier une création survenue au commencement du temps avec l'immutabilité de Dieu : Augustin, *Cité de Dieu*, XII, 16.

60. Raisonnement analogue à celui qu'utilise Origène pour la génération éternelle du Verbe : *PArch.* I, 2, 9 ; IV, 4, 1 ; *ComJn* X, 37 (21), 246. La liaison s'impose puisque la création dont il s'agit est celle qui est contenue dans le Fils : cf. note 15.

61. Justinien (Mansi IX, 528). Le fragment est ainsi introduit : « Que les créatures sont coéternelles à Dieu : du premier livre du *Peri Archon* ». Le voici : « Πῶς δὲ οὐκ ἄτοπον τὸ μὴ ἔχοντά τι τῶν πρεπόντων αὐτῷ τὸν θεὸν εἰς τὸ ἔχειν ἐληλυθέναι ; εἰ δὲ οὐκ ἔστιν ὅτε παντοκράτωρ οὐκ ἦν, ἀεὶ εἶναι δεῖ ταῦτα, δι' ἃ παντοκράτωρ ἐστί, καὶ ἀεὶ ἦν ὑπ' αὐτοῦ κρατούμενα, ἄρχοντι αὐτῷ χρώμενα. — Comment ne serait-il pas absurde que Dieu n'ayant pas une des caractéristiques qui lui convenaient soit parvenu à l'avoir ? S'il n'y a pas de moment où il n'était pas souverain de tout, il faut qu'existe toujours ce par quoi il est souverain de tout. Ainsi il y a toujours eu des sujets soumis à sa domination et qui l'avaient pour chef. » La correspondance avec Rufin nous assure que Justinien conserve ici le texte d'Origène. Pour le sens de ces affirmations, voir note 58.

62. Il en parle surtout en *PArch.* I, 4, 3-5, qui fait partie du traité sur la Trinité.

63. Les *épinoiai* du Fils sont éternelles comme sa génération, du moins celles qui n'impliquent pas une relation aux créatures raisonnables. Et la Sagesse est étroitement liée au Monde Intelligible, puisque c'est en tant que Sagesse que le Fils le contient.

64. *ComJn* I, 19 (22), 109-118 ; II, 10 (6), 72 ; II, 12 (6), 89 ; VI, 38 (22), 188 ; *CCels.* II, 9 ; VI, 60 ; *PArch.* I, 3, 1 ; II, 8, 5, etc. Par la volonté du Père, le Fils, en tant que Verbe, Parole-Raison, crée le monde à partir des idées et raisons qu'il contient en tant que Sagesse : il correspond à la fois au Démiurge et au Modèle du *Timée* de Platon. Le texte ancien de *Jn* 1, 3-4 est coupé ainsi « καὶ χωρὶς αὐτοῦ ἐγένετο οὐδὲ ἕν. Ὃ γέγονεν ἐν αὐτῷ... » : sur l'exégèse faite par Origène, dans sa polémique anti-valentinienne, de ce « rien » qui a été fait sans le Verbe, le mal, voir A. ORBE, *En los albores*, p. 275-319.

65. Affirmation claire de l'unité en toute chose du Père et du Fils : cf. GRÉGOIRE LE THAUM., *RemOrig.* IV, 37, où il est dit du Père à l'égard du Fils : « ἓν πρὸς αὐτὸν ποιησάμενος — l'ayant fait un avec lui ». Or ce discours prononcé par un élève devant son maître en fin de scolarité reproduit la doctrine d'Origène : il n'y a là qu'un subordinatianisme d'origine, l'unité vient du Père.

66. Identité en Dieu de l'être et de l'avoir : BASILE D'ANCYRE dans ÉPIPHANE, *Panarion* 73, 8 ; HILAIRE, *Trin.* VIII, 43.

67. Nous traduisons *Phil.* 2, 10-11, suivant le grec attesté par Origène en *ComJn* VI, 44 (26), 231 ; *CCels.* III, 59 et *HomJér.* XVIII, 2. Le latin se traduit : « que le Seigneur Jésus est dans la gloire de Dieu le Père ».

68. Le Fils, Logos, Parole-Raison, est le principe de toute rationalité et c'est par là qu'il exerce sa seigneurie : mais cette raison est à la fois naturelle et surnaturelle, pour employer des distinctions peu familières à Origène.

69. *PArch.* I, 2, 13 ; I, 5 ; IV, 4, 8 et *passim* ailleurs ; *CCels.* IV, 5 ; *ComJn* VI, 38 (22), 193 , *SchApoc.* 20 et 22

(*TU* 28, p. 29 s.). Nous voyons apparaître une des différences essentielles entre la Trinité et les créatures. Le Père, le Fils et l'Esprit possèdent tout de façon substantielle, donc immuable, mais les créatures de façon accidentelle, susceptible de changement, progrès ou décadence. La manière dont le Fils et l'Esprit participent à Dieu, substantielle et totale, ne peut être comparée à celle des créatures, accidentelle, partielle et en outre dérivée, parce qu'elle s'opère par la médiation du Fils et de l'Esprit. C'est pourquoi il n'est pas possible de dire, en dépit de l'indistinction γενητός/γεννητός, avec Jérôme, Justinien et bien des modernes, que, malgré cette distinction nette, Origène aurait fait du Fils et de l'Esprit des créatures : le Fils n'est changeant que par sa nature humaine : *ComJn* II, 17 (11), 123.

70. *PArch.* I, 1, 6 à propos du Père ; I, 2, 7 à propos du Fils : cf. M. Martinez, *Luz*, p. 114 s.

71. Cette conception de l'éternité ne rend qu'un aspect de la notion philosophique d'éternité, qui n'est pas seulement un temps sans commencement ni fin, mais ne comporte pas la succession des moments : tout est donné à la fois. Origène s'en approche un peu quand, dans *HomJér.* IX, 4, il représente la génération du Fils, non seulement comme produite de toute éternité, mais comme se produisant à chaque instant : le Fils est continuellement engendré par le Père. Mais il ne semble pas être parvenu à une notion de l'éternité supprimant clairement la successivité.

72. *PArch.* I, 2, 10 ; *CCels.* VIII, 12 ; *HomLév.* XIII, 4 ; *ComJn* XIII, 36, 228-234.

73. *ComJn* VI, 4 (2), 17 ; XX, 17 (15), 148 : mais si le Fils imite le Père, il ne le fait pas de manière extérieure, comme le disciple le maître, pense Origène.

74. Telle est la conception platonicienne qu'on retrouve dans la gnose : Irénée, *Adv. Haer.* I, 17, 2, Massuet ; *Exc. Theod.* 47. Elle est appliquée alors au monde psychique dont le monde hylique est image (Irénée, *Adv. Haer.* I, 5, 5, Massuet ; *Exc. Theod.* 50). Cette conception platonicienne se retrouve chez Origène en ce qui concerne les rapports du monde spirituel et du monde sensible (*ComCant.* III, *GCS* VIII, p. 208), mais il n'accepte pas de réserver au Père la création du premier et au Fils celle du second par imitation du Père : la création est l'œuvre commune des deux. Il doit viser ici les valentiniens pour qui le monde spirituel ou Plérôme dérivait du Dieu suprême par émanation, tandis que le monde matériel était l'œuvre, à travers le Démiurge, du Sauveur (le Fils). Voir une autre explication regardant les valentiniens dans A. Orbe, *En los albores*, p. 44-45 : « *ea a Filio (id est a Salvatore) fiant, quae a Patre (id est a Verbo Unigenito)... fuerunt deformata* ». Mais ce qu'Origène n'avait pas professé, la création du monde sensible par le Christ seul, ayant en quelque sorte sa création distincte du Père, se trouve dans l'anathématisme 6 de 553 visant les origénistes du VIe siècle : cf. Fr. Diekamp, p. 92.

75. Jérôme, *Lettre* 124, 2 : « *Deum patrem omnipotentem appellat bonum et perfectae bonitatis. Filium non esse bonum, sed auram quandam et imaginem bonitatis, ut non dicatur absolute bonus, sed cum additamento pastor bonus et cetera.* — Il appelle bon Dieu le Père tout-puissant et dit qu'il est d'une bonté parfaite. (Il dit) que le Fils n'est pas bon, mais qu'il est comme un reflet ou une image de bonté ; de telle sorte qu'il ne faut pas le dire bon de façon absolue, mais avec quelque ajout comme bon pasteur, etc. »

Justinien (Mansi IX, 525) : fragment introduit seulement par : « Du même tome (= 1er) du même livre ». « Οὕτω τοίνυν ἡγοῦμαι καὶ ἐπὶ τοῦ σωτῆρος καλῶς ἂν λεχθήσεσθαι ὅτι εἰκὼν ἀγαθότητος τοῦ θεοῦ (*Sag.* 7, 25) ἐστιν, ἄλλ' οὐκ αὐτοαγαθόν. Καὶ τάχα καὶ ὁ υἱὸς ἀγαθός, ἀλλ' οὐχ ἁπλῶς ἀγαθός. Καὶ ὥσπερ εἰκών ἐστι τοῦ θεοῦ τοῦ ἀοράτου (*Col.* 1, 15) καὶ κατὰ τοῦτο θεός, ἀλλ' οὐ περὶ οὗ λέγει ὁ Χριστός, *ἵνα γινώσκωσί σε τὸν μόνον ἀληθινὸν θεόν* (*Jn* 17, 3), οὕτως εἰκὼν τῆς ἀγαθότητος, ἄλλ' οὐχ ὡς ὁ πατὴρ ἀπαραλλάκτως ἀγαθός. — Je pense de même au sujet du Sauveur qu'on dirait avec raison qu'il est l'image de la bonté de Dieu, mais non le Bien-en-soi. Et peut-être que le Fils lui aussi est bon, mais non bon tout simplement. Et de même qu'il est l'image du Dieu invisible, et pour cela Dieu, sans être cependant celui dont le Christ lui-même a dit : *Afin qu'ils te connaissent, toi, le seul Vrai Dieu*, de même il est l'image de sa bonté, mais non comme le Père identique au Bien. »

Peut-être la dernière phrase de Jérôme, à partir de « de telle sorte », correspond-elle à une lacune de Rufin, encore qu'on puisse toujours se demander s'il n'y a pas là une interprétation de Jérôme correspondant au second paragraphe de I, 2, 13. Mais la traduction de Jérôme est, comme presque toujours, tendancieuse, notamment dans l'affirmation choquante, quoique expliquée ensuite, que le Fils n'est pas bon. Le passage de Justinien peut être authentique et raccourci par Rufin pour être compris de ses lecteurs latins. Il n'est guère scandaleux si on le replace dans la conception d'Origène, car il traduit uniquement un subordinatianisme d'origine. Seul le Père est le Bien-en-soi, le Bien dans son essence, identique au Bien. Le Fils est bon en tant qu'image de la bonté paternelle qu'il reçoit. Pareillement le mot vrai est opposé à image, non à erreur, et qualifie la réalité originelle (voir note 42). Dans P. NEMESHEGYI, *Paternité*, p. 77-78, se trouve une discussion sur le mot ἀπαραλλάκτως, qui n'a pas le sens d'« immuablement », mais d'« exactement de la même manière ». Notre opinion est un peu différente : ἀπαραλλάκτως ne se rapporte pas au Père, mais à « bon ». Le Fils n'est pas « bon identiquement », il ne s'identifie pas au Bien, car seul le Père est la Bonté dans son principe.

Autre reconstitution : P. NAUTIN, *Origène* I (Paris 1977), p. 443-446.

Sur le Christ Image de la bonté de Dieu : *ComJn* VI, 57 (37), 294-295 ; XIII, 25, 151 ; XIII, 36, 228 s. ; *CCels.* V, 11 ; *ComMatth.* XV, 10. Dans *ComJn* I, 35 (40), 253 s., Origène réfute la distinction gnostique du Dieu juste de l'Ancien Testament et du Dieu bon du Nouveau, mais la transfère avec précaution sur le Père bon et le Fils à qui appartient le jugement. Il y a là une influence du platonisme identifiant Dieu avec le Bien à la cime des idées. Si le Père est le Bien-en-soi, c'est qu'il est l'origine de la divinité. Voir ALBINOS, *Epit.* 10, 3 ; PLUTARQUE, *De Iside* 53 ; NOUMÉNIOS d'après EUSÈBE, *Prép. Évang.* XI, 22 (du Dieu suprême, αὐτοαγαθόν, la Bonté passe au second Dieu). Origène appelle donc lui aussi le Père αὐτοαγαθόν, et c'est le seul mot formé du suffixe αὐτο- qui lui est attribué, tous les autres s'appliquant au Fils : *CCels.* III, 41 ; VI, 47 ; *ComMatth.* XII, 9 ; *ComJn* VI, 6 (3), 38 ; XXXII, 28 (18), 347. L'idée exprimée dans Rufin que la bonté du Père et celle du Fils sont la même bonté, dans son principe chez le Père, dans son image chez le Fils, correspond trop bien à la représentation origénienne de leur union, avec un subordinatianisme tenant à l'origine, pour être une invention de Rufin. En omettant cet aspect, Jérôme et Justinien ont gauchi la pensée d'Origène. Comme textes parallèles voir encore *ComMatth.* XV, 10, à propos de *Matth.* 19, 16-17 ; *ComRom.* VIII, 5.

76. C'est Origène qui ajoute ὁ πατήρ que n'ont ni *Matth.* 19, 17, ni *Mc* 10, 18, ni *Lc* 18, 20. ÉPIPHANE, *Panarion* 42, 11, accuse Marcion d'avoir ainsi altéré ce passage, mais Origène, grand adversaire du marcionisme, le faisait aussi, dans un tout autre sens.

77. Ce terme, venant de *Jn* 15, 26 (ἐκπορεύεται), est devenu technique dans la seconde moitié du IVe siècle. On pourrait y voir une précision de Rufin. Origène ne sait comment exprimer l'origine de l'Esprit Saint en *PArch.* I, préf. 4 ; I, 3, 3. En *ComJn* II, 10 (6), 73-76, il voit en lui le plus élevé des êtres qui ont une origine (γενητά = produits/créés) par le moyen du Fils, lui attribuant cependant toutes les prérogatives divines (*ComJn* II, 28 (23) 172 ; XIII, 36, 231). La citation de *Jn* 15, 26 dans *PArch.* I, 3, 4 et III, 5, 8 et dans *ComCant.*, prol. (*GCS* VIII, 74) permet cependant d'accepter la traduction de Rufin.

78. Ange bon : *Tob.* 5, 22 et *II Macch.* 15, 23 ; homme bon : *Matth.* 12, 35 ; bon serviteur : *Matth.* 25, 21 ; bon trésor : *Matth.* 12, 35 ; bon cœur : *Lc* 8, 15 ; arbre bon : *Matth.* 7, 17. Voir *ComJn* VI, 19 (11), 105 ; *HomLc* XII, 2.

79. Voir note 70 de ce chapitre.

80. La liste la plus complète des *épinoiai* du Christ est en *ComJn* I, 21-24 (23), 125-150. Les cinq premiers livres du *ComJn*, écrits à Alexandrie, sont presque contemporains du *PArch.* ; mais cette phrase montre que *ComJn* I n'a pas encore été rédigé.

Troisième section (I, 3, 1-4)

La première partie du chapitre 3 est le premier traité écrit sur l'Esprit Saint. Certes, la plupart des éléments se trouvent épars dans l'œuvre d'Irénée. Et *PArch.* II, 7, envisage un aspect qui n'est pas considéré ici, le Saint Esprit comme inspirateur des Écritures. Origène constate que les Grecs n'en ont eu aucune idée, à la différence du Père et du Fils, et que seule l'Écriture en parle (1). Il cite quelques-uns de ces passages (2). Tout vient de Dieu, mais l'Écriture ne dit pas comment l'Esprit en procède (3). D'autres textes des deux Testaments sont cités à son sujet et l'éternité de son existence affirmée (4).

Peri Archon I, 3

1. Sur une connaissance naturelle de Dieu : *HomGen.* VI, 2 ; *CCels.* III, 47 ; VI, 30 ; VII, 44 ; *PArch.* I, 1, 5-6.

2. *HomGen.* XIV, 3. Origène se réfère évidemment au second Dieu de la Triade platonicienne. Il la trouve d'abord dans les lettres attribuées à PLATON : *Lettre* II, 312 e - 313 a, citée par Celse et commentée par Origène en *CCels.* VI, 18 ; *Lettre* VI, 323 d, citée par Origène en *CCels.* VI, 8. Voir PLATON, *Timée* 34 b ; NOUMÉNIOS suivant PROCLUS, *In Timaeum* II ; MACROBE, *Somnium Scipionis*, I, 14, § 6 s. ; PLOTIN, *Enn.* V, 1, 6-7.

3. Seule l'Écriture donne une connaissance sûre : *SerMatth.* 18 ; *HomNombr.* XXVI, 6 ; *HomJér.* I, 1 ; *HomÉz.* II, 5. La raison n'est pas une source suffisante : *CCels.* III, 37 ; IV, 26. Quand on n'a qu'elle, on reste dans l'insécurité : *PArch.* I, 7, 1 ; I, 7, 4 ; II, 2, 2 ; IV, 1, 1.

4. Cette phrase décourage tous les essais de voir dans le Saint Esprit un parallèle à la troisième hypostase de la Triade platonicienne, l'Âme du Monde. Le seul parallèle à l'Âme du monde qui soit possible chez Origène est l'Âme humaine du Christ qui est dans la préexistence, l'Incarnation et la gloire, l'Époux de l'Église, c'est-à-dire de l'ensemble des Intelligences, qui est son corps : H. CROUZEL, *Virginité et mariage*, p. 17-24. Pareillement l'Âme du monde contient en elle, à la fois séparées et non séparées, les âmes individuelles : PLOTIN, *Enn.* IV, 9 ; PLATON, *Timée* 34 b. Quant au mode d'union, la représentation d'Origène est plus respectueuse de la personne que celle de Plotin. Le parallélisme entre l'âme du Christ selon Origène et l'Âme du monde selon Plotin peut être aussi développé en ce qui concerne les vertus : dans le Père origénien et l'Un plotinien leur origine première ; dans le Verbe origénien et l'Intelligence plotinienne les vertus à l'état de paradigme ; dans l'âme du Christ et l'Âme du monde la source des vertus qui sont chez les hommes : Plotin, *Enn.* I, 2 et, en ce qui concerne Origène, voir H. Crouzel, *Image*, p. 129-142 ; *Connaissance*, p. 263-266, 340-341.

5. A partir des analogies du monde sensible et de ce que l'homme pense et cherche naturellement : *SelEx.* 12, 43-44 (*PG* 12, 285 D) ; *HomLév.* V, 1 ; *ComRom.* I, 16 ; *ComCant.* III (*GCS* VIII, p. 208). Voir H. Crouzel, *Connaissance*, p. 104-107.

6. C'est l'exégèse spirituelle dont Origène fait la théorie en *PArch.* IV, 1-3 et dont les principes fondamentaux viennent du Nouveau Testament.

7. Ce passage, cité par Pamphile dans *Apol.*, y est ainsi introduit : « Que la Trinité est égale à elle-même et que le Saint Esprit n'est pas créature ».

8. *ComJn* XXVIII, 15 (13), 122-129 : le Saint Esprit prophétique quitte l'âme pécheresse.

9. *ComJn* XXVIII, 15 (13), 128 ; *ComMatth.* XII, 11 ; XVI, 15.

10. Le terme Trinité est-il ici d'Origène ou de Rufin ? Le mot τριάς ne se trouve que trois fois dans les œuvres grecques : *ComJn* VI, 33 (17), 166 ; X, 39 (23), 270 ; *ComMatth.* XV, 31, et la notion est claire, sans le terme, en *HomJér.* XVIII, 9. Il se présente aussi dans plusieurs fragments : *FragmJn* 20 et 36 (*GCS* IV) ; *FragmMatth.* 14, 58, 257, 404 (*GCS* XII/1) ; mais ils ne sont jamais absolument sûrs. Les traductions latines contiennent fréquemment *Trinitas*. Fr. H. Kettler, *Der ursprüngliche Sinn*, p. 36-37, en note, en conclut qu'à cause de sa mentalité subordinatienne, Origène considérait davantage la hiérarchie que l'unité et que la plupart des emplois de *Trinitas* dans le *PArch.* sont l'œuvre de Rufin : il accepte l'authenticité de celui de I, 4, 3, mais non de ceux de ce chapitre. Pareillement G. Kretschmar, *Studien zur frühchristlichen Trinitätstheologie*, Tübingen 1956, p. 127 s., pense que la formule baptismale de *Matth.* 28, 9, ne se trouve pas chez Clément et Origène, sauf ici, où ce serait une interpolation de Rufin. Mais on trouve *Trinitas* aussi dans la version hiéronymienne qu'est *HomIs.* IV, 1 — vu le contexte, il est peu probable que ce soit un ajout de Jérôme —, mais surtout, de façon indiscutable, en *ComJn* VI, 33 (17), 166, dans un contexte baptismal qui correspond parfaitement au passage présent : l'Esprit est de même mentionné à propos du baptême en *HomJér.* II, 3. Il est possible, comme le veut Kettler, que Rufin ait plusieurs fois mis *Trinitas* là où Origène n'employait pas τριάς. Mais la raison qu'il donne ne convient pas : sa mentalité subordinatienne n'empêche pas Origène de distinguer souvent de façon nette les trois personnes de tout le monde créé ; même si le terme Trinité n'est pas utilisé très souvent, la notion qu'il représente existe dans la pensée d'Origène. Il ne faut pas d'ailleurs mettre n'importe quoi sous le mot subordinatianisme quand il est appliqué à Origène. Voir M. Simonetti, « Note sulla teologia trinitaria di Origene », *Vetera Christianorum* 8, 1971, p. 273-307.

11. Ce passage est expliqué en *PArch.* I, 3, 7.

12. Sur la création *ex nihilo*, voir Préface note 12.

13. Thèse classique des philosophes grecs, réfutée par Tatien, *Oratio* 5 et 12 ; Théophile, *Autol.* II, 4 ; Irénée, *Adv. Haer.* II, 10, 4, Massuet ; Tertullien, *Adv. Herm.* 3 s. (il la prête à Marcion dans *Adv. Marc.* I, 15) ; Origène, *ComJn* I, 17 (18), 103 ; *ComGen.* (*PG* 12, 48).

14. Autre conception classique de la philosophie grecque (Platon, *Phèdre* 245 cd), réfutée par Irénée, *Adv. Haer.* II, 34, 2, Massuet ; Tertullien, *De anima* 24. Pour

Origène, quoique préexistant à leur union au corps terrestre, les âmes n'en ont pas moins été créées par Dieu (*PArch.* I, 7, 1 ; II, 9, 1).

15. *CCels.* IV, 30. Sur l'opinion d'Origène, âmes créées par Dieu, mises par lui par suite de la faute dans des corps terrestres, voir Rufin, *Apol. ad Anast.* 6.

16. Le Pasteur est présenté par Hermas comme l'Ange de la Pénitence dans Vision 5, 8. Même expression chez Clément, *Strom.* I, 17, 85.

17. Voir Préface note 12.

18. Le *Livre d'Énoch* est cité par Origène en *PArch.* IV, 4, 8 ; *HomNombr.* XXVIII, 2 ; *ComJn* VI, 42 (25), 217 ; *CCels.* V, 55. Il tend à le considérer comme Écriture, mais il sait qu'il n'est pas canonique chez les Juifs.

19. L'exactitude de la version rufinienne à cet endroit est confirmée par Rufin, *Adult.* 1, et par Jérôme, *Apol. adv. lib. Ruf.* II, 15, qui lui répond. Dans *ComJn* II, 10 (6), 73, l'Esprit est dit γενητόν (produit ou créé) du Père par le Fils, en dépendance de *Jn* 1, 3, qui dit que tout a été fait par le moyen du Verbe. H. A. Wolfson (*The philosophy of the Church Fathers*, Cambridge, Mass., 1964, p. 254 s.) pense trouver dans la philosophie platonicienne à propos de l'origine de l'Âme du monde une influence sur la notion de l'origine du Saint Esprit à partir du Fils. Mais Origène dit que l'on ne peut trouver aucun pressentiment du Saint Esprit chez les philosophes et le parallèle origénien de l'Âme du monde est plutôt l'âme humaine du Christ (cf. note 4).

20. A cet endroit P. Koetschau, après K. Schnitzer, suppose une lacune qu'il remplit par un fragment de Justinien (Mansi IX, 528), ainsi introduit : « En disant que l'Esprit Saint comme le Fils est une créature (κτίσμα), il l'a compté parmi les autres créatures, et c'est pourquoi il les appelle des vivants qui servent (λειτουργικὰ ... ζῷα) : du tome quatrième (?) du *Peri Archon.* » Le fragment se compose de deux parties séparées par καὶ μετά τινα, « et peu après ». La seconde partie a sa traduction chez Rufin un peu plus loin : voir note 23, en I, 3, 4. Pour cette raison la mention du tome quatrième est certainement fautive.

Voici donc la première partie du fragment : « Ὅτι μὲν οὖν πᾶν, ὅ τι ποτὲ παρὰ τὸν πατέρα καὶ θεὸν τῶν ὅλων γενητόν ἐστιν, ἐκ τῆς αὐτῆς ἀκολουθίας πειθόμεθα. — Nous sommes persuadés par la suite même des idées que tout être en dehors du Père et Dieu de l'univers est *genètos* (produit/créé). » Les mots λειτουργικὰ ζῷα qui suivent le fragment sont pris au titre reproduit plus haut et se rapportent en réalité à la seconde partie du fragment. Pour la question γενητός/γεννητός, voir Préface note 21 : Justinien projette sur Origène la terminologie théologique de son temps.

Pour supposer en cet endroit une lacune, Schnitzer et Koetschau s'appuient sur des affirmations d'Épiphane (*Panarion* 64, 5), de Rufin (*Adult.* 1) et de Justinien (*Lettre à Ménas*, Mansi IX, 489). Mais le fragment que Justinien rapporte veut montrer que non seulement l'Esprit, mais encore le Fils sont des γενητά. Comme il n'est pas question du Fils dans le passage du *PArch.* où l'on veut l'insérer, on peut douter qu'il soit ici à sa place. Selon Schnitzer, dans le passage que Rufin aurait omis Origène se serait exprimé en termes semblables à *ComJn* II, 10 (6), 73 s. à partir de *Jn* 1, 3. En dépit de la mention du Saint Esprit dans l'introduction du fragment et de sa seconde partie qui se rapporte à ce chapitre, il semble bien que cette première partie ait sa traduction chez Rufin et Jérôme en I, 2, 6 : voir I, 2, note 38.

21. Il s'agit du *ComGen.* aujourd'hui perdu, sauf des fragments dont l'un est assez long : Origène donnait aux eaux une interprétation allégorique, comme le faisaient à partir de *Gen.* 1, 2, nombre de gnostiques : voir dans l'*Élenchos* attribué à Hippolyte V, 19, 2 s. (les Séthiens) ; VI, 14 (les Simoniens) ; de même *Exc. Theod.* 47. Voir A. Orbe, « *Spiritus Dei ferebatur super aquas* : Exegesis gnóstica de *Gen.* 1, 2 *b* », *Gregorianum* 1963, p. 691 s. Dans Origène *CCels.* VI, 52

22. Il est difficile de dire qui sont ces prédécesseurs.

23. Aux deux phrases qui suivent correspond la seconde partie du fragment de Justinien mentionné note 20 : c'est elle qui explique les « λειτουργικὰ ζῷα — vivants qui servent » de l'introduction. « Ἔλεγε ὁ Ἑβραῖος τὰ ἐν τῷ Ἡσαΐᾳ δύο Σεραφὶμ ἑξαπτέρυγα, κεκραγότα ἕτερον πρὸς τὸ ἕτερον καὶ λέγοντα · *Ἅγιος ἅγιος ἅγιος κύριος Σαβαώθ* (*Is.* 6, 3) τὸν μονογενῆ εἶναι τοῦ θεοῦ καὶ τὸ πνεῦμα τὸ ἅγιον. Ἡμεῖς δὲ οἰόμεθα ὅτι καὶ τὸ ἐν τῇ ᾠδῇ Ἀμβακούμ · *ἐν μέσῳ δύο ζῴων γνωσθήσῃ* (*Hab.* 3, 2) περὶ Χριστοῦ καὶ ἁγίου πνεύματος εἴρηται. — L'Hébreu disait que les deux Séraphins aux six ailes d'Isaïe, qui criaient de l'un à l'autre : *Saint, saint, saint le Seigneur Sabaoth*, sont le Fils Unique de Dieu et l'Esprit Saint. Nous, nous pensons que ce qui se trouve dans le cantique d'Habacuc : *Au milieu des deux vivants tu seras connu*, concerne le Christ et le Saint Esprit. » L'argument de ce fragment renvoie au livre IV (cf. note 20) parce qu'on y trouve aussi l'exégèse des deux Séraphins. Mais le fragment vient d'ici à cause de la citation d'Habacuc.

Justinien et Rufin correspondent. Rufin hésite dans la traduction de ζῴων qui peut venir de ζῷον, vivant, ou de ζωή, vie. L'Hébreu dont il s'agit ne peut être qu'un judéo-chrétien. L'exégèse des Séraphins revient en *PArch.* IV, 3, 14, toujours attribuée à un *Hebraeus doctor* ; en *HomIs.* I, 2 et IV, 1. D'après Rufin, *Apol. c. Hier.* II, 31 et 50, Jérôme aurait ajouté, en traduisant *HomIs.* I, 2, une phrase au texte d'Origène pour raison d'orthodoxie.

Cette exégèse est donc d'origine judéo-chrétienne. Philon voit dans les deux Chérubins du propitiatoire les puissances créatrice et royale de Dieu (*Fug.* 100). Si Justinien cite ce texte dans son florilège d'affirmations hérétiques, c'est qu'il y voit du subordinatianisme et que le Fils et l'Esprit sont créatures. Jérôme pense de même. Il a certes traduit les deux *HomIs.* où se trouve cette exégèse, tout en y ajoutant ce qu'il fallait pour bannir de la Trinité l'idée d'une inégalité. Mais cette comparaison lui déplaît fort et il en parle souvent : dans la *Lettre* 18 A au Pape Damase, sans nommer Origène ; dans la *Lettre* 84, 3 à Pammachius et Oceanus ; dans la *Lettre* 161, 2 à Vigilance ; dans le *ComIs.* III (*PL* 24, 94). Le passage est commenté par Antipater de Bostra, cité par Jean Damascène, *Sacra Parallela* II, 771 (*PG* 96, 505) qui y voit pareillement la preuve que le Fils et l'Esprit sont pour Origène des créatures. Enfin l'interprétation origénienne a été violemment attaquée par un traité anonyme de la fin du IVe siècle, *Contra Origenem de visione Isaïae* (éd. Morin, *Analecta Maredsoliana* III, 3, en 1903), que Dom Morin pense être une œuvre de Jérôme, écrite en 381 à l'époque de la *Lettre* 18 A : mais il est impossible que Jérôme ait accumulé de telles injures sur Origène à une époque où il était, et jusqu'en 393, son plus ardent admirateur, et où il traduisait les *HomIs.* qui précisément sont réfutées par ce traité. C'est en fait une traduction du grec, faite peut-être par Jérôme, mais après 393 ; l'auteur le plus vraisemblable en serait Théophile d'Alexandrie.

Origène rapporte aussi au Fils et à l'Esprit les deux oliviers de *Zach.* 4, 3, et les deux yeux de l'Épouse du Cantique dans *ComCant.* III (*GCS* VIII, p. 174) ; pareillement les deux Chérubins du propitiatoire (*Ex.* 25, 18) dans *ComRom.* III, 8. Voir aussi *FragmRom.* V, v, 9 (Scherer, p. 158-160). L'explication des deux Séraphins n'a pas paru hétérodoxe à Pamphile, puisqu'il cite *PArch.* IV, 3, 14, dans son *Apologie*, dont le but est de montrer par les textes mêmes d'Origène que celui-ci ne mérite pas les accusations dont il est l'objet. Il ne semble pas qu'Origène y ait mis davantage qu'un subordinatianisme d'origine et d'« économie » : selon Grégoire le Thaumaturge, *RemOrig.* IV, 35-38, le Fils loue continuellement le Père et lui transmet la louange de ses créatures ; pour Origène l'exégèse des Séraphins ne dit probablement pas autre chose. Comme le dit G. Bardy, *Recherches*, p. 137, Rufin a été plus sage que Jérôme en n'y voyant qu'une interprétation allégorique.

24. Commentaire des mêmes versets en *CCels.* II, 2 : citation composite.

25. Ce passage peut sembler en contradiction avec *ComJn* II, 18 (12), 73-76, qui dit, selon *Jn* 16, 14, que la connaissance qu'a l'Esprit Saint vient du Logos. En fait il n'y a pas de contradiction. Ici Origène veut seulement dire que le Saint Esprit n'est pas passé de l'ignorance à la science, qu'il n'a pas commencé à connaître, mais qu'il connaît de toute éternité. Qu'il tienne du Père par le Fils sa connaissance, comme son existence et tous ses attributs, comme le dit *ComJn* II, 18 (12), il les reçoit de toute éternité. Cf. H. Crouzel, *Connaissance*, p. 97-98. A. Orbe, *Espiritu*, p. 453-457, remet ce texte dans son contexte de polémique antivalentinienne.

26. *PArch.* I, 8, 3 ; *HomNombr.* XI, 8. Sur le mot Trinité, note 10 de ce chapitre.

27. *HomNombr.* XI, 8.

28. *PArch.* IV, 4, 1 ; *FragmJn* I (*GCS* IV).

Quatrième section (I, 3, 5 - I, 4, 2)

La fin du chapitre 3 et le début du chapitre 4 forment un tout, comme le montrent à la fois le début de I, 3, 5, et I, 4, 2 qui est la conclusion de la question, et même, semble-t-il, du traité, annonçant le suivant. Le sujet central est le rôle propre de chaque personne dans le salut des hommes, un essai d'appropriation trinitaire : le Père communique l'existence, le Fils donne la rationalité et avec elle le discernement du bien et du mal (5-6), le Saint Esprit la sainteté (7). Pour prévenir de mauvaises interprétations, Origène — selon Rufin — précise, dans une première digression, correspondant au dernier paragraphe de 7 et dont la fin est signalée au début de 8, qu'il faut concilier ces appropriations avec l'unité d'action des trois personnes. Puis il revient au sujet principal en 8, mais le dernier paragraphe de 8, ainsi que I, 4, 1, constituent une seconde digression à propos de la chute que cause la satiété du bien dans la contemplation de Dieu, la déchéance qu'elle engendre devenant progressivement habitude. I, 4, 2 marque la fin à la fois de la digression et du sujet principal.

En ce qui concerne le sujet principal (I, 3, 5-8), le texte rufinien est fortement mis en question par les fragments correspondants de Jérôme et de Justinien. Voir à ce sujet, entre autres écrits : M. SIMONETTI, « Sull'interpretazione di un passo del *De Principiis* di Origene (I, 3, 5-8) », *Rivista di cultura classica e medioevale*, 6, 1964, p. 15-32 ; A. ORBE, *Espiritu*, p. 533-536 ; Helmut SAAKE, « La notion de la Trinité à visée pansotériologique chez Origène », dans *Politique et Théologie chez Athanase d'Alexandrie*, édité par Ch. Kannengiesser, *Théologie Historique* 27, Paris 1974, p. 295-304 ; du même, *Pneumatologica*, Francfort sur le Main 1973 ; du même, « Der Tractatus pneumatico-philosophicus des Origenes in Περὶ Ἀρχῶν I, 3 », *Hermes* 101, 1973, p. 91-114 ; H. CROUZEL, « Les personnes de la Trinité sont-elles de puissance inégale selon Origène, *Peri Archon* I, 3, 5-8 ? », *Gregorianum* 57, 1976, p. 109-125. Comme ces fragments ne sont pas facilement localisables dans cette moitié de chapitre — la localisation de Koetschau est loin d'être satisfaisante —, parce que, à notre avis, ils ne représentent pas le texte d'Origène, mais une présentation de ses idées, telle que les ont comprises les excerpteurs, nous traitons cette question pour l'ensemble de la quatrième section.

Le fragment de Justinien (Mansi, IX, 524) est ainsi introduit : « Que le Fils est moindre que le Père, et l'Esprit moindre que le Fils : du premier tome du *Peri Archon* ». Le voici : « Ὅτι ὁ μὲν θεὸς καὶ πατὴρ συνέχων τὰ πάντα φθάνει εἰς ἕκαστον τῶν ὄντων, μεταδιδοὺς ἑκάστῳ ἀπὸ τοῦ ἰδίου τὸ εἶναι, ὅπερ ἐστίν, ἐλαττόνως δὲ παρὰ τὸν πατέρα ὁ υἱὸς φθάνων ἐπὶ μόνα τὰ λογικά (δεύτερος γάρ ἐστι τοῦ πατρός), ἔτι δὲ ἡττόνως τὸ πνεῦμα τὸ ἅγιον ἐπὶ μόνους τοὺς ἁγίους διϊκνούμενον · ὥστε κατὰ τοῦτο μείζων ἡ δύναμις τοῦ πατρὸς παρὰ τὸν υἱὸν καὶ τὸ πνεῦμα τὸ ἅγιον, πλείων δὲ ἡ τοῦ υἱοῦ παρὰ τὸ πνεῦμα τὸ ἅγιον, καὶ πάλιν διαφέρουσα μᾶλλον τοῦ ἁγίου πνεύματος ἡ δύναμις παρὰ τὰ ἄλλα ἅγια. — Dieu le Père, embrassant toutes choses, atteint chacun des êtres en communiquant à chacun d'être ce qu'il est à partir de son existence propre. D'une manière inférieure à celle du Père, le Fils atteint les seuls êtres raisonnables, car il est second par rapport au Père. D'une manière moindre encore l'Esprit Saint pénètre seulement les saints. De sorte que de cette façon la puissance du Père est plus grande que celle du Fils et de l'Esprit Saint, et celle du Fils plus grande que celle de l'Esprit Saint et, en revanche, la puissance de l'Esprit Saint est plus grande que celle des autres saints. »

P. Koetschau, dont nous reproduisons le texte, a corrigé celui de Migne et de Mansi : ἐλαττόνως au lieu de ἔλαττον ὡς ; ἡττόνως au lieu de ἧττον. L'inégalité des personnes en est peut-être atténuée, car elle porte moins alors sur ce qu'elles sont en elles-mêmes que sur la manière dont elles agissent. Ce passage exprime d'une part l'essai d'appropriation trinitaire que l'on trouve chez Rufin ; d'autre part une hiérarchie de puissance, inconnue de Rufin, et présentée comme la conséquence des appropriations, suivant l'étendue du domaine d'action de chaque personne.

Selon JÉRÔME, *Lettre* 124, 2, Origène dit : « *Filium quoque minorem a patre eo quod secundus ab illo sit, et spiritum sanctum inferiorem a filio in sanctis quibusque uersari. Atque hoc ordine maiorem patris fortitudinem esse quam filii et spiritus sancti. Et rursus maiorem filii fortitudinem esse quam spiritus sancti, et consequenter ipsius sancti spiritus maiorem esse uirtutem ceteris quae sancta dicuntur.* — Que le Fils est plus petit que le Père parce qu'il est le second après lui, et que le Saint Esprit est inférieur au Fils et qu'il se trouve dans tous les saints ; que selon cet ordre la puissance du Père est plus grande que celle du Fils et de l'Esprit Saint, et en revanche la puissance du Fils est plus grande que celle du Saint Esprit ; et qu'en conséquence la puissance de l'Esprit Saint est plus grande que celle de ceux qu'on appelle les saints. »

Ce passage n'est pas présenté par Jérôme comme une citation explicite. A le lire, on ne perçoit plus guère qu'il s'agit d'appropriations trinitaires, sinon par un organe-témoin : « qu'il (= le Saint Esprit) se trouve dans tous les saints ». Mais quant à l'inégalité de puissance, il y a correspondance étroite entre Jérôme et Justinien : les secondes parties des deux fragments concordent quasi littéralement.

Il n'y a pas de trace chez Rufin d'une supériorité du Père sur le Fils et du Fils sur l'Esprit qui découlerait des appropriations. Tout au contraire, après avoir parlé du péché contre l'Esprit en I, 3, 7, Origène, selon Rufin, craint que son lecteur ne déduise de ce passage et des appropriations la hiérarchie inverse, supériorité de l'Esprit sur le Fils et du Fils sur le Père, hiérarchie aussi compréhensible que l'autre, si on regarde, non au nombre des sujets, mais à la noblesse des fonctions. Or il est impossible de prétendre qu'Origène aurait d'abord tiré de ses appropriations la hiérarchie que supposent Jérôme et Justinien, dans un passage que Rufin aurait gommé, puis aurait ensuite craint de s'être si mal exprimé que son lecteur ait pu comprendre la hiérarchie contraire. Rufin d'une part, Jérôme et Justinien de l'autre, sont incompatibles et il faut choisir.

Le principal argument en faveur de Jérôme et de Justinien est la concordance quasiment littérale de la seconde partie de leurs fragments : si ce n'est pas le texte primitif d'Origène, traduit par l'un, reproduit par l'autre, qui en est cause, il faut alors supposer une influence de la *Lettre à Avitus* sur les moines palestiniens anti-origénistes qui ont composé le florilège de Justinien (Introd. IV, 4°). Mais Rufin ne manque pas d'appuis : trois arguments d'importance parmi lesquels deux témoins.

En effet, si c'est Rufin qui a introduit l'idée qu'on pourrait conclure à une supériorité de l'Esprit sur le Fils et du Fils sur le Père, il devrait avoir pour cela remanié complètement la seconde moitié de I, 3, 7, car ce morceau est d'une logique sans bavure. L'évocation du péché contre l'Esprit entraîne naturellement, jointe aux appropriations, l'objection de la supériorité de l'Esprit sur les deux autres personnes et, comme réponse à cette objection, toute la digression qui suit : il n'y a pas dans la Trinité du plus ou du moins, le Père agit dans le monde par le Fils et l'Esprit, donc les dons de l'Esprit ont pour origine le Père et pour ministre le Fils. Cette dernière idée se trouve en *ComJn* II, 10 (6), 77, absolument dans les mêmes termes : *ministratur* correspond exactement à διακονουμένης et *inoperatur* à ἐνεργουμένης. Nul ne contestera l'authenticité origénienne de l'action du Père *ad extra* par les deux autres personnes. Quant à l'affirmation qu'il n'y a pas dans la Trinité du plus ou du moins, nous allons y revenir (note 42). H. Saake (« La notion de la Trinité... », p. 297) a raison de parler d'« un passage si bien lié avec la suite des idées dans le contexte qu'il est impossible d'y voir une interpolation de Rufin » et d'ajouter : « l'authenticité du passage mentionné ne saurait être mise en question du fait de cette cohérence logique dans l'ensemble du texte ».

Le premier témoin en faveur de Rufin est PAMPHILE qui cite le § 5 — c'est au milieu du § 5 que Koetschau insère les fragments — avec le début du § 6 et, dans le § 7, les quelques lignes sur le péché contre l'Esprit et ce qui les précède. Certes, nous ne connaissons son *Apologie* que par une version de Rufin, qui a repris sans grand changement pour le *PArch.* ce qu'il avait déjà traduit de ce livre avec l'*Apologie.* Mais le témoignage de Pamphile n'est pas privé pour cela de son sens : il porte sur le fait qu'écrivant un livre dont le propos était de disculper Origène des accusations dont il était l'objet, en citant des textes de ses œuvres irréprochables devant l'orthodoxie, il ait jugé bon d'y inclure celui-là. Or Pamphile considère comme hétérodoxe une inégalité de puissance entre les personnes divines, car, dans le chapitre sur le Saint Esprit, il introduit ainsi un texte : « Que la Trinité est égale à elle-même et que l'Esprit Saint n'est pas une créature » (IV, *PG* 17, 566 B). Pamphile n'a pas pu lire dans notre passage ce que rapportent Jérôme et Justinien.

Le second témoin est ATHANASE dans la *Lettre IV à Sérapion*, §§ 9-10. Il s'oppose à ceux qui prétendent que l'Esprit est créature, cite *Matth.* 12, 31-32, sur le péché contre l'Esprit et deux exégètes de ce passage, « le très savant et laborieux Origène » et « l'admirable et zélé Théognoste », chef du didascalée d'Alexandrie dans la seconde moitié du IIIe siècle. Il expose alors la pensée d'Origène sur les appropriations trinitaires, telle qu'elle s'exprime dans ce chapitre du *PArch.* et il la prolonge par des applications plus nettement ecclésiales, voyant l'action du Fils s'étendre aux catéchumènes et aux païens — le péché contre le Fils sera donc un péché de non-baptisés — et l'action de l'Esprit englober tous les baptisés — le péché contre l'Esprit est donc celui des baptisés. Plus loin (§ 17), Athanase exprime lui aussi la crainte qu'on puisse conclure du verset scripturaire à la supériorité de l'Esprit sur le Fils.

Le traité (συνταγμάτιον) d'Origène qu'examinait Athanase quand Sérapion de Thmuis lui écrivait est-il le *PArch.* ? Il ne le dit pas, mais cela est plus que probable : en tout cas c'est le seul texte que nous possédions d'Origène qui mette en relation le péché contre l'Esprit et les appropriations trinitaires. D'une part, Athanase ne semble pas voir que ces appropriations entraîneraient nécessairement la supériorité du Père sur le Fils et du Fils sur l'Esprit, puisque, comme dans le texte rufinien, c'est plutôt la hiérarchie inverse qu'il redoute. D'autre part, s'il avait vraiment en mains le *PArch.*, on peut être sûr que la hiérarchie des fragments de Jérôme et de Justinien n'avait pas place dans le texte d'Origène. On ne comprendrait pas que le grand défenseur de l'orthodoxie nicéenne contre les ariens ait laissé passer sans le blâmer un tel « blasphème » en traitant avec cette bienveillance le « très savant et laborieux Origène ».

Des trois arguments que nous venons d'exposer il faut conclure que ni le texte de Jérôme — qui ne le présente pas d'ailleurs comme citation — ni celui de Justinien n'ont trouvé place dans le développement d'Origène. Jérôme nous transmet sa propre réaction aux affirmations de ce dernier, réaction d'un postnicéen exaspéré par tout ce qui, dans le langage et les spéculations de l'Alexandrin, peut être soupçonné de non-conformité avec la stricte littéralité nicéenne. Quant au passage de Justinien il oblige à envisager une influence de la *Lettre à Avitus* sur les moines palestiniens qui composèrent le florilège. Signalons que Photius, dans *Bibl.*, codex 8, indique les appropriations, mais non les conséquences qu'en tirent Jérôme et Justinien : il entend cependant ce passage de la même manière qu'eux.

Peri Archon I, 3

29. C'est à cet endroit que P. Koetschau introduit dans le texte même de Rufin le fragment de Justinien, comme correspondant à une lacune de Rufin et cite en note Jérôme. Il modifie en outre la phrase de Rufin commençant par « *Arbitror* - Je pense » en introduisant, pour l'accorder à ce que dit Justinien, un « *patris autem* » (voir l'apparat critique), ce qui donne : « ... sur les pécheurs, et celle du Père en outre sur les animaux muets ». Mais la partie du fragment de Justinien qui exprime les appropriations trouve son correspondant chez Rufin aux §§ 6-7 et non au § 5 : le fragment résume ce qui est dit en §§ 6-7. Par ailleurs la phrase de Rufin commençant par « Arbitror » se justifie, car, outre son action propre sur les êtres raisonnables en tant qu'il est Raison, le Verbe est le collaborateur du Père dans toute son activité créatrice.

30. Muets, c'est-à-dire déraisonnables, privés de λόγος, parole et raison.

31. A propos des appropriations aux trois personnes, voir aussi *FragmIs.* (*PG* 13, 217), venant de Pamphile.

32. *ComJn* I, 34 (39), 243 s. ; I, 37 (42), 267 s. ; II, 2, 15 ; II, 15 (9), 105 s. ; VI, 38 (22), 188 s. ; *HomJér.* XIV, 10. Pareillement Justin, *I Apol.* 46 ; *II Apol.* 10 et 13. Il y a dans cette conception une influence stoïcienne, mais le Logos est pour Origène une personne et Origène rejette la conception matérialiste des stoïciens : *CCels.* VI, 71 ; VIII, 49. Et la rationalité à laquelle Origène pense est autant, sinon plus, surnaturelle que naturelle : elle englobe toute l'activité de l'homme, aussi bien morale et spirituelle qu'intellectuelle et est proportionnelle à la sainteté (*PArch.* II, 6, 3 ; II, 6, 6 ; II, 7, 3 ; IV, 4, 2 et les textes cités au début de la note) ; elle est un des aspects de la participation de l'homme à l'Image de Dieu, son Fils (H. Crouzel,

Image, p. 168-172). Origène en arrive à dire que « seul le saint est raisonnable » (*ComJn* II, 16 (10), 114) parce que seul il participe vraiment au Logos.

33. Sur la participation à l'existence divine, H. Crouzel, *Image*, p. 162-165. Ici elle est entendue dans un sens purement naturel, mais elle l'est aussi fréquemment ailleurs dans un sens surnaturel : seul le saint existe vraiment et les pécheurs sont dans un certain sens des « non-étants », parce qu'ils ont renié leur participation à Celui-qui-est : *ComJn* II, 13 (7), 98 ; *PArch.* I, 3, 8 ; *HomPs. 36*, V, 5 ; *FragmRom.* 25 (*JTS* 13, p. 361). A partir de « *Ex eo autem...* — De celui qui ... » jusqu'à « ... *quae sunt* — ... ce qui est », le passage a été traduit différemment par Rufin dans *Apol.* de Pamphile (IV : *PG* 17, 568 c) : « *Sed et hoc ipsum quod est et permanet omnis creatura, operatio est dei patris, qui dixit :* Ego sum qui sum (*Ex.* 3, 14), *quae peruenit super omnes. Ipse est enim qui* solem suum oriri iubet super bonos et malos et pluit super iustos et iniustos (*Matth.* 5, 45). — Mais le fait que toute créature est et dure est l'œuvre du Père qui dit : *Je suis celui qui suis.* C'est lui en effet qui *fait lever son soleil sur les bons et les mauvais et pleuvoir sur les justes et les injustes.* » Ce texte est plus scripturaire que l'autre et la mention des êtres irrationnels a peut-être été ajoutée par Rufin à partir du § 5.

34. Le « cœur » désigne la partie supérieure de l'âme, le νοῦς ou ἡγεμονικόν : *HomJér.* V, 15. Voir *PArch.* I, 1, note 39.

35. La cause du péché est le libre arbitre de l'homme, non sa nature comme le veulent les gnostiques, ni les forces démoniaques comme le prétendent souvent les « simples », ni le cours des astres : *PArch.* I, 5, 5 ; III, 1, 3 ; III, 2, 3 ; *ComJn* XX, 13-15 (13), 96-127 ; *CCels.* IV, 3 ; *ComMatth.* X, 11. A propos de l'âge de raison, Grégoire le Thaumaturge, *RemOrig.* V, 48-54.

36. Opinion d'origine rabbinique : *ComCant.* II (*GCS* VIII, p. 157) ; THÉOPHILE, *Autol.* II, 28 ; CLÉMENT, *Strom.* I, 21, 135. Voir la note de Dom Delarue dans *PG* 11, 151-152 et J. CHÊNEVERT, *L'Église dans le Commentaire d'Origène sur le Cantique des Cantiques*, *Studia* 24, Bruxelles-Paris-Montréal 1969, p. 28-43.

37. Tous les hommes ont reçu la πνοή, souffle vital de *Gen.* 2, 7 ; seuls les saints reçoivent l'Esprit Saint. On peut faire un parallèle avec le mythe valentinien : le Démiurge insuffle le souffle de vie, psychique, dans les hommes qu'il crée, pendant qu'à son insu le Sauveur et Achamoth, la Mère, insufflent dans les pneumatiques les germes spirituels : IRÉNÉE, *Adv. Haer.* I, 5, 5, Massuet ; *Exc. Theod.* 53. On trouve la même problématique, πνοή donnée à tous, πνεῦμα aux seuls saints, dans PROCOPE DE GAZA, *ComGen.* (*PG* 87, 153 s.) qui l'a prise certainement au *ComGen.* d'Origène. A propos de l'action de l'Esprit sur les saints : *HomNombr.* III, 1 ; VI, 3 ; *HomLév.* VI, 2 ; *HomÉz.* VI, 5 ; *PArch.* I, 1, 3 ; II, 11, 5 ; *ComCant.* III (*GCS* VIII, p. 214) ; *ComJn* XXVIII, 15 (13), 122 s. ; XXXII, 8 (6), 86.

38. Ce passage jouera un rôle dans les discussions sur la divinité du Saint Esprit à la fin du IVe siècle chez Athanase, Épiphane, Basile, Ambroise.

39. La liaison entre l'Esprit et le baptême est faite par *PEuch.* XXVIII, 3 ; *HomLév.* VI, 2. Mais il peut être reçu avant le baptême comme le montre l'épisode de Corneille (*Act.* 10) et, à cause de leurs mauvaises dispositions, des baptisés peuvent ne pas le recevoir : ainsi Simon le Magicien (*Act.* 8, 13-19). Voir *HomNombr.* III, 1 ; *HomÉz.* VI, 5.

40. *ComJn* II, 11 (6), 80 (même explication qu'ici mais sans mention des appropriations) ; *ComJn* XXVIII, 15 (13), 124-125. Cf. ATHANASE, *Lettre IV à Sérapion*, IV, 9 s.

41. Cette supériorité, venant de la noblesse de la tâche dévolue, est aussi acceptable que l'infériorité qui selon Jérôme et Justinien tiendrait au plus petit nombre des sujets : voir plus haut.

42. A cause du subordinatianisme habituellement attribué à Origène et conçu comme inégalité de puissance, certains (Schnitzer, Denis, Koetschau) voient dans cette affirmation une interpolation rufinienne. Mais la phrase s'accorde avec le contexte, car, après avoir décrit le rôle propre de chaque personne, Origène précise que leur action est commune dans la sanctification des fidèles, action dont le Père est la source et qui se produit par l'intermédiaire du Verbe-Raison et de l'Esprit. L'idée que le Père est la source de la divinité et agit dans son « économie » par les deux autres est l'essentiel du subordinatianisme d'Origène : certaines expressions paraissent ne pas distinguer clairement ce subordinatianisme d'origine et d'« économie » d'une inégalité de puissance, mais il faut alors examiner de près le contexte. *CCels.* VIII, 14-15, voulant réagir contre des chrétiens qui mettent le Fils au-dessus du Père — opinion analogue à celle dont il est question à propos de l'Esprit — leur oppose *Jn* 14, 28 : « Le Père qui m'a envoyé est plus grand que moi », et affirme que le Fils n'est pas plus puissant (ἰσχυρότερον) que le Père, mais qu'il lui est inférieur (ὑποδεέστερον) : ce mot qu'il vaudrait mieux traduire par « subordonné » découle de *Jn* 14, 28. Le Fils est subordonné au Père parce qu'il est envoyé par lui : nous restons dans l'ordre de l'« économie ». Il n'est pas question d'inégalité de puissance, puisque, en *CCels.* VI, 69, le Fils, en tant qu'image du Dieu invisible, est dit une « image de mêmes dimensions » (σύμμετρον) présentant aussi l'image de sa grandeur. Si, selon *ComJn* XIII, 36, 231, le Fils, en tant qu'Image du Père, accomplit toute sa volonté, il possède la même puissance que lui, bien que lui étant subordonné ; de même en *PArch.* I, 2, 10 : « le Père et le Fils ont une seule et même toute-puissance ». Quelque exagérée qu'elle paraisse, la supériorité du Père sur le Fils et l'Esprit, telle qu'elle est exprimée en *ComJn* XIII, 25, 151, ne concerne pas une inégalité de puissance : elle vient toujours de *Jn* 14, 28 et concerne le Père comme Bien-en-soi, source de tout bien ; c'est toujours un subordinatianisme d'origine. Lorsque Grégoire le Thaumaturge remerciait son maître à la fin de sa scolarité, c'est bien l'enseignement de ce dernier qu'il reproduisait en refusant explicitement toute inégalité de puissance : « Et lui-même, le Père de toutes choses, qui l'a fait un avec lui (ἓν πρὸς αὑτὸν ποιησάμενος), qui, pour ainsi dire, s'enveloppe de lui (αὐτὸς αὑτὸν ἐκπεριϊών) *par la force de son Fils tout à fait égale à la sienne propre* (τῇ ἴσῃ πάντῃ δυνάμει τῇ αὑτοῦ) ... » (*RemOrig.* IV, 37). Ch. Bigg, *The Christian Platonists of Alexandria*, Oxford 1886, p. 180-182, a donné du subordinatianisme d'Origène une description qui nous paraît tout à fait exacte et à laquelle nous renvoyons le lecteur. Il n'y a donc pas lieu de voir *a priori* dans cette phrase une interpolation de Rufin.

43. Certains ont étendu l'interpolation dont il est question dans la note précédente jusqu'à la citation de *Ps.* 32, 6, parce qu'avant Origène elle n'est appliquée qu'au Fils (Irénée, *Adv. Haer.* I, 22, 1, Massuet ; Tertullien, *Adv. Prax.* 19, 3 ; et même Hilaire, *Trin.* XII, 39) et qu'on aurait appliqué la seconde partie au Saint Esprit seulement à partir d'Athanase (*Lettre à Sérapion* I, 31). Cependant en *ComJn* I, 39 (42), 288, Origène dit que certains réfèrent ce texte au Fils et à l'Esprit sans les en blâmer. La représentation du Père, source unique de la divinité, agissant par son Fils et son Esprit est en *HomNombr.* XII, 1.

44. Origène distingue donc pour le Père et le Fils une activité spécifique, donner l'être et la rationalité, et une autre activité dont le Père est l'origine, le Fils le ministre et qui vise au bien de ceux à qui cela a été donné : à cette action contribue le Saint Esprit dont c'est la tâche spécifique. Voir M. SIMONETTI, « Sull'interpretazione », p. 20 s.

45. Sur le Père origine de l'action, le Fils ministre, l'Esprit « matière » pour ainsi dire de l'action en tant que grâce : *ComJn* II, 10 (6), 77 ; *PEuch.* II, 6 ; *FragmÉphés.* 21 (*JTS* 3, p. 556), *PArch.* II, 7, 3 (l'Esprit est dit ici « *omnis natura donorum* »).

46. *ComJn* XIII, 36, 231 s. La sainteté des créatures est accidentelle, non substantielle : *PArch.* I, 2 note 69.

47. Les créatures raisonnables participent aux *épinoiai* du Fils.

48. Origène, comme les platoniciens, identifie le Bien à l'Être : *PArch.* II, 9, 2 ; *ComJn* II, 13 (7), 92 s. L'ontologique est lié au moral et le pécheur est d'une certaine façon un non-étant : *HomPs. 36*, V, 5 ; *FragmÉphés.* 2 (*JTS* 3, p. 235). Le progrès en sainteté est montée dans l'être.

49. *ComJn* I, 34 (39), 247 ; I, 27 (29), 189 ; II, 18 (12), 129 ; XIX, 6 (1), 38.

50. *FragmJn* 54 (*GCS* IV).

51. L'expression audacieuse fait penser aux paradoxes stoïciens que cite parfois Origène, par exemple que le Dieu de l'univers n'est pas plus heureux que le sage (*CCels.* IV, 48 ; GRÉG. THAUM., *RemOrig.* XI, 142). Mais il y a pour lui un abîme entre la divinité substantielle des trois personnes et la participation accidentelle et gracieuse des hommes à cette même divinité.

52. La perfection finale semble ici un état immuable : de même *ComJn* X, 42 (26), 288 s. ; *ComMatth.* XII, 34 ; *ComCant.* I (*GCS* VIII, p. 103) ; *HomISam.* I, 4 ; *DialHér.*

26. Cependant d'autres textes que nous examinerons semblent supposer que la condition des bienheureux n'est pas stable : *PArch.* II, 3, 3 ; III, 1, 23 ; III, 5, 5 ; III, 6, 3.

53. *PEuch.* XXV, 1-2 ; *ExhMart.* 39 ; *ComJn* XX, 33 (27), 288 s.

54. La satiété (κόρος) du bien entraîne au mal : PHILON, *Her.* 240 ; *Poster.* 145 ; *Abr.* 134 s. Voir *PArch.* III, 1, 13 et M. HARL, « Recherches sur l'origénisme d'Origène : la satiété (κόρος) de la contemplation comme motif de la chute des âmes », *Studia Patristica* VIII (*TU* 93), 1966, p. 373-405, surtout 292-293 : il ne s'agit pas à proprement parler de satiété, mais κόρον λαβεῖν devrait se traduire par « se lasser de ».

55. Chez Rufin, *capere*, « recevoir » ou « contenir » Dieu ou les réalités divines, correspond à χωρεῖν, terme caractéristique du vocabulaire mystique d'Origène : de même *capax (Dei)* traduit χωρητικός (θεοῦ). Voir H. CROUZEL, *Connaissance*, p. 392-395.

Peri Archon I, 4

1. La négligence n'est pas un simple acte de faiblesse, mais une décision de la volonté qui refuse par orgueil l'amour et la contemplation de Dieu : *PArch.* I, 6, 2 ; II, 9, 2 ; II, 9, 6 ; III, 1, 12 ; *HomÉz.* IX, 5 ; *CCels.* VI, 45 ; VII, 69 ; *ComJn* XX, 39 (31), 363 s.

2. Comparaisons similaires : *PArch.* I, 1, 3 ; I, 8, 3.

3. *ComJn* XIII, 24, 141 s. ; *ComCant.* I (*GCS* VIII, 105) ; *SerMatth.* 66 ; *HomGen.* XIV, 4.

4. *HomNombr.* XXI, 1 ; *ComJn* I, 16, 93 ; II, 37 (30), 229 ; *PArch.* II, 6, 7 ; *ComCant.* III (*GCS* VIII, p. 183). Sur *I Cor.* 13, 12 souvent cité : *PArch.* II, 11, 7 ; *CCels.* VI, 20 ; VII, 50 ; *PEuch.* XI, 2 ; XXV, 2 ; *ExhMart.* 13 ;

DialHer. 27 ; *HomLc* III, 4 ; *HomJos.* VI, 1 ; *HomJér.* VI, 3.

A cet endroit P. Koetschau a supposé une grande lacune, à cause de certains textes de Jérôme qui parlent de la négligence selon Origène : cette lacune a paru inexistante à K. Müller, *Kritische Beiträge*, p. 616-619. En effet *PArch.* I, 4, 1, n'est que la fin d'une digression où Origène invoque l'exemple de la médecine et de la géométrie pour expliquer la nécessité de l'exercice afin d'acquérir et de conserver toute science, dont celle des réalités divines. Ce sujet est limité et le contexte — toujours le traité de la Trinité — n'admet pas de longs développements sur les montées et descentes des créatures raisonnables, comme dans le traité suivant. Il n'y a aucun motif fondé pour supposer ici une lacune.

Cette hypothétique lacune, Koetschau prétend la combler avec deux textes de Jérôme. Le premier (*C. Joh. Hier.* 16) est un exposé de la pensée d'Origène, telle que Jérôme l'a comprise : « Nous nous demandons ... si la doctrine d'Origène est vraie, quand il dit que toutes les créatures raisonnables, incorporelles et invisibles, si elles sont devenues trop négligentes, tombent peu à peu dans des lieux inférieurs et assument des corps conformes aux qualités des lieux dans lesquels elles glissent, c'est-à-dire qu'elles ont d'abord des corps éthérés, puis des corps aériens. Lorsqu'elles sont arrivées au voisinage de la terre, elles sont revêtues de corps plus épais et finalement elles sont liées à des chairs humaines. » Il parle ensuite des démons qui peuvent, s'ils se repentent, se relever jusqu'à revêtir des corps humains et parvenir à la résurrection dans le voisinage de Dieu, où ils seront libérés de tout corps, même aériens ou éthérés, et se soumettre à Dieu. Ce texte est basé sur certaines idées que nous allons retrouver dans la suite du livre, mises en forme et en système par les origénistes contemporains dont Jérôme accusait Jean de Jérusalem d'être le protecteur. De toute façon, elles ne sont pas ici à leur place.

Le second texte aurait plus de titres à se trouver dans le *PArch.* puisqu'il est pris à la *Lettre* 124 à Avitus, § 3, et qu'une partie est présentée par Jérôme comme citation explicite. Mais il n'est pas à sa place ici, car nous sommes encore dans le traité de la Trinité, non dans celui des créatures raisonnables, comme Jérôme le dit dans la phrase qui l'introduit. Voir M. Simonetti, « Osservazioni », p. 373-374 en note.

5. *ComJn* VI, 33 (17), 166.

6. C'est le second traité, *PArch.* I, 5-8.

Appendice (I, 4, 3-5)

PArch. I, 4, 3-5 forme une unité, mais pose deux problèmes. D'une part I, 4, 2, semble bien conclure l'ensemble du traité et introduire le suivant sur les créatures raisonnables, qui lui-même signalera au début le traité de la Trinité : nous avons donc là un appendice, peut-être ajouté par Origène pour expliquer cette création coéternelle à Dieu, affirmée en I, 2, 10, qui aurait été mal comprise et aurait fait scandale. De toute façon, ce ne peut être une interpolation de Rufin, car un fragment grec de Justinien répond de très près au texte latin. D'autre part ce morceau manque dans tous les manuscrits du groupe *g*, donc dans toutes les éditions antérieures à Koetschau qui s'appuyaient sur des manuscrits de ce groupe : il est curieux que ce soit précisément cet appendice qui, présent dans tous les manuscrits du groupe *a*, soit absent de ceux du groupe *g*, alors qu'ils proviennent d'un même archétype. Il aurait été alors omis parce que I, 4, 2, et I, 5, 1, mentionnent l'un et l'autre le traité qui s'achève et celui qui commence.

Supposer que Dieu n'est pas actif de toute éternité, c'est prétendre qu'il a été empêché par des forces extérieures ou qu'il n'a pas voulu agir : cela est incompatible avec sa toute-puissance et son immutabilité (3). Mais admettre que Dieu est actif de toute éternité, c'est accepter que la création lui soit coéternelle, affirmation contraire à la règle de foi (4). Origène présente la solution suivante, qu'on pouvait deviner en I, 2, 10 : la création coéternelle à Dieu c'est le Monde Intelligible, contenant les plans de la création et les germes des êtres à venir, et s'identifiant avec le Fils en tant qu'il est Sagesse (4-5). Pour l'interprétation du passage, il faut donc se reporter à I, 2, 10 et à son commentaire, notes 57-64.

Peri Archon I, 4

7. *CCels.* V, 15 ; *FragmJn* I (*GCS* IV). Les adjectifs laissés en grec par Rufin trahissent l'influence de Philon (puissances ποιητική et βασιλική) et de la tradition platonicienne (*Timée* 29 e) qui en déduisait que le monde émanait nécessairement de la bonté divine : Albinos, *Epit.* 14, 3 ; voir *PArch.* III, 5, 3. Sur ἀρχικός : *ComMatth.* XV, 31 (qualifiant la Trinité) ; *ComJn* X, 18, 160 (qualifiant des doctrines).

8. *ComJn* I, 9 (11), 55 ; Méthode, *Du libre arbitre* XXII, 9 ; Lactance, *Inst. Div.* IV, 6.

9. *PArch.* I, 2, 2 ; I, 2, 10 ; *ComJn* XIX, 22 (5), 146 s.

10. *PArch.* I, 3, 3 ; II, 9, 2.

11. Orose, *De errore Priscill. et Origen.* (*PL* 42, 668).

12. D'ici à la fin du chapitre un fragment de Justinien (Mansi IX, 528), introduit par : « Du même tome », c'est-à-dire du premier : « Πάντα τὰ γένη καὶ τὰ εἴδη ἀεὶ ἦν, ἄλλος δέ τις ἐρεῖ καὶ τὸ καθ' ἓν ἀριθμῷ (correction Koetschau, Mansi ἀριθμοῦ) · πλὴν ἑκατέρως δηλοῦται ὅτι οὐκ ἤρξατο ὁ θεὸς δημιουργεῖν ἀργήσας ποτέ. — Tous les genres et les espèces ont toujours existé. Un autre dira aussi ce qui est selon l'un par le nombre (= l'individuel). Mais de chaque façon il est montré que Dieu n'a pas commencé à créer comme s'il avait été oisif à un moment. » Les genres et les espèces sont des idées (générales) au sens platonicien. Ce qui est selon l'un par le nombre, c'est l'individuel, les raisons stoïciennes des êtres. Les idées générales se confondent dans le Monde Intelligible d'Origène avec les raisons, germes des êtres individuels. Rufin correspond à Justinien, sauf qu'il met moins clairement dans la bouche d'un autre l'éternité de la création des raisons individuelles. Origène avance son hypothèse avec précaution. Mais les créatures proprement dites, raisonnables ou sensibles, ont commencé (*PArch.* II, 9, 2 ; IV, 4, 8), et c'est la raison de leur mutabilité et de leur caractère accidentel : cette idée qui est fondamentale dans la pensée d'Origène, il serait invraisemblable de l'attribuer à une invention de Rufin (voir *PArch.* I, 2 note 69).

Second traité (I, 5-8)

Le second traité est nettement délimité : la transition avec le premier est marquée d'abord en I, 4, 2, avant l'appendice surajouté I, 4, 3-5, puis en I, 5, 1. Il n'a pas de conclusion, mais le début du troisième traité, en II, 1, 1 marque la fin du livre I et le passage à un nouveau sujet. En I, 7, 1 est indiquée la division du traité en deux parties, la première (I, 5-6) plus générale et utilisant davantage le raisonnement, la seconde (I, 7-8) plus centrée sur la foi de l'Église. A l'intérieur de ces deux parties on ne trouve pas de transition majeure, mais les sujets sont suffisamment individualisés ; chaque partie comporte une introduction, puis deux sujets traités.

Première section (I, 5-6)

Les §§ 1 et 2 constituent une introduction qui porte sur l'ensemble de la première section. Trois catégories d'êtres y sont indiqués : les anges contiennent différents ordres (1) ; de même les démons et les hommes (2).

Alors Origène pose le grand problème soulevé par la gnose : anges et démons, dans leurs différents ordres, sont-ils ce qu'ils sont par nature, dès leur création, ou par suite du choix de leur libre arbitre ? La première partie de l'alternative serait, si on l'appliquait aux démons, un blasphème contre Dieu, ainsi désigné comme l'auteur du mal. Or si c'est leur libre arbitre qui a fait les démons, il faut penser de même des anges (3). Origène va montrer cela en ce qui concerne les démons par une exégèse de la complainte d'Ézéchiel 28, 11-19, sur le Prince de Tyr (4), et d'Isaïe 14, 12-22, sur le roi de Babylone (5). Au sujet des anges et des démons, on peut consulter St. T. BETTENCOURT, *Doctrina ascetica Origenis.*

Le chapitre suivant (I, 6) traite de l'histoire des êtres raisonnables et de leurs vicissitudes, de leur origine jusqu'à leur fin : il esquisse les points les plus délicats de la cosmologie origénienne, sur lesquels reviendra plusieurs fois la suite du livre. Un avertissement initial important précise que ces spéculations sont davantage objet de discussion et d'examen que d'affirmation certaine : Origène s'avance avec précaution sur un terrain qui n'est pas clairement délimité par la règle de foi. Appuyé sur plusieurs textes scripturaires, il montre que la fin des êtres raisonnables sera leur retour à l'unité dans une soumission libre à Dieu : c'est ce que l'on nomme habituellement l'apocatastase, terme très rarement employé par l'Alexandrin (1). La fin est donc semblable au commencement, où les êtres raisonnables se trouvaient dans l'unité et l'égalité, dont ils se sont écartés ensuite selon la variété des mouvements de leur libre arbitre. Car, à l'inverse de la Trinité dont la bonté est substantielle, donc immuable, ils ont une bonté accidentelle susceptible de croître et de décroître, de façons très diverses qui engendrent la variété de leurs situations. Les uns sont restés dans l'état initial de béatitude : les anges, ou du moins leurs degrés supérieurs. D'autres s'en sont écartés, mais non de façon irrémédiable : les hommes (2). D'autres enfin sont tombés si bas qu'ils sont devenus indignes de l'éducation que les hommes reçoivent des anges : les démons, qui font tout pour gêner la remontée des hommes. Pourront-ils cependant revenir à l'unité par le jeu de leur libre arbitre, ou leur malice s'est-elle changée en nature jusqu'à les écarter définitivement de la fin bienheureuse (3) ? Quel sera en outre le sort des réalités corporelles ? Sont-elles appelées à disparaître complètement ou subsisteront-elles sous une forme plus subtile, l'incorporéité parfaite étant alors le privilège de la Trinité seule (4) ?

A propos de I, 6, G. BARDY, *Recherches*, p. 138, ne partage guère le pessimisme de M. J. DENIS, *Philosophie*, p. 351, qui croit que ce chapitre a été complètement bouleversé par Rufin. Sur la préexistence des âmes qui apparaît ici, voir Introd. V, 3°, et les explications de PAMPHILE, *Apol.* VIII *(in fine)* et IX (*PG* 17, 603 B s.).

Peri Archon, I, 5

1. Les hommes.

2. Sur Paul et *Hébr.*, voir Préface note 3.

3. A la littérature apocalyptique : *I Enoch* 61, 10 ; *II Enoch* 20, 1 ; *Testament de Lévi*, 3 ; *Testament* ou *Apocalypse d'Adam*, 4 (E. RENAN dans *Journal Asiatique* 1853, p. 427-471, ou M. R. JAMES, *Apocrypha Anecdota* I, *Texts and Studies* II, 3, Cambridge 1893, p. 138-145). Allusion à ce passage d'Origène dans ANTIPATER DE BOSTRA selon JEAN DAMASCÈNE, *Sacra Parallela* II (*PG* 46, 501).

4. Sur *Éphés.* 1, 21 : *PArch.* II, 11, 7 ; *ComJn* I, 31 (34), 215. Ce texte donnait à Origène une idée de l'infinie variété des conditions des êtres raisonnables, venant des mouvements de leur libre arbitre : *ComJn* XIX, 22 (5), 143 s. ; *PArch.* II, 1, 2 ; II, 9, 4.

5. *PArch.* I, 3, 6.

6. *ComJn* XX, 23 (20), 191 s. : le motif stoïcien, vivre selon la vertu = vivre selon la raison, est christianisé parce que le Christ est Logos, Raison divine.

7. *PArch.* II, 10, 4-5 ; I, 6, 1 ; *CCels.* IV, 99 ; *HomJér.* XX, 2.

8. *ComJn* XX, 25 (21), 220 s. ; *HomJér.* XX, 1 s. ; *HomÉz.* I, 3.

9. Sur les mêmes noms donnés aux hiérarchies angéliques et démoniaques : *Ascension d'Isaïe* 1, 1 ; 10, 15 (Tisserant 1909).

10. Origène considère donc les esprits célestes de *Phil.* 2, 10, comme des démons qui doivent se soumettre ; le ciel en question est le ciel sensible, stellaire, non la demeure des bienheureux : *PArch.* III, 5, 6.

11. La Septante paraphrasait ainsi *Deut.* 32, 8-9 par suite de la conception juive suivant laquelle chaque nation était confiée à la garde d'un ange, Israël restant sous l'autorité directe de Dieu : *Dan.* 10, 13 s. ; *Sir.* 17, 17 ; *Testament de Nephtali* 8 ; *Jubilés* 15, 31 s. ; PHILON, *Poster.* 26 ; *I Enoch* 89, 51 s. De même IRÉNÉE, *Adv. Haer.* III, 12, 9, Massuet ; CLÉMENT, *Strom.* VI, 17, 157 ; VII, 2, 6. Origène utilise la plupart du temps la leçon de la Septante pour développer sa doctrine des anges des nations, mais il n'ignore pas l'autre : « selon le nombre des fils d'Israël ». Parmi les textes grecs, sont conformes à la Septante : *CCels.* IV, 8 ; V, 29 ; *HomJér.* V, 2 ; *ComJn* XIII, 50 (49), 332 ; *FragmMatth.* 66 (*GCS* XII/1). Mais *ComMatth.* XI, 16, a la leçon hébraïque sans qu'on en voie la raison. Les versions de Rufin ont toutes la leçon de la Septante : *PArch.* I, 5, 2 ; *HomGen.* IX, 3 ; XVI, 2 ; *HomEx.* VIII, 2 ; *HomNombr.* XI, 5 ; XXVIII, 4 ; *HomJos.* XXIII, 3 ; *ComCant.* II (*GCS* VIII, p. 136) ; IV (*ibid.*, p. 238). Parmi celles de Jérôme le texte de la Septante est en *HomÉz.* XIII, 1 ; *HomLc* XXXIV, 6 ; mais celui de l'hébreu en *HomÉz.* IV, 1, sans qu'on puisse savoir si Origène ou Jérôme en est cause. Encore sur la doctrine des anges des nations : *PArch.* I, 8, 1 ; III, 3,

2-3 ; *CCels.* V, 30 ; *HomLc* XII, 3. Voir J. DANIÉLOU, *Origène*, p. 222-235.

12. Telle est l'opinion notée par CLÉMENT, dans *Exc. Théod.* 10, au sujet des sept Protoctistes qui sont le sommet de la hiérarchie angélique.

13. Ce sont les trois natures valentiniennes : pneumatiques sauvés ; hyliques ou choïques perdus ; psychiques sauvés ou perdus : IRÉNÉE, *Adv. Haer.* I, 6, 1, Massuet ; *Exc. Theod.* 56. Doctrine continuellement combattue par Origène, surtout dans *PArch.* et *ComJn.*

14. Les noms des puissances angéliques sont l'expression de leur activité : *CCels.* V, 4 ; *ComJn* II, 23 (17), 145 ; TERTULLIEN, *De anima* 37, 1.

15. *ComJn* XX, 23 (20), 198 s. ; XX, 28 (22), 252 s., dans la polémique contre le valentinien Héracléon. *CCels.* VI, 44 : différence entre le substantiel et l'accidentel. Voir THÉOPHILE D'ALEXANDRIE, *Lettre Pascale* II (98 dans la correspondance de Jérôme), § 12.

16. *PArch.* I, 2, 13 (et note 69) ; I, 6, 2 ; I, 8, 3 ; *HomISam.* I, 11 ; *HomNombr.* XI, 8 ; *CCels.* VI, 44.

17. On pourrait placer ici, avec Schnitzer, le passage de Jérôme, *Lettre* 124, 3, que Koetschau cite en I, 4, 1. Une partie est présentée par Jérôme comme citation expresse. « Lorsqu'il en vient aux créatures raisonnables et lorsqu'il a dit qu'elles sont tombées dans des corps terrestres à cause de leur négligence, il ajoute encore : C'est le propre d'une grande négligence et d'une grande paresse d'amener quelqu'un à déchoir et à se diminuer au point d'en venir aux vices des animaux sans raison et d'être lié pour cela au corps grossier (*Grandis neglegentiae atque desidiae est in tantum unumquemque defluere atque euacuari, ut ad uitia ueniens inrationabilium iumentorum possit crasso corpore conligari*). » Il y a dans ce texte un écho de PLATON, *Phèdre*, 246 bd : voir *CCels.* IV, 40. Les intelligences préexistantes sont mises par Dieu à cause de leur chute dans des corps grossiers. La place de ce fragment n'est guère sûre. Dans la *Lettre à Avitus*, il précède une autre citation qui a son correspondant rufinien en I, 5, 5. Il pourrait être mis plus bas en I, 5, 4, ou en I, 5, 5. Mais on pourrait aussi traduire : « au point d'en venir aux vices et d'être lié pour cela aux corps grossiers des animaux sans raison » et rapprocher ce fragment de la discussion qui termine I, 8, 4, où il correspondrait à un fragment de Justinien et à un autre de Jérôme.

18. Au sujet de la « règle de piété », ou « de foi » (cf. Préface note 6) : *PArch.* I, 7, 1 ; II, 4, 1 ; III, 1, 1 ; IV, 2, 1. Le mot κανών (*PArch.* IV, 2, 2 ; *ComJn* XIII, 16, 98) est rendu chez Rufin par des formules diverses : *fides ecclesiae*, *regula fidei*, *regula christiana*, *regula ueritatis apostolicae*, ou *christianae*, etc. Voir D. VAN DEN EYNDE, *Les normes de l'enseignement chrétien*, Paris 1933, p. 308 s. et R. Cl. BAUD, « Les Règles », p. 161 s. Dans *regula pietatis*, le second mot correspond à l'expression origénienne τηρεῖν τὸ εὐσεβές (*PArch.* III, 1, 17). On la trouve en *PArch.* III, 1, 7 ; III, 1, 17 ; III, 1, 23 ; III, 5, 3 ; IV, 3, 14.

19. *PArch.* III, 2, 1 ; *ComRom.* V, 10. Sur le Prince de Tyr : *HomÉz.* XIII. La plupart des Pères voient en lui le démon : note de Delarue en *PG* 13, 160-161 ; tous ceux qu'il cite sont postérieurs à Origène et ont pu subir son influence, sauf TERTULLIEN, *Adv. Marc.* II, 10, qui désigne Tyr par le nom sémitique de Sor. Mais ils ne nient pas que la prophétie n'ait visé d'abord un homme, qui serait Ithobal sous le règne de qui Tyr fut assiégée et prise par Nabuchodonosor (JOSÈPHE, *Antiq. Jud.* X, 11, 1, 228 ; *C. Apion.* I, 156).

20. On pourrait aussi placer ici le passage hiéronymien mentionné dans la note 17.

21. L'interprétation origénienne de ce passage, évidemment figuré pour décrire la puissance de Tyr, montre à quel littéralisme s'astreint souvent Origène pour pouvoir dégager l'allégorie.

22. Le sens de ces « pierres de feu » ou « charbons de feu » est obscur : peut-être à expliquer par *Éz.* 10, 2.

23. Pointe antignostique.

24. En *HomÉz.* XIII, 1, sont cités pareillement *Is.* 14 et *Éz.* 29 contre les rois de Babylone et d'Égypte. Dans *CCels.* VI, 44, le Prince de Tyr est aussi identifié à Satan ; dans *ComJn* XX, 21 (19), 174, à une puissance déchue ; de manière plus générale *ComJn* XXXII, 18 (11), 233. Voir *PArch.* III, 2, 1 ; III, 3, 2.

25. Sur la signification allégorique des Tyriens selon *Mc* 4, 11 et parallèles : *PArch.* III, 1, 17. Les noms des peuplades avoisinant Israël désignent, comme Israël lui-même, des réalités spirituelles : *PArch.* IV, 3, 9 ; *ComJn* X, 41 (25), 286 ; *HomÉz.* XIII, 1.

26. Tous les manuscrits portent *patris tui* : nous traduisons *patris eorum* suivant le sens et certains témoins de la Septante, τοῦ πατρὸς αὐτῶν, les autres portant τοῦ πατρός σου.

27. Voir M. Martinez, *Luz*, p. 197 s., où tout ce passage est étudié. Cette prophétie d'Isaïe sur le roi de Babylone est appliquée à Satan par *Luc* 10, 18, que cite Origène peu après. De cette exégèse vient l'application au Diable du nom Lucifer « porte-lumière » (ἑωσφόρος = porte-aurore) qui est aussi attribué au Christ, par exemple dans l'*Exultet* du samedi saint et qui a été porté par des chrétiens dans l'antiquité : ainsi au IVe siècle Lucifer, évêque de Cagliari en Sardaigne. Pour cette exégèse : *PArch.* IV, 3, 9 ; *HomÉz.* I, 3 (*Lc* 10, 18 y est pareillement rapproché de *Is.* 14, 12). De même Tertullien, *Adv. Marc.* V, 11,

11 et V, 17, 8 ; et des Pères postérieurs. Mais certains interprètent ce texte au sens littéral.

28. Pareille précision en *ComGen.* III (*PG* 12, 89 selon *Philoc.* XIV) ; *CCels.* VI, 59 ; *ComJn* XIX, 20 (5), 129 s. ; *ComRom.* III, 1. Le monde sensible a été créé par Dieu après la chute des êtres raisonnables. L'autorité du diable s'étend sur ceux qui sont tout à fait terrestres. Les concepts de terre et d'enfer sont relatifs : *PArch.* IV, 3, 10 s.

29. Les monstres de *Job* 40 sont interprétés du diable : *ComJn* XX, 22 (20), 182 ; *PEuch.* XXVI, 5. Dans l'édition Swete de la Septante, on ne trouve pas en *Job* 40, 20 le mot ἀποστάτης, même dans l'apparat.

30. *PArch.* I, 3, 8 ; I, 5, 2 ; I, 8, 3 ; voir I, 2 note 69.

31. Ce passage est le premier de ceux qui montrent, selon M. Simonetti, « Due note... », p. 180-208, que, contrairement à l'opinion de nombreux spécialistes, l'âme préexistante jointe au Verbe n'est pas la seule qui ait échappé à la chute des créatures raisonnables : c'est aussi le cas au moins d'une partie des anges. Il faut refuser les textes allégués en sens inverse : le passage du *De Sectis* du Pseudo-Léonce de Byzance, car il ne présente aucune garantie dans la compréhension d'Origène ; *PArch.* II, 9, 2, qui semble présenter la chute comme générale, mais, ne mentionnant pas l'exception de l'âme du Christ, il n'a pas pour pointe l'universalité de la chute. La thèse est prouvée par *PArch.* I, 5, 5 ; I, 6, 2 ; I, 8, 4 ; II, 9, 6 ; IV, 2, 7 et confirmée par des passages d'autres œuvres d'Origène. J. A. Alcain, *Cautiverio*, p. 266-267, consacre à cette thèse une note assez hésitante : il lui oppose un passage du *ComÉphés.* de Jérôme (*PL* 26, 493 BC) inspiré du *ComÉphés.* d'Origène et pense que le péché et la perfection sont des grandeurs relatives ; mais Simonetti avait déjà répondu à cette objection dans son article.

32. A la phrase qui suit correspond Jérôme, *Lettre* 124, 3 : c'est une citation explicite : « *Quibus, inquit, moti disputationibus arbitramur sponte sua alios esse in numero sanctorum et ministerio dei, alios ob culpam propriam de sanctimonia corruentes in tantam neglegentiam corruisse, ut etiam in contrarias fortitudines uerterentur.* — Frappés par ces discussions, dit-il, nous pensons que les uns se trouvent par leur volonté propre au nombre des saints et au service de Dieu, mais que les autres, déchus de la sainteté par leur faute propre, sont tombés dans une si grande négligence qu'ils se changent en puissances contraires. » Il n'y a guère de différence fondamentale entre Rufin et Jérôme, sauf que le premier est plus long. Mais on ne voit pas quel critère permet à P. Koetschau d'écrire de Rufin qu'il « a traduit inexactement », comme si Jérôme était *a priori* le modèle à la lumière duquel Rufin doit être jugé.

Peri Archon I, 6

1. Sur le sens du mot τέλος, *SelPs.* (*PG* 12, 1053) rapportant les définitions stoïciennes du livre d'un certain Hérophile sur l'usage des noms : authenticité problématique selon E. Klostermann, « Origeniana », dans *Neutestamentliche Studien G. Henrici dargebracht, Untersuchungen zum Neuen Testament* 6, Leipzig 1914, p. 250-251 : « On appelle fin l'attribut (κατηγόρημα) en vue duquel nous faisons le reste, alors que nous le faisons lui-même en vue de rien d'autre. Ce qui est joint à la fin, comme le bonheur au fait d'être heureux, c'est le but (σκόπος), tel est le dernier des êtres désirables. » Ce n'est pas tout à fait le sens de ce mot ici, car il exprime non seulement le but vers lequel tend la créature raisonnable, mais encore l'état final lui-même.

2. Origène s'exprime souvent avec précaution, quand

il ne peut exciper du témoignage de l'Écriture : *ComJn* XXVIII, 8 (7), 65. Cf. Introd. VI, 2°-3°.

3. *PArch.* I, 1-4.

4. Ce premier paragraphe est étudié par Fr. H. Kettler, *Der ursprüngliche Sinn*, p. 33-39, qui le confirme par de nombreux passages similaires à propos des questions libres. Il en accepte l'authenticité à l'exception du passage « *Ne forte ... definiens* — En effet s'il n'a ... conclusions ». Ce dernier texte serait une interpolation, soit de Rufin, soit antérieure à lui, soit même un rajout d'Origène pour répondre à des attaques. De nombreux passages d'Origène font allusion aux critiques dont il a été l'objet : outre le *FragmTite* (*PG* 14, 1306) que cite Kettler, *HomGen.* VII, 2 ; XIII, 3 ; *HomLév.* XVI, 4 ; *HomLc* XXV, 6 et Jérôme, *Lettres* 62, 2 ; 84, 10. Mais cela ne nous convainc pas tout à fait qu'il s'agisse d'une interpolation.

5. *PArch.* I, 5, 2 ; *CCels.* IV, 98 ; *HomJér.* XX, 2.

6. Sur ce qui suit : *ComJn* VI, 57 (37), 295-296.

7. La doctrine de l'apocatastase, fondée sur *I Cor.* 15, 25, est la conséquence de la bonté de Dieu (*PArch.* I, 8, 3) : soumission non violente ni forcée, mais spontanée, inspirée par la raison et la sagesse : *PArch.* I, 2, 10 ; III, 5, 6-8 ; *ComMatth.* XVI, 8 ; *SérMatth.* 8 ; *ComJn* VI, 57 (37), 293-296 ; *HomPs. 36*, II, 1 ; *HomLév.* VII, 2. Elle doit donc être compatible avec le libre arbitre. L'universalité de l'apocatastase est-elle pour Origène une certitude ou un grand espoir ? L'introduction du chapitre présentant ce point comme étudié « davantage par manière de discussion et d'examen que d'affirmations certaines et définies » ne parle pas en faveur d'une certitude. Est-elle absolument universelle, comportant le salut final du démon, opinion qu'Origène refuse avec force vers 230, contre certains qui la lui attribuent, dans sa *Lettre à des amis d'Alexandrie*, connue par le double témoignage de Rufin (*Adult.* 7) et de Jérôme (*Apol. adv. lib. Ruf.* II, 18) qui concordent à ce sujet alors qu'ils sont alors si violemment opposés l'un à l'autre? Pareillement la discussion d'Origène avec Candide le Valentinien selon Jérôme (*ibid.* II, 19). Sur tout cela, H. Crouzel, « A Letter ». Nous aurons l'occasion d'en reparler : voir note 25 de ce chapitre et, sur le dialogue avec Candide, note 12 de I, 8.

8. Jérôme, *Lettre* 124, 3 ; ce n'est pas une citation explicite : « *Rursum nasci ex fine principium et ex principio finem, et ita cuncta uariari, ut et qui nunc homo est, possit in alio mundo daemon fieri, et qui daemon est, si neglegentius egerit, in crassiora corpora religetur, id est homo fiat.* — (Il dit) que le début renaît de la fin et la fin du début, et qu'ainsi tout varie, de sorte que celui qui est maintenant homme peut dans un autre monde devenir démon, et que celui qui est démon, s'il agit avec trop de négligence, pourra être attaché à des corps plus épais, c'est-à-dire devenir homme. » Jérôme conclut : « Ainsi il mélange tout, de sorte qu'un archange puisse devenir diable et qu'en revanche un diable se change en ange. »

Il n'est pas nécessaire de supposer avec Koetschau une lacune chez Rufin parce qu'il ne parle pas ici du passage de l'homme au démon et du démon à l'homme. Jérôme résume ce que dit Origène dans les §§ 2-4. Voir K. Müller, *Kritische Beiträge*, p. 619-620 : puisque ce n'est pas une citation explicite, il n'y a pas à lui chercher une place précise. Jérôme rend en gros ce que dit Origène, tel qu'il l'a compris, de façon assez libre, en accentuant les traits dans un certain sens. Il y a en effet chez lui une affirmation inattendue et peu origénienne, celle que l'homme serait plus déchu que le démon. D'autre part Jérôme tient pour acceptée par Origène l'hypothèse des mondes successifs, sur laquelle nous reviendrons.

Le principe de la fin semblable au commencement, hérité de la philosophie grecque, détermine les doctrines de la préexistence et de l'apocatastase : *PArch.* II, 1, 1 ; II, 1, 3 ; III, 6, 3 ; *ComJn* XIII, 37, 244 ; *CCels.* VIII, 72 : cf. Ps.-Barnabé 6, 13. Faut-il prendre cela de façon littérale et absolue comme excluant tout progrès entre le début et la fin ? Bien des affirmations s'y opposent. D'après P. Nemeshegyi, *Paternité*, p. 131, cet adage « doit donc s'entendre avec quelque relativité ». Voir une mise au point dans H. J. Vogt, *Kirchenverständnis*, p. 341-343. On constate avec M. Simonetti (voir I, 5, note 31) que d'après certains passages la chute n'a pas été totale, puisque les plus hauts degrés des anges, de même que l'âme du Christ, y ont échappé ; l'application stricte du parallélisme supposerait de même que l'apocatastase ne sera pas absolument universelle. D'autre part, la distinction de l'image et de la ressemblance en *PArch.* III, 6, 1, implique une possibilité de progrès de l'état initial à l'état final : la similitude des deux moments porterait alors sur l'exclusion de la malice sans supprimer tout progrès.

9. L'égalité initiale de tous les êtres raisonnables est une réaction contre les différentes natures d'âmes des valentiniens. Leur unité est ailleurs exprimée par Origène sous une forme plus théologique : tous les êtres raisonnables formaient dans l'état initial une unique Église, jointe à l'âme préexistante unie au Verbe comme l'Épouse à l'Époux : *ComMatth.* XIV, 7 ; *HomJér.* X, 7. Voir *PArch.* I, 3, note 4.

10. *PArch.* I, 5, 5 ; I, 8, 3 ; et la note 69 de I, 2. Les êtres célestes, terrestres et infernaux semblent bien correspondre ici aux anges, hommes et démons.

11. *PArch.* I, 4, 3.

12. *ExhMart.* 47 ; *CCels.* III, 47 ; *PArch.* I, 3, 8 ; III, 6, 1.

13. Justinien (Mansi IX, 528), fragment introduit

ainsi : « Au sujet de la préexistence des âmes, du premier tome du *Peri Archon* » : « Ἐξ ἰδίας αἰτίας τῶν μὴ προσεχόντων ἑαυτοῖς ἀγρύπνως γίνονται τάχιον ἢ βράδιον μεταπτώσεις καὶ ἐπὶ πλεῖον ἢ ἐπ' ἔλαττον. Ὡς ἀπὸ ταύτης τῆς αἰτίας, κρίσει θείᾳ συμπαραμετρούσῃ τοῖς ἑκάστου βελτίοσιν ἢ χείροσι κινήμασι καὶ τὸ κατ' ἀξίαν, ὁ μέν τις ἕξει ἐν τῇ ἐσομένῃ διακοσμήσει τάξιν ἀγγελικὴν ἢ δύναμιν ἀρχικὴν ἢ ἐξουσίαν τὴν ἐπί τινων ἢ θρόνον τὸν ἐπὶ βασιλευομένων ἢ κυρείαν τὴν κατὰ δούλων · οἱ δὲ οὐ πάνυ τι ἐκπεσόντες τὴν ὑπὸ τοῖς εἰρημένοις οἰκονομίαν τε καὶ βοήθειαν ἕξουσι. Καὶ οὕτω κατὰ μὲν τὸ πλεῖστον ἀπὸ τῶν ὑπὸ τὰς ἀρχὰς καὶ ἐξουσίας καὶ τοὺς θρόνους καὶ τὰς κυριότητας ταχθέντων, ἔσθ' ὅτε δὲ καὶ ἀπ' (ἀντ' : Mansi) αὐτῶν, συστήσεται τὸ τῶν ἀνθρώπων γένος ἐν τῷ καθ' ἕνα κόσμῳ. — C'est par leur propre causalité que se produisent des chutes chez ceux qui ne veillent pas sur eux-mêmes sans dormir, plus tôt ou plus tard, avec du plus et du moins. Et par cette causalité, à la suite d'un jugement divin qui mesure selon les mouvements meilleurs ou pires le degré du mérite, l'un aura dans le monde futur le rang des anges ou une puissance de commandement, ou un pouvoir sur certains, ou un trône pour régner sur des sujets, ou une autorité de maître sur des esclaves ; d'autres, qui ne seront pas tombés tout à fait seront gouvernés et aidés par les susdits. Et ainsi le genre humain sera composé dans chacun des mondes, pour la plupart des cas, de ceux qui sont soumis aux principautés, puissances, trônes et seigneuries, parfois même de ces autorités elles-mêmes. »

Justinien et Rufin se correspondent, Rufin étant plus développé : a-t-il paraphrasé ou Justinien résumé? Il y a cependant chez Rufin des phrases supplémentaires qui ne sont pas du délayage. Ainsi « Ex his sane ... descripsimus » et « quae omnia ... possidentia ». Sur la chute des créatures raisonnables : *PArch.* II, 9, 2 ; *ComJn* I, 17, 97 s. ; XIII, 37, 243 ; XXXII, 18 (11), 233 s. ; *CCels.* IV, 40 ; VI, 43.

Cette doctrine vient de PLATON (*Phèdre* 246 c ; 248 cd) ; on la retrouve dans l'apocalyptique juive et chez les gnostiques : voir A. ORBE, « Variaciones gnósticas sobre las alas del alma : A propósito de Plot. II, 9, 3, 18 - 4, 12 », *Gregorianum* 35, 1954, p. 18 s. De même chez les auteurs chrétiens primitifs qui la rapportent soit aux anges, soit au péché d'Adam dans un paradis situé au ciel : TATIEN, *Oratio* 20 ; ATHÉNAGORE, *Legatio* 24 s. ; CLÉMENT, *Strom.* V, 14, 92. D'Origène, *HomLc* XXXIV, 3, rapporte à cela une exégèse ancienne de *Lc* 10, 30, sur la descente de Jérusalem à Jéricho. La fin du texte de Justinien, « parfois même de ces autorités elles-mêmes », peut être une allusion à l'opinion d'Origène suivant laquelle certains archanges seraient devenus hommes sans avoir péché, comme le Christ, pour l'aider dans le salut de l'humanité : ainsi Jean-Baptiste (*ComJn* II, 31 (25), 186-192).

14. La vigilance : *FragmLam.* XXIII (*GCS* III, p. 245) ; *PArch.* III, 3, 6.

15. Est-ce là une interpolation rufinienne comme le veut J. DANIÉLOU, *Origène*, p. 213 s., pensant que la chute a atteint tous les êtres raisonnables sauf l'âme du Christ ? Au contraire M. SIMONETTI, voir note 31 de *PArch.* I, 5. Quant aux progrès à admettre entre le commencement et la fin, voir note 8 de ce chapitre. Les excerpteurs du fragment de Justinien peuvent avoir passé des phrases qui ne les intéressaient pas.

16. JÉRÔME-ORIGÈNE, *ComÉphés.* I sur 1, 21 (*PL* 26, 461 s.).

17. Idée qui manque dans Justinien, mais est bien attestée chez Origène : *PArch.* I, 8, 4 ; II, 9, 6 ; III, 6, 1 ; *HomÉz.* I, 3.

18. JÉRÔME, *Lettre* 124, 3 : « *Qui uero fluctuauerint et motis pedibus nequaquam omnino corruerint, subicientur* *dispensandi et regendi atque ad meliora gubernandi principatibus potestatibus thronis dominationibus; et forsitan ex his hominum constabit genus in uno aliquo ex mundis, quando, iuxta Esaiam, caelum et terra noua fient* (*Is.* 65, 17 ; 66, 22). — Ceux qui sont fluctuants et ne sont pas tout à fait tombés par le mouvement de leurs pieds sont soumis pour être administrés, dirigés et gouvernés en vue du mieux aux principautés, puissances, trônes et dominations ; et peut-être d'eux sera constitué le genre des hommes dans un autre monde, quand, selon Isaïe, il y aura un ciel nouveau et une terre nouvelle. » Plutôt résumé que citation, ce texte concorde avec Justinien et Rufin, tout en faisant de la mention du ciel nouveau et de la terre nouvelle une allusion à la doctrine des mondes successifs. La formule de modestie « *prout ego sentire possum* » ne se trouve que chez Rufin, ce qui ne veut pas dire qu'elle ne soit pas originale.

19. « S'ils se réforment ... salutaires » : probablement paraphrase de Rufin. G. Bardy, *Recherches*, p. 128, pense à une formule d'origine liturgique, qu'il rapproche de celle qui précède le *Pater* dans la messe romaine : « *Praeceptis salutaribus moniti et diuina institutione formati* » (*Sacramentarium Gregorianum* 1, 31, éd. Lietzmann, p. 4) ; de l'oraison de la seconde férie de la première semaine de carême : « *mentes nostras caelestibus instrue disciplinis* » (*ibid.* 39, 1, p. 27) ; d'une des *aliae orationes de aduentu* : « *intenti caelestibus disciplinis* » (*ibid.* 193, 4, p. 107). Mêmes formules de Rufin qui font penser à des textes liturgiques : II, 7, 3 ; II, 7, 4 ; II, 9, 4 ; III, 1, 4.

20. Il y a donc, selon Rufin §§ 2-3, Justinien et Jérôme, trois catégories de créatures raisonnables : celles qui restent dans l'état angélique ; celles qui sont tombées non complètement et devront obéir aux premières, constituant ainsi le genre humain ; celles qui sont tombées le plus profondément, les démons.

21. L'Église céleste dont la terrestre est l'image n'est pas seulement son idéal, mais une Église réelle qu'habitent les anges et les saints ; elle est le corps mystique du Christ. Le rapport de l'Église terrestre à la céleste est le même que celui de l'Évangile temporel à l'Évangile éternel : une seule réalité par l'ὑπόστασις, leur être véritable, elles diffèrent par l'ἐπίνοια, la manière dont les perçoivent les hommes, de toute la distance qui sépare la vision « à travers un miroir, en énigme » du « face à face » (*I Cor.* 13, 12) : *PArch.* IV, 2, 2 ; *ComCant.* II (*GCS* VIII, p. 157) ; *HomJér.* V, 16 ; *HomLc* XXIII, 7 ; *HomLév.* I, 3 ; *PEuch.* XXXI, 5 ; *ComJn* X, 35 (20), 229 s. ; J. Chênevert, *L'Église* ; et sur le rapport Évangile temporel/Évangile éternel, H. Crouzel, *Connaissance*, p. 324-370.

22. Jérôme, *Lettre* 124, 3 : « *Qui uero non fuerint meriti ut per genus hominum reuertantur ad pristinum statum fient diabolus et angeli eius et pessimi daemones, ac pro uarietate meritorum in singulis mundis diuersa officia sortientur.* — Ceux d'autre part qui n'auront pas mérité de revenir à leur état primitif en passant par l'humanité deviendront le diable et ses anges, et les pires des démons, et selon la différence de leurs mérites ils obtiendront dans chacun des mondes des offices divers. » Résumé plutôt que citation ; la concordance avec Rufin n'est pas facile à établir. K. Schnitzer remarque (p. 65, note) que le *fient* de Jérôme ne convient guère, car il s'agit d'un fait passé, non futur.

23. *PArch.* III, 2.

24. Ici à la fois Justinien et Jérôme. Justinien (Mansi IX, 529), fragment introduit par : « Du même tome, que les démons s'ils se convertissent au meilleur rempliront un jour l'humanité » : « Οἶμαι δὲ δύνασθαι ἀπὸ τῶν ὑποτεταγμένων τοῖς χείροσι ἀρχαῖς καὶ ἐξουσίαις καὶ κοσμοκράτορσι, καθ' ἕκαστον κόσμον ἢ τινὰς κόσμους, ἐνίους τάχιον, εὐεργετουμένους καὶ βουλησομένους ἐξ αὐτῶν μεταβαλεῖν, συμπληρώσειν ποτὲ ἀνθρωπότητα. — Je pense possible que parmi ceux qui sont soumis aux plus mauvaises principautés, puissances et princes de ce monde, selon chacun des mondes ou seulement quelques mondes, certains puissent assez vite, parce qu'ils auront reçu une aide et qu'ils voudront se dégager de cette soumission, contribuer à remplir un jour l'humanité. »

JÉRÔME, *Lettre* 124, 3 : c'est un résumé qui va jusqu'à la fin du § 3 de Rufin : « *Ipsosque daemones ac rectores tenebrarum in aliquo mundo uel mundis, si uoluerint ad meliora conuerti, fieri homines et sic ad antiquum redire principium; ita dumtaxat ut per supplicia atque tormenta, quae uel multo uel breui tempore sustinuerint, in hominum eruditi corporibus, rursum ueniant ad angelorum fastigia. Ex quo consequenti ratione monstrari omnes rationabiles creaturas ex omnibus posse fieri, non semel et subito sed frequentius; nosque et angelos futuros et daemones, si egerimus neglegentius, et rursum daemones, si uoluerint capere uirtutes, peruenire ad angelicam dignitatem.* — (Il dit) que les démons eux-mêmes et les chefs des ténèbres deviendront hommes dans un autre monde ou dans d'autres mondes, s'ils veulent se convertir vers le meilleur, et qu'ils reviendront ainsi à l'état ancien ; de telle sorte seulement qu'à travers des supplices ou des tourments endurés pendant un temps plus ou moins long, éduqués dans des corps d'hommes, ils parviennent à retourner à la condition suprême d'anges. Par là il est logiquement montré que toutes les créatures raisonnables peuvent provenir de toutes, non une seule fois et d'un coup, mais plus fréquemment ; nous-mêmes et les anges, si nous nous conduisons avec trop de négligence, nous deviendrons des démons, et en revanche les démons, s'ils voulaient recevoir les vertus, parviendraient à la dignité angélique. »

Justinien correspond au début de Jérôme plus qu'au début de Rufin : signe d'authenticité, peut-être, mais on n'oserait l'affirmer. Justinien et Jérôme sont affirmatifs, tandis que Rufin propose l'opinion au jugement du lecteur : la forme hypothétique est plus dans la manière d'Origène et ses contradicteurs ont bien pu présenter de façon apodictique ce qui restait chez lui hypothétique. Ces considérations empêchent de porter un jugement ferme. D'autre part Jérôme résume, et les idées qu'il ne mentionne pas et qui se trouvent chez Rufin n'en sont pas pour cela des interpolations. On peut penser aussi que Jérôme résume à sa façon.

25. Cette affirmation, contraire au salut final du diable, n'est pas une invention de Rufin, car on la trouve plusieurs fois chez Origène : cf. *PArch.* I, 4, 1. Ainsi *ComJn* XX, 21 (19), 174 : il s'agit de *Éz.* 28, 19, la complainte sur la chute du Prince de Tyr : « Tu es perdition et tu ne subsisteras plus dans l'éternité » ; cela concerne, dit Origène, « quelqu'un qui est mensonge, non pas par sa substance (ὑπόστασις) à la suite de sa création (κατασκευή), mais est devenu tel à cause d'un changement et de son libre arbitre propre et a été ainsi ' naturé ' (πεφυσιωμένον) pour employer un mot nouveau ». Si la nature n'est pas mauvaise à son origine, la malice, par la force de l'habitude, peut devenir nature. On peut citer encore *HomJér.* XVIII, 1, passage qui comme le précédent est conservé en grec, donc est indiscutable, à propos de Jérémie chez le potier (*Jér.* 18, 1-16). Quand un vase est manqué, tant qu'il n'est pas passé au feu, le potier peut le refaire : « Lorsque nous arriverons après ce siècle-ci, nous trouvant à la fin de la vie, nous serons ensuite passés au feu, soit le feu des traits enflammés du Malin, soit le feu divin — car notre Dieu est un feu dévorant (*Deut.* 4, 24) — : si nous nous brisons... nous ne sommes plus recréés et notre nature ne reçoit pas d'amélioration. C'est pourquoi nous sommes ici-bas comme dans la main du potier ; même si le vase tombe de ses mains, la guérison et la recréation sont possibles. » Ce texte est en opposition formelle avec l'universalité de l'apocatastase. Dans *FragmMatth.* 141 (*GCS* XII/1, authenticité moins sûre), on trouve, appliquée aux démons, l'expression suivante : « d'une certaine façon la malice leur devient nature (φύσις) ». Voir pareillement à propos du salut du diable les textes cités note 7 de ce chapitre et inversement, en ce qui concerne l'immutabilité de la béatitude, cette affirmation, directement opposée à l'idée que les bienheureux pourraient retomber : « Le libre arbitre ne pourra nous séparer de la charité. Bien que cette faculté subsiste toujours et reste dans la nature, cependant la puissance de la charité est telle qu'elle attire tout à elle » (*ComRom.* I, 10, *PG* 14, 1054 A : il s'agit, il est vrai, d'une traduction de Rufin). On ne peut donc écrire avec G. Teichtweier, *Sündenlehre*, p. 173 : « plus que dans des affirmations isolées, la pensée d'ensemble de l'Alexandrin se tourne avec une nécessité inconditionnelle contre un châtiment infernal éternel », car le libre arbitre n'a pas l'extension absolue que Teichtweier suppose, mais il est limité par l'habitude du mal qui change la malice en nature et entraîne, par là, la difficulté ou même l'impossibilité d'un changement. On pourrait aussi invoquer ce que dit Origène dans *PArch.* II, 6 de l'union substantielle et indestructible de l'âme du Christ avec le Verbe. Jérôme n'a pas mentionné cette opinion d'Origène selon Rufin, tout occupé qu'il était à collectionner des perles hérétiques. Mais la pensée d'Origène est une recherche et elle envisage fréquemment deux opinions antithétiques : ici le cas où le démon serait sauvé et celui où rien ne pourrait redresser son libre arbitre : voir R. Trevijano, *En lucha*, p. 175 ; H. Crouzel, « L'Hadès et la Géhenne selon Origène », *Gregorianum* 59, 1978, p. 291-331.

26. *PArch.* I, 6, 2 ; III, 1, 23 ; III, 6, 6.

27. La punition est correction : *CCels.* V, 31 ; *HomÉz.* XI, 2 ; *HomEx.* III, 3. Elle a valeur éducative : *CCels.* IV, 99 ; *PArch.* II, 5, 3 ; II, 10, 6.

28. Koetschau rapporte à ce passage ce que dit Jérôme dans la *Lettre* 84 à Pammachius et Oceanus, § 7 : « et après des siècles nombreux et une seule restauration de toutes choses, Gabriel sera la même chose que le diable, Paul que Caïphe, les vierges que les prostituées ». Non seulement ce n'est pas une citation, mais Jérôme, à son habitude, caricature.

29. Les *Scolies* sur *la Hiérarchie Ecclésiastique* du *Pseudo-Denys* attribuées à Maxime le Confesseur, mais qui semblent devoir l'être à Jean de Scythopolis (sur chap. VI, 6, *PG* 4, 173) écrivent : « Qu'aucun des partisans d'Origène ne pense que la phrase expliquée maintenant concorde avec son opinion contraire à la foi en disant qu'il y a toujours chute, descente, transformation des intelligences célestes, comme le dit Origène dans le *Peri Archon* : ' Toutes sortes de raisons montrent à mon avis que toute espèce d'être raisonnable peut provenir de toute (autre) espèce d'être raisonnable ' (Ὁ τοίνυν λόγος, οἶμαι, δείκνυσι πᾶς, πᾶν ὅ τι ποτὲ λογικὸν ἀπὸ παντὸς οὑτινοσοῦν λογικοῦ δύνασθαι γένεσθαι). Et peu après il ajoute : ' Après la fin de toutes choses, de nouveau descentes et chutes se produisent ' (Μετὰ τὸ ἐπὶ πᾶσι τέλος πάλιν ἀπόρρευσις καὶ κατάπτωσις γίνεται). » La première citation se trouve à peu près textuellement dans la phrase de Rufin qui suit, mais la seconde, qui suppose des mondes successifs, on ne sait où la placer.

30. Dans le paragraphe 4 est posé pour la première fois un problème qui se retrouvera à plusieurs reprises à propos de la résurrection, celui de la permanence ou de la disparition des corps ; les autres passages sont dans II, 1-3 ; III, 6 ; IV, 4, 8. Voir Introd. IV, 3°, et J. Rius-Camps, « *La suerte final* ». Ce passage-ci est résumé par Jérôme, *Lettre* 124, 4, ce n'est pas une citation : « *Corporales quoque substantias penitus dilapsuras, aut certe in fine omnium hoc esse futura corpora, quod nunc est aether et caelum, et* *si quod aliud corpus sincerius, et purius intellegi potest. Quod cum ita sit, quid de resurrectione sentiat, perspicuum est.* — (Il dit) que les substances corporelles tomberont complètement : ou certes, qu'à la fin de toutes choses les corps seront ce que sont maintenant l'éther et le ciel, et tous les corps qu'on peut comprendre de la manière la plus intègre et la plus pure. Puisqu'il en est ainsi, on peut voir ce qu'il pense de la résurrection. » Jérôme reproduit sommairement les deux hypothèses de *PArch.* I, 6, 4 : disparition complète des corps ou corporéité éthérée. Cette seconde opinion, que Jérôme ne soulignera guère dans les autres passages de la *Lettre à Avitus* concernant le même problème, est la seule à correspondre à la doctrine de la résurrection qu'Origène manifeste dans toutes ses autres œuvres. Voir H. Crouzel, « La doctrine origénienne du corps ressuscité ». Jérôme reconnaît donc ici qu'Origène laissait la question ouverte ; il ne le fera plus guère dans la suite de la lettre. Mais il présente affirmativement ce qui reste chez Rufin une question.

31. *PArch.* III, 6, 3.

32. Que la Trinité seule est incorporelle est répété en II, 2, 2, et IV, 3, 15. On a cru y voir une interpolation rufinienne, car on considérait que l'incorporéité finale des créatures raisonnables était l'opinion authentique d'Origène, bien qu'elle soit toujours dans le *PArch.* en contrepoint avec la corporéité éthérée, seule opinion présente dans le reste de l'œuvre. Ainsi E. de Faye, *Origène*, t. III, p. 73-78. Voir ce que nous disons à propos de *PArch.* II, 1-3.

33. A propos de l'éther, voir la note 32 de *PArch.* I, 7, 5.

34. Origène ne conclut donc pas fermement et laisse ouverte la question de la corporéité ; de même pour les trois autres passages qui en traitent et en II, 8, 4-5. Les amis de Dieu sont ceux qui désirent le connaître : *ComJn* I, 29 (31), 201-202 ; *CCels.* IV, 7.

Seconde section (I, 7-8)

Comme la première section, la seconde comprend une introduction, puis deux sujets sont traités. L'introduction rappelle les caractéristiques de la section précédente : maintenant Origène va parler davantage selon la foi de l'Église. Mais cela ne semble guère valoir que pour I, 7, 1, car il revient vite aux questions libres. Les créatures raisonnables ont toutes été créées par Dieu par le moyen du Christ (1). Le premier sujet (7, 2-5) concerne les astres. La tradition philosophique, platonicienne et stoïcienne, en faisait des êtres divins ; Origène ne la suit pas jusque-là, mais il voit cependant en eux des êtres animés et raisonnables, à qui il attribue tout ce qu'il a dit précédemment. Faut-il compter les astres parmi les ἀρχαί, les Principautés ? Sont-ils doués de libre arbitre et susceptibles de changement? *Job* 25, 5, suppose qu'ils peuvent pécher (2). Seraient-ils donc des êtres raisonnables? Leurs âmes ont-elles préexisté à leurs corps? Le premier point est prouvé par l'Écriture : ils reçoivent de Dieu des commandements. Et par la raison : comment ne seraient-ils pas raisonnables, alors que leurs mouvements se déroulent avec tant d'ordre et de raison (3)? Le second point est montré par un argument *a fortiori*. Si l'âme de l'homme, inférieure à celle de l'astre, a préexisté à sa mise dans un corps, ce qu'Origène conclut de trois exemples scripturaires, Ésaü et Jacob, Jean-Baptiste et Jérémie, que Dieu a prédestinés avant leur naissance, ce qu'il n'a pas pu faire de façon arbitraire, à plus forte raison en est-il de l'âme des astres (4). Les astres ont été soumis à la vanité de la corporéité, non par leur volonté, mais par celle de Dieu qui les y a soumis, pour le service des hommes, mais dans l'espoir de leur libération lorsque le Christ aura transmis le royaume à son Père (5).

Le chapitre suivant (I, 8) présente aussi une unité. Les anges tiennent leurs hautes fonctions non de l'arbitraire du créateur, mais de leurs mérites (1). A cet endroit, certains manuscrits mettent un second titre (voir l'apparat critique) indiquant qu'Origène va polémiquer contre les « hérétiques aux natures », les valentiniens. Mais la première phrase du § 2 est une proposition finale dépendant d'une principale qui est la dernière du § 1 ; la division admise des paragraphes nous a obligé à en faire une phrase différente dans la traduction française. Origène polémique donc contre les valentiniens qui supposent trois natures spirituelles, selon lui strictement prédestinées pour les pneumatiques et les hyliques, moins strictement pour les psychiques, et deux créateurs, le Dieu suprême du Nouveau Testament, dont les pneumatiques émanent indirectement plutôt qu'ils ne sont créés, et le Démiurge inférieur de l'Ancien. Le sort des anges et des hommes ne dépend donc pas pour eux du libre arbitre, sauf en ce qui concerne les psychiques. Mais, rétorque Origène, comment Pierre et Paul, des pneumatiques, ont-ils péché si gravement ? Les valentiniens répondent que ce n'est pas leur nature pneumatique qui a péché, mais l'élément hylique présent en eux. Mais ils ont eux-mêmes reconnu et pleuré leur péché (2) ! Toute créature raisonnable est capable de bien et de mal, et le diable lui-même, à son origine, pouvait faire le bien. Seules les personnes de la Trinité possédant une bonté substantielle ne peuvent subir les atteintes du mal, mais les créatures raisonnables n'ont qu'accidentellement la bonté et les autres vertus, qui sont reçues par elles et susceptibles d'être perdues (3). Les puissances angéliques tiennent donc de leurs mérites leurs dignités. De même la malice des démons vient de leur volonté. Les hommes sont capables de progrès et de déchéance, mais leur malice ne saurait aboutir à les changer en animaux, comme le veulent les partisans de la métensomatose (métempsychose) (4).

Peri Archon I, 7

1. *definito dogmate* : ces mots chez Rufin désignent l'enseignement officiel de l'Église. Mais δόγμα chez Origène, et parfois aussi chez Rufin, s'applique à toute doctrine, même erronée : cf. Fr. H. Kettler, *Der ursprüngliche Sinn*, p. 17.

2. Paragraphe reconnu comme authentique par Fr. H. Kettler, *Der ursprüngliche Sinn*, p. 31-33, qui essaie de retrouver les termes grecs correspondants. Voir M. Simonetti, « Osservazioni », p. 388-389.

3. *PArch.* I, 3, 1. Ce développement est antignostique : pour les valentiniens le germe pneumatique ne résulte pas d'une création, mais d'une émanation. Si *naturae* rend φύσεις, il reprend le terme utilisé par ces hérétiques pour les trois natures d'hommes et d'anges.

4. Cette affirmation, de même que celle de II, 3, 7, a été comprise comme représentant l'authentique conception origénienne de l'incorporéité finale, alors que, partout où l'alternative d'une corporéité finale est évoquée, il y aurait altération de Rufin (E. de Faye, *Origène*, t. III, p. 75). Or si Rufin parle en I, 6, 4, juste avant ce passage, de la double hypothèse, il est en cela confirmé par Jérôme, et il est difficile de comprendre que, s'il avait modifié ainsi en I, 6, 4, la pensée d'Origène, l'affirmation de I, 7, 1, qui suit lui ait échappé. Or la réponse est facile : si, pour Origène, l'âme est incorporelle en elle-même, elle est toujours revêtue d'un corps, grossier chez les hommes terrestres, subtil chez les anges et les ressuscités (*ComMatth.* XVII, 30), ainsi que chez les démons (*PArch.* I, préf. 8).

5. Le Principe est la Sagesse : voir le début du commentaire de I, 2.

6. Voir note 64 de I, 2.

7. Sur l'égalité invisible/incorporel, cf. Philon, *Opif.* 29 ; *Exc. Theod.* 47.

8. *PArch.* I, préf. 10 : la règle de foi ne sait pas si les astres sont animés ou non.

9. Le mot ἀρχάς laissé en grec par Rufin a pour lui le sens de commandement ou de Principauté angélique. J. Fr. Bonnefoy, « Origène théoricien » pense que les astres sont ἀρχαί en tant qu'êtres raisonnables.

10. Le firmament et le ciel sont ici identifiés, mais en *PArch.* II, 9, 1, distingués.

11. Il ne s'agit ici que des êtres raisonnables, non des êtres sans raison dont la création a suivi le péché des premiers.

12. Origène suppose donc que les astres sont des êtres raisonnables, sous l'influence de la philosophie (Platon, *Timée* 40 b ; *Lois* X, 898 e à 899 a ; Albinos, *Epit.* 14, 7 ; Cicéron, *Nat. deor.* II, 15, 39), dont il combat cependant l'astrolâtrie (*CCels.* V, 8 ; V, 10) ; ils sont supérieurs aux hommes : *PEuch.* VII ; *ComMatth.* XIII, 20 ; *CCels.* V, 10-11. Selon *HomJér.* X, 6, des anges président aux astres, comme à tous les éléments. De même Philon : *Gig.* 8 ; *Opif.* 144 ; *Plant.* 12. Pour Clément, là résident les anges qui dirigent les affaires du monde : *Eclogae* 56, 4 ; *Strom.* V, 6, 37. Origène ne pense pas que les astres dirigent les affaires du monde, mais ils en sont les signes que seuls les anges peuvent lire, non les hommes ; c'est pourquoi l'astrologie est une tromperie d'anges déchus : *ComGen.* III dans *Philoc.* XXIII (*PG* 12, 49-88). Cette conception des astres êtres raisonnables devait être combattue par des chrétiens dans leur lutte contre l'astrolâtrie : Basile, *HomPs.* 48, 8. Dans *CCels.* V, 11, Origène rappelle que pour Anaxagore le soleil n'est au contraire qu'une masse ignée.

13. L'antiquité chrétienne voit davantage chez les anges la possibilité de changer que l'immutabilité qu'on trouve cependant chez Grégoire de Nazianze, *Oratio* 28, 31 ; 38, 9 ; 40, 7 ; Némésios, *Nat. Hom.* 41.

14. Pour soutenir sa doctrine, Origène interprète *Job* 25, 5, avec un littéralisme brutal. De même dans *ComJn* I, 35 (40), 257, mais il accepte que ce puisse être une hyperbole ; encore *ComJn* I, 26 (24), 173 ; *ComRom.* III, 6 ; Jérôme-Origène, *ComÉphés.* I sur 1, 22-23 (*PL* 26, 463).

15. L'Esprit Saint source d'illumination : *PArch.* I, préf. 3 ; *HomEx.* III, 2 ; *FragmÉphés.* 9 (*JTS* 3, p. 399), *ComMatth.* XVII, 17.

16. Les astres prient Dieu et reçoivent des commandements : *CCels.* V, 11 ; *HomJér.* X, 6. Le soleil est le ministre de la connaissance de Jésus, Soleil de Justice : *ComJn* I, 28 (24), 175.

17. Koetschau suppose qu'est tombée à cet endroit une citation scripturaire, en se basant sur Rufin le Syrien (ou de Palestine), *De Fide* 19 (*PL* 21, 1132 C) qui combat la doctrine origénienne sur les astres et suit ce texte pas à pas. Entre *Job* 25, 5, et *Is.* 45, 12, il insère *Ps.* 103 (104), 19 : « *Sol cognouit occasum suum* ». Mais Koetschau a mal lu et substitue à *Ps.* 103, 19, *Ps.* 102 (103), 18 : « *et memores sunt mandatorum ipsius* », qui ne concerne en rien les astres. Il propose de l'insérer juste avant *Is.* 45, 12 : ainsi présentée, l'insertion est sans fondement ; par ailleurs Rufin le Syrien peut bien avoir ajouté de son cru une citation supplémentaire. *Is.* 45, 12 est cité par *HomNombr.* XV, 3.

18. *CCels.* VIII, 52 ; Celse, *ibid.* VI, 22. Les planètes, de πλανᾶν, « errer », sont les astres qui se déplacent indépendamment : soleil, lune, Mars, Mercure, Jupiter, Vénus, Saturne, dont les noms sont donnés aux jours de la semaine. Les fixes (ἀπλανεῖς, non errants) sont ceux qui gardent toujours leurs positions respectives en constellations.

19. *PArch.* II, 8, 1 ; II, 9, 2 ; III, 1, 2 ; *CCels.* VI, 48. Voir Arnim, *SVF* I, p. 38 ; II, p. 221 ; Diels, *Doxographi graeci*, p. 392.

20. Argument classique de la philosophie grecque pour montrer la rationalité des astres.

21. *CCels.* V, 10 ; *ComMatth.* XIII, 6.

22. Théophile d'Alexandrie, *Lettre Pascale* II, 10 (98 chez Jérôme).

23. *Extrinsecus* = θύραθεν (Aristote, *Génér. anim.* II, 3, voir préf. note 30). Affirmation de la préexistence des âmes : venant du platonisme (Platon, *Phèdre* 247 b ; 249 c ; Albinos, *Epit.* 16, 2 ; Philon, *Gig.* 12 ; *Somn.* I, 138), elle a surtout pour but de répondre aux marcionites : Introd. V, 3°. Voir *PArch.* II, 8, 3-4 ; II, 9, 6-7 ; III, 3, 5 ; *CCels.* IV, 40 ; V, 29 ; VII, 32 ; *ComJn* XIX, 20 (5), 128 s. ; XX, 19 (17), 162 ; XX, 22 (20), 182 s. ; *HomJér.* VIII, 1. Dans la traduction de Rufin, ici et à la ligne précédente, on peut se demander si *spiritus* n'est pas erroné, eu égard à la terminologie d'Origène, que Rufin cependant respecte habituellement : il faudrait *mens* ou *animus*, traduisant νοῦς et non *spiritus* qui rend πνεύμα.

24. *Extrinsecus*, voir note 23. D'après *ComJn* XIII, 50 (49), 327, des anges président à l'insertion des âmes dans les corps (de même Clément, *Eclogae* 50) et d'après *ComJn* XIX, 15 (4), 98, après la mort l'âme retourne sous le contrôle des anges.

25. Ces trois exemples sont invoqués dans une perspective antignostique et antidéterministe ; le destin terrestre des hommes dépend des mérites ou démérites de la préexistence : *ComJn* II, 30 (24), 181 s. ; II, 31 (25), 191 s. ; *PArch.* II, 9, 7 ; III, 3, 5 ; III, 4, 2 : Jérôme-Origène, *ComÉphés.* I sur 1, 4 et 6 (*PL* 26, 446 D, 449 CD). Les trois exemples servent à TERTULLIEN, *De anima* 26, à montrer la vitalité du fœtus.

26. Pour la Visitation : *ComJn* VI, 49 (30), 252 s. ; *HomLc* VII-IX.

27. On voit l'origine antignostique de la préexistence des âmes : Origène refuse de considérer comme arbitraire l'action divine (PLATON, *Rép.* X, 617 e). Mais il n'y a guère chez lui d'allusion à la réminiscence, sauf peut-être *PEuch.* XXIV, 3 et JÉRÔME-ORIGÈNE, *ComÉphés.* sur 2, 15 (*PL* 26, 459 B). La chute des âmes dans les corps est considérée déjà comme conséquence du libre arbitre par ALBINOS selon STOBÉE I, 49, 37.

28. Ici Koetschau, suivant Schnitzer, suppose une lacune qu'il remplit par JÉRÔME, *Lettre* 124, 4 : « *Solem quoque et lunam et astra cetera esse animantia; immo quomodo nos homines ob quaedam peccata his sumus circumdati corporibus, quae crassa sunt et pinguia, sic et caeli luminaria talia uel talia accepisse corpora, ut uel plus uel minus luceant; et daemones ob maiora delicta aerio corpore esse vestitos.* — (Il dit) que le soleil, la lune et tous les astres sont des êtres animés : bien plus, de même que nous, hommes, à cause de certains péchés, nous avons été entourés de ces corps, grossiers et gras, de même les luminaires du ciel ont reçu tels ou tels corps qui les font briller plus ou moins, et les démons, à cause de plus grandes fautes, ont été revêtus de corps aériens. » K. MÜLLER, *Kristiche Beiträge*, p. 620-621, pense qu'il n'y a aucune lacune : la phrase qui suit chez Rufin la prétendue lacune suit logiquement celle qui précède, et mettre le passage de Jérôme entre les deux détruit la suite des idées. Le fragment de Jérôme, non présenté comme une citation, est un résumé correspondant à I, 7, 1-4. Le membre de phrase sur les démons est un ajout de Jérôme.

A « Ce qu'on peut conjecturer ...» correspond un fragment de JUSTINIEN (Mansi IX, 532) introduit ainsi : « Du premier tome du même livre : que le soleil, la lune et les étoiles sont animés». «Ὅτι δὲ πρεσβυτέρα ἡ ψυχὴ τοῦ ἡλίου τῆς ἐνδέσεως αὐτοῦ τῆς εἰς τὸ σῶμα, μετὰ τὸ συλλογίσασθαι ἐκ συγκρίσεως ἀνθρώπου τῆς πρὸς αὐτὸν καὶ ἐντεῦθεν ἀπὸ τῶν γραφῶν οἶμαι ἀποδεῖξαι δύνασθαι. — Je pense que l'on peut montrer que l'âme du soleil existait avant qu'il ne soit lié à un corps ; on peut le conclure en comparant l'homme avec lui et ensuite à partir des Écritures.» La correspondance est nette avec Rufin, la préexistence de l'âme du soleil étant plus explicitement énoncée. Dans le corps de la *Lettre à Ménas* (*PG* 86/1, 971 B), on lit qu'Origène «dit que le ciel, le soleil, la lune, les astres et les eaux au-dessus du ciel sont animés et sont certaines puissances raisonnables». On ne voit pas où Origène aurait parlé du ciel comme d'un être raisonnable ; pour les eaux au-dessus du ciel, il en donnait une explication allégorique dans le *ComGen.*

29. Au § 5 correspond ce que dit Jérôme dans *C. Joh. Hier.* 17 : «Le soleil lui-même et tout le chœur des astres étaient autrefois les âmes de créatures raisonnables et incorporelles, qui, sujettes maintenant à la vanité, à savoir aux corps de feu que nous, dans notre ignorance et grossièreté, nous appelons les luminaires du monde, seront libérés de la servitude de la corruption pour la liberté de gloire des fils de Dieu (*Rom.* 8, 20-21). C'est pourquoi toute créature gémit et est dans l'enfantement et l'apôtre lui-même se lamente : Malheureux que je suis ! qui me libérera du corps de cette mort? (*Rom.* 7, 24).»

30. P. Koetschau (p. 91, apparat critique) croit que Rufin a omis ici *Rom.* 7, 24, parce que Jérôme le cite dans le texte mentionné à la note précédente. Mais si ce verset ramasse ce qui est dit dans *PArch.* I, 7, 4-5, rien ne montre qu'il soit une citation et Jérôme a bien pu ajouter de lui-même ce verset qu'il avait lu dans le *ComÉphés.* d'Origène et qu'il reproduit dans son propre *ComÉphés.*

(sur 1, 4 : *PL* 26, 447 A). On ne voit pas ce que viendrait faire *Rom.* 7, 24 dans un passage traitant du corps des astres.

31. *PArch.* II, 8, 3 ; II, 9, 7 ; III, 5, 4 ; *ComRom.* VII, 4 ; *ComJn* I, 17, 98 ; I, 26 (24), 173 ; *CCels.* VII, 65 ; *ExhMart.* 7. De même *Exc. Theod.* 49.

32. Origène n'accepte pas, dans *PArch.* III, 6, 6, et *ComJn* XIII, 21, 126, que l'éther soit un cinquième élément comme le voulait le jeune Aristote du *Peri Philosophias*, mais il en fait la qualité que revêtent les corps les plus purs et l'éther joue ainsi un rôle dans sa doctrine des corps glorieux : voir H. Crouzel, « La doctrine origénienne du corps ressuscité », et M. Harl dans l'édition de Philon, *Her.* 1966, p. 90-92.

33. Rufin emploie encore *spiritus* au lieu de *mens* ou *animus* : cf. note 23.

34. Koetschau (p. 91, apparat critique) pense que Rufin a un peu simplifié et s'appuie pour le dire sur *C. Joh. Hier.* 17 (voir note 29). Mais ce passage n'est pas une citation. Koetschau veut ajouter encore l'idée que les luminaires sont des signes, à cause de Rufin le Syrien, *De Fide* 20 (*PL* 21, 1133), mais ce dernier ne cite pas.

35. Du contexte de ce passage, Jérôme, Théophile, Rufin le Syrien et beaucoup de modernes déduisent que les âmes des astres ont reçu leurs corps à la suite d'une faute : de même de *PArch.* II, 8, 3. La position d'Origène n'est guère claire, de même qu'à propos des anges à qui *Rom.* 8, 19, est appliqué en *PArch.* III, 5, 4, et *ComRom.* VII, 4. Dans aucun passage qui applique *Rom.* 8, 19, à l'incorporation des êtres raisonnables, même pas dans les textes grecs, leur faute n'est explicitement mentionnée : ils ont été préposés par Dieu contre leur gré au service des hommes pour aider leur rédemption. D'après Jérôme-

ORIGÈNE, *ComÉphés.* I, sur 1, 4 (*PL* 26, 446-447), les âmes des prophètes et des saints ont été envoyées sur terre et mises dans des corps, sans avoir démérité, pour aider la rédemption : voir *PArch.* II, 9, 7 ; III, 5, 4 ; IV, 3, 12 ; *HomÉz.* I, 1. Il peut en être de même des astres. Il se peut qu'à un moment du moins Origène ait considéré que la condition des astres, comme celle des anges, ne venait pas d'une faute, mais d'un office confié par Dieu pour le service des hommes : voir I, 5 note 31.

36. Le lien entre *Rom.* 8, 19, et *Phil.* 1, 23, se retrouve dans *ComJn* I, 17, 99-100, et *ComRom.* VII, 4. A cet endroit JUSTINIEN (Mansi IX, 532), introduit par : « Du même tome » : *Κάλλιον ἀναλῦσαι, καὶ σὺν Χριστῷ εἶναι, πολλῷ γὰρ μᾶλλον κρεῖσσον* · νομίζω γὰρ ὅτι λέγοι ἂν ὁ ἥλιος ὅτι κάλλιον ἀναλῦσαι καὶ σὺν Χριστῷ εἶναι · πολλῷ γὰρ μᾶλλον κρεῖσσον. Καὶ ὁ μὲν Παῦλος · Ἀλλὰ τὸ ἐπιμένειν τῇ σαρκὶ ἀναγκαιότερον δι' ὑμᾶς, ὁ δὲ ἥλιος · τὸ ἐπιμένειν τῷ οὐρανίῳ τούτῳ σώματι ἀναγκαιότερον διὰ τὴν ἀποκάλυψιν τῶν τέκνων τοῦ θεοῦ. Τὰ δὲ αὐτὰ καὶ περὶ σελήνης καὶ τῶν λοιπῶν ἀστέρων λεκτέον. — *Il est plus beau d'être dissous et d'être avec le Christ: c'est de beaucoup préférable.* Je pense en effet que le soleil dirait : Il est plus beau d'être dissous et d'être avec le Christ : c'est de beaucoup préférable. D'une part Paul déclare : *Mais il m'est davantage nécessaire de rester dans la chair à cause de vous.* D'autre part le soleil : Rester dans ce corps céleste est davantage nécessaire à cause de la révélation des fils de Dieu. On peut parler de même au sujet de la lune et des autres astres. » La correspondance Justinien-Rufin ne pose pas de problème.

37. Il y aurait là chez Rufin, d'après Schnitzer et Koetschau, une lacune qu'il faudrait remplir avec un texte de JÉRÔME, *Lettre* 124, 4. C'est une citation introduite ainsi : « (Origène dit) que toute créature, selon l'apôtre, est soumise à la vanité et sera libérée pour la révélation des fils de Dieu (*Rom.* 8, 20-21). Et de peur qu'on ne pense que ce que nous disons est de nous, nous reproduisons ses paroles. » Voici la citation : « *In fine atque consummatione mundi quando uelut de quibusdam repagulis atque carceribus missae fuerint a domino animae et rationabiles creaturae, alias earum tardius incedere ob segnitiem, alias pernici uolare cursu propter industriam. Cumque omnes liberum habeant arbitrium et sponte sua uel uirtutes possint capere uel uitia, illae multo in peiori condicione erunt quam nunc sunt, hae ad meliorem statum peruenient, quia diuersi motus et uariae uoluntates in utramque partem diuersum accipient statum, id est ut et angeli homines uel daemones, et rursum ex his homines uel angeli fiant.* — A la fin et consommation du monde, lorsque les âmes et les créatures raisonnables seront envoyées par le Seigneur comme hors de certaines clôtures ou prisons, les unes avanceront plus lentement à cause de leur paresse, les autres voleront d'une course rapide à cause de leur activité. Comme toutes possèdent le libre arbitre et peuvent, par suite de leur volonté, recevoir les vertus ou les vices, les premières seront dans une condition bien pire qu'elles ne sont maintenant. Les secondes parviendront à un état meilleur, car des mouvements divers et des volontés différentes dans chaque sens mèneront à des états divers, de sorte que les anges deviendront hommes ou démons et en revanche les démons hommes ou anges. »

Pour localiser ce passage on n'a que les vagues indications de Jérôme. En faveur de l'insertion à cet endroit, on pourrait dire que la finale de Rufin est trop ramassée par rapport aux habitudes d'Origène ; contre l'insertion, que la mention des trois catégories, anges, hommes, démons, convient peu à un chapitre consacré aux astres : cf. K. Müller, *Kritische Beiträge*, p. 621-622.

Peri Archon I, 8

1. *HomNombr.* XIV, 2 ; *CCels.* I, 25 ; *HomJos.* XXIII, 4. Voir *Tobie* 3, 17 ; *I Enoch* 40, 9 ; *III Baruch* (Apocalypse grecque) 11, 4 s.

2. *ComJn* I, 31 (34), 216.

3. *HomLc* XXIII, 7 ; *HomNombr.* XI, 4.

4. Sur les anges gardiens : *PArch.* II, 10, 7. Origène leur applique fréquemment *Matth.* 18, 10 : *HomÉz.* I, 7 ; *HomJos.* XXIII, 3 ; *HomLc* XXIII, 8. Voir M. SIMONETTI, « Due note », p. 165-179.

5. A cet endroit, Koetschau suppose une lacune considérable où Origène aurait exposé à nouveau l'origine, la chute et la destinée des créatures raisonnables, et il ne la justifie guère : il n'y a en effet aucune raison de l'accepter. Il reconstruit alors le texte avec des passages qui ne sont pas des citations d'Origène, mais des exposés tendancieux de sa doctrine : ANTIPATER DE BOSTRA, selon JEAN DAMASCÈNE, *Sacra Parallela* (*PG* 96, 501, 504 s.) ; *De Sectis* du PSEUDO-LÉONCE DE BYZANCE (*PG* 86, 1264) ; *Panarion* d'ÉPIPHANE (64, 4) ; THÉOPHILE D'ALEXANDRIE d'après JÉRÔME, *Lettre* 92, 2. Ce sont tous des exposés généraux de la doctrine d'Origène, œuvres d'antiorigénistes qui le jugent pour le condamner, avec des simplifications flagrantes : ils sont davantage préoccupés par l'origénisme de leur temps que par Origène et lisent le second à la lumière du premier. Ce ramassis de textes a lourdement pesé sur les études origéniennes. On a cité par exemple le passage du *De Sectis* comme s'il était vraiment un texte du *PArch.* On l'a donné pour preuve que la chute a atteint toutes les créatures raisonnables, à l'exception de l'âme du Christ. Quelle valeur a le passage d'Épiphane attribuant à Origène l'étymologie platonicienne selon laquelle le corps est appelé δέμας parce que l'âme lui est liée (δέδεσθαι) ? La bévue considérable faite par Épiphane dans le découpage du *De Resurrectione* de Méthode (voir H. Crouzel, « Les critiques adressées par Méthode et ses contemporains à la doctrine origénienne du corps ressuscité », *Gregorianum* 52, 1972, p. 707-710) donne la mesure de son esprit critique et de la confiance à lui faire.

6. Ce sont les valentiniens, à qui Origène adresse souvent la même accusation : *ComJn* XX, 17 (15), 135 s. Il y avait pour eux trois catégories d'anges (ceux du Sauveur dans le Plérôme, ceux du Démiurge dans l'Intermédiaire et les démons) et trois catégories d'hommes, pneumatiques issus du Plérôme et destinés au Plérôme, psychiques qui pouvaient trouver soit un salut inférieur dans l'Ogdoade ou Intermédiaire, soit la destruction totale avec les hyliques selon leur libre arbitre, enfin hyliques : Irénée, *Adv. Haer.* I, 6, 1 ; I, 7, 1, Massuet ; *Exc. Theod.* 63-65 ; Héracléon dans Origène, *ComJn* XIII, 16, 95-97 ; voir F. Sagnard, *La gnose valentinienne.* Origène combat impitoyablement dans toute son œuvre cette doctrine des natures et la distinction des deux Dieux : son *ComJn* s'oppose constamment à celui du valentinien Héracléon dont il reproduit des passages. Voir M. Simonetti, « Eracleone e Origene », *Vetera Christianorum* 3, 1966, p. 111-141 ; 4, 1967, p. 23-64.

7. On voit l'origine antignostique des conceptions cosmologiques d'Origène.

8. Sur ce texte : A. Orbe, *Los primeros herejes*, p. 70-72.

9. Citation (*Matth.* 7, 18) plusieurs fois opposée aux valentiniens, de qui c'était une maxime favorite : *PArch.* II, 5, 4 ; III, 1, 18 ; *ComJn* XIII, 11, 73 ; *ComRom.* VIII, 11 ; Clément, *Strom.* III, 5, 44. La Samaritaine est considérée par Héracléon comme pneumatique (*ComJn* XIII, 11, 67 s.), ainsi que les apôtres (*ibid.* II, 20 (14), 134 ; XIX, 14

(3), 90 ; XX, 17 (15), 135 s. ; XX, 33 (27), 287 s. ; Clément, *Strom.* II, 20, 115).

10. Cette réponse a pu se faire dans des discussions réelles, comme celles que raconte Origène dans la *Lettre à des amis d'Alexandrie*, selon Rufin, *Adult.* 7, ou celle avec Candide le valentinien d'après Jérôme, *Apol. adv. lib. Ruf.* II, 18-19 : voir H. Crouzel, « A letter » et plus bas note 12. Dans Pierre et Paul ce qui a péché, ce n'est pas le pneumatique, mais l'élément hylique qui y est joint selon la loi des « enveloppements » : si l'hylique avait seulement une nature hylique, le psychique était revêtu d'un enveloppement hylique et le pneumatique d'un homme psychique et d'un homme hylique, ces éléments se séparant au moment de la mort : F. Sagnard, *La gnose valentinienne*, p. 242-243.

11. La traduction rufinienne de Pamphile, *Apol.* IV (*PG* 17, 565 AB), diffère ici : « *Nulla ergo natura est, secundum quod nos sentimus, quae non possit recipere malum : sed non continuo, quia dicimus nullam esse naturam quae non possit recipere malum, idcirco confirmamus omnem naturam recepisse malum, id est, malam effectam.* — Il n'y a aucune nature, selon ce que nous pensons, qui ne puisse recevoir le mal : par là nous n'affirmons pas en conséquence, que toute nature a reçu le mal, c'est-à-dire a été faite mauvaise. »

12. Jérôme dit de même, *Lettre* 124, 4 : « ... *adserens diabolum non incapacem esse uirtutis, et tamen necdum uelle capere uirtutem.* — ... affirmant que le diable n'est pas incapable de vertu, et cependant qu'il ne veut pas encore recevoir la vertu ». Le *necdum*, « pas encore », est probablement à laisser au compte de Jérôme. Du dialogue d'Origène avec Candide, Jérôme écrit (*Apol. adv. lib. Ruf.* II, 19) : « Candide affirme que le diable est d'une nature très mauvaise qui ne peut jamais être sauvée. A cela Origène a répondu avec raison *(recte Origenes* *respondit)* qu'il n'est pas d'une substance destinée à périr, mais qu'il est tombé par sa volonté propre et qu'il peut être sauvé *(posse saluari)*. Ceci Candide le tourne en calomnie, comme si Origène avait dit que la nature du diable était destinée au salut : l'objection fausse de Candide, Origène la refuse. » Pour comprendre cette discussion, et l'approbation, à première vue étonnante, de Jérôme à la réponse d'Origène, il faut se replacer dans la perspective de la doctrine valentinienne des natures. Candide voit dans le diable une nature hylique, donc perdue. Origène répond, « avec raison », dit Jérôme, que la cause de sa perdition n'est pas sa nature, mais le propos de sa volonté. Par sa nature il peut donc être sauvé ; Jérôme veut donc dire : « *(natura) saluari posse* » ; autrement son approbation d'Origène est incompréhensible. Mais Candide comprend cela avec ses propres schèmes de pensée et en conclut que, pour Origène, le diable est pneumatique, destiné au salut, alors que selon lui le salut n'est pas affaire de nature, mais de volonté. Voir H. CROUZEL, « A letter », p. 143-147.

13. *PArch.* I, 5, 4-5.

14. ANTIPATER DE BOSTRA, selon JEAN DAMASCÈNE, *Sacra Parallela* II, 771 (*PG* 96, 505) : « Ἀλλ' ὁ διάβολος δέδεικται ὅτι τοιοῦτος μὲν οὐκ ἐκτίσθη, ἐξ ἰδίας δὲ πονηρίας εἰς τοῦτο κατέπεσε · δῆλον οὖν ὅτι κἀκεῖνοι ἐξ ἰδίας ἀνδραγαθίας εἰς τοῦτο ἦλθον. — Mais il est montré que le diable n'a pas été créé tel, mais il est tombé par sa propre malice : il est donc clair que ceux-là aussi en sont venus là en quittant leur bonté (primitive). » Ce texte concorde avec Rufin quant aux idées.

15. *PArch.* I, 3, 5-8.

16. D'après ce passage encore, les anges, ou du moins les ordres supérieurs, ne semblent pas avoir participé à la chute ; autrement il faut supposer une interpolation rufinienne : *PArch.* I, 5, note 31.

17. *PArch.* I, 5, 2.

18. *PArch.* I, 6 note 25, sur la malice qui peut se changer en nature.

19. A l'époque, *dum* peut signifier « parce que ».

20. Sur la structure et le sens de ce passage, H. CORNÉLIS, « Les fondements » p. 232-233, qui voit dans les trois propositions commençant par *uel hi* une hiérarchisation et rapproche ce texte d'*HomLév.* XIV, 3. Il est contesté par J. RIUS-CAMPS, *Dinamismo*, p. 369 note 42, qui, p. 368-369, distingue cinq membres de phrase commençant par *uel.*

21. Le *spirituum* de Rufin est-il fidèle au vocabulaire d'Origène ? Il est difficile de le dire.

22. *HomLév.* IX, 11 ; *ComMatth.* XVII, 30 ; *ComJn* XIII, 6, 33 s. ; CLÉMENT, *Adumbr. in Iudam* 24 ; *Eclogae* 57. On pense à *Matth.* 22, 30. Faut-il comprendre que l'homme puisse assumer dès ici-bas les dignités et prérogatives angéliques ? Comme dans CLÉMENT : *Péd.* I, 6, 36 ; II, 10, 110 ; *Strom.* VI, 13, 105 ; VII, 14, 84. Voir *ComJn* I, 2 (3), 9 ; XIII, 7, 41 ; XX, 29 (23), 263, 267 ; *HomJér.* XV, 6.

23. *ComJn* II, 1, 5 ; XX, 34 (27), 298 s. Pour une gradation entre ces titres, voir note 20. De même *PArch.* II, 3, 7 ; *HomLév.* XIV, 3 ; *HomNombr.* III, 3 ; XXI, 1 ; *HomJos.* XV, 3.

24. *ComJn* XXXII, 14 (8), 157 s.

25. Expression conforme à l'anthropologie trichotomique d'Origène : J. DUPUIS, *L'Esprit de l'homme* ; H. CROUZEL, « L'anthropologie ». L'âme suivant l'esprit s'assimile à lui : *PEuch.* IX, 2.

26. J. RIUS-CAMPS, *Dinamismo*, p. 368-370 (voir note 20 de ce chapitre) corrige ainsi la fin du paragraphe : « ... *ut perfecte effecti ' spiritales ' ' omnia discernant ' <et> per hoc, quod in omni sanctitate illumina<tum ' habent Chris>ti sensum ' per Verbum et Sapientiam Dei ' a nullo possint penitus discerni '* ». Il voit dans *sensum* une paraphrase de *I Cor.* 2, 16, amenée par *I Cor.* 2, 15 qui précède *(spiritales omnia discernant)* et suit *(a nullo possint penitus discerni)*. La reconstitution cependant ne nous semble pas s'imposer.

27. G. KRETSCHMAR, *Studien zur frühchristlichen Trinitätstheologie*, Tübingen 1956, p. 60, voit dans cette expression et ailleurs (*PArch.* II, 1, 2 ; II, 7, 2 ; II, 9, 8) l'influence de la conception qui identifiait la Sagesse à l'Esprit Saint (THÉOPHILE D'ANTIOCHE, *Autol.* II, 10 et 15 ; IRÉNÉE, *Adv. Haer.* IV, 20, 1 ; IV, 20, 3, Massuet). Mais aucun texte d'Origène n'identifie clairement la Sagesse à l'Esprit, alors qu'elle est identifiée au Fils dans tout *PArch.* I, 2, et dans des textes innombrables ; *PArch.* II, 9, 8, dit d'ailleurs : « *cum unigenito uerbo ac sapientia et sancto suo spiritu* ». Pour *I Cor.* 2, 15 : *FragmICor.* 11 (*JTS* IX, p. 241) ; 72-73 (*ibid.* X, p. 40-41) ; *ComJn* XXVIII, 21 (16), 179 s. ; *ComMatth.* XVII, 13 ; le scolie sur *Gen.* de la note marginale 197 du *Codex von der Goltz* (*TU* XVII/4, p. 87). Voir H. CROUZEL, *Connaissance*, p. 490-491.

28. Ce dernier paragraphe est ainsi présenté par JÉRÔME, *Lettre* 124, 4, avec, à la fin, une citation explicite : « ... *ad extremum sermone latissimo disputauit, angelum, siue animam, aut certe daemonem, quos unius adserit esse naturae, sed diuersarum uoluntatum, pro magnitudine neglegentiae et stultitiae iumentum posse fieri, et pro dolore poenarum et ignis ardore, magis eligere ut brutum animal sit, et in aquis habitet ac fluctibus, et corpus adsumere huius uel illius pecoris : ut nobis non solum quadrupedum, sed et piscium corpora sint timenda. Et ad extremum, ne teneretur*

Pythagorici dogmatis reus, qui adserit μετεμψύχωσιν, post tam nefandam disputationem, qua lectoris animum uulnerauit, ' Haec, inquit, iuxta nostram sententiam non sint dogmata, sed quaesita tantum atque proiecta, ne penitus intractata uiderentur '. — ... à la fin il a discuté très longuement pour savoir si l'ange, ou l'âme, ou le démon, qu'il affirme d'une seule nature, mais de volontés diverses, à cause de la grandeur de sa négligence et de sa sottise peut devenir une bête de somme et à cause (ou, avec Schnitzer : à la place) de la douleur des peines et de l'ardeur du feu préférer être un animal sans raison, habiter dans l'eau et dans les flots et prendre le corps de telle ou de telle bête ; de sorte que nous aurions à craindre non seulement des corps de quadrupèdes, mais de poissons. Et à la fin, pour ne pas être accusé de professer la doctrine pythagoricienne, lui qui affirme la métempsychose, après une si néfaste discussion qui a blessé l'âme du lecteur : ' Que ce ne soient pas là, dit-il, des doctrines, mais des points que nous avons recherchés et rejetés, pour ne pas les laisser tout à fait sans examen '. »

Ce texte oblige à plusieurs remarques :

a) Parce que Jérôme a parlé d'une très longue discussion d'Origène sur ce sujet, Koetschau suppose une lacune étendue : c'est vraisemblable. Il la comble avec des passages de Grégoire de Nysse (*De anima et resurrectione*, *PG* 46, 112 s. ; *De hominis opificio*, *PG* 44, 229, 232) à propos d'opinions professant la métempsychose jusque dans les plantes. Ce procédé, critiqué par K. Müller, *Kritische Beiträge*, p. 630, et par G. Bardy, *Recherches*, p. 33-34, est arbitraire, car l'accusation concernant la métempsychose ne vise pas Origène. J. Denis, *Philosophie*, p. 191, note 2, et bien avant lui, P. D. Huet, *Origeniana* (*PG* 17, 915 B s.), trouvent invraisemblable qu'Origène ait professé la métempsychose (ou, pour parler son langage, la métensomatose), alors que dans nombre de textes grecs indiscutables il la déclare absurde et contraire à l'enseignement de l'Église : *ComJn* VI, 11 (7), 66 s. ; *CCels.* I, 13 ; VII, 32 ; *FragmComMatth.* VII ; *ComMatth.* XI, 17 ; XIII, 1 ; PAMPHILE, *Apol.* X (*PG* 17, 608 s.). Dans *CCels.* V, 29, Origène distingue nettement de la métensomatose sa doctrine de l'ensomatose, ou mise des âmes dans des corps. Il paraît évident cependant que Rufin a abrégé à cause de ce que disent Jérôme et Justinien de l'assimilation des hommes aux animaux : nous l'expliquerons à propos de Justinien.

b) La citation explicite faite par Jérôme confirme sur un point la version de Rufin : Origène ne fait pas sienne la métensomatose. Fr. H. KETTLER, *Der ursprüngliche Sinn*, p. 16 s. veut supprimer ce témoignage en supposant que *proiecta* ne signifie pas « rejetés », mais correspond à προϐληθέντα, « mais on les a examinés et présentés comme problèmes ». Jérôme se serait alors exprimé d'une façon bien équivoque, d'autant plus qu'on ne trouve pas ce sens en latin pour *proiecta* : et la signification « rejetés » est confirmée (voir note 29) par la traduction rufinienne de l'*Apologie* de Pamphile, très proche de cette citation de Jérôme. D'ailleurs, quoi qu'il en soit du sens de *proiecta*, Jérôme témoigne nettement qu'Origène ne prenait pas ces doctrines à son compte : « pour ne pas être accusé de professer la doctrine pythagoricienne ». Et s'il fallait soupçonner προϐληθέντα derrière *proiecta*, le caractère problématique de ce développement en serait tout de même souligné.

c) La finale de Jérôme montre qu'il ne comprend pas le but d'Origène dans le *PArch.* Il se scandalise, de façon assez bornée, de ce qu'on ait osé traiter cette question : voir Introd. V, 1° et VI, 3°.

Un fragment de JUSTINIEN concerne la même discussion (Mansi IX, 529). Il est introduit ainsi : « Du second tome du Peri Archon ». Il s'agit en réalité du premier, mais dans la transmission des fragments il y a eu confusion de titres et de places avec le suivant, placé en *PArch.* II, 1, 1, qui le précède dans l'état actuel du florilège : voir l'explication que nous donnerons à cet endroit. Le titre est donc celui de l'autre fragment : « Au sujet de la descente des êtres d'en-haut dans les corps ». Voici le texte : « Ἡ ψυχὴ ἀπορρέουσα τοῦ καλοῦ καὶ τῇ κακίᾳ προσκλινομένη καὶ ἐπὶ πλεῖον ἐν ταύτῃ γινομένη, εἰ μὴ ὑποστρέφοι, ὑπὸ τῆς ἀνοίας ἀποκτηνοῦται καὶ ὑπὸ τῆς πονηρίας ἀποθηριοῦται. (Καὶ μετ' ὀλίγα) Καὶ αἱρεῖται πρὸς τὸ ἀλογωθῆναι καὶ τὸν ἔνυδρον, ἵν' οὕτως εἴπω, βίον · καὶ τάχα κατ' ἀξίαν τῆς ἐπὶ πλεῖον ἀποπτώσεως τῆς κακίας ἐνδύεται σώματα οὐδεῆ τοιοῦδε ἀλόγου ζῴου. — L'âme tombant du bien, s'étant inclinée vers la malice et restant longtemps en elle, si elle ne se convertit pas, est bestialisée par sa sottise et rendue sauvage par sa méchanceté. (Et peu après) Et elle choisit à cause de sa déraison la vie aquatique, pour ainsi parler, et c'est peut-être en punition de sa chute plus profonde dans le vice qu'elle revêt les corps terrestres de tel animal sans raison (ou : de l'animal sans raison que voici). »

Là aussi plusieurs remarques sont à faire :

a) Sur le mot οὐδεῆ traduit par terrestres : Mansi donne le texte transmis, incompréhensible sous cette forme, σώματα οὐ δεῆ. Delarue écrit οὐδεῆ mais corrige en ὑδαρῆ, aquatique, à cause de la vie aquatique dont il est question avant. L'éditeur de Justinien dans *PG* 86/1, 985 écrit οὐ δεῆ [ἴσ. ὑδαρῆ]. Mais ὑδαρῆ en *ComJn* X, 18 (13), 117, a le sens d'insipide (R. P. C. Hanson, *Allegory*, p. 212, note 7). Koetschau reconstitue : σῶμα <τοι> οὗδε ἢ τοιοῦδε ἀλόγου ζῴου, « le corps de tel ou de tel animal déraisonnable », traduction qui peut s'appuyer sur l'expression de Jérôme : « *corpus adsumere huius uel illius pecoris* ». Or K. Schnitzer, p. 81-83, en note, suivi par H. Crouzel, *Image*, p. 202 et 204, note 181, propose de garder tel quel le texte transmis et de voir dans οὐδεῆ un adjectif οὐδεής qui viendrait de οὖδας, terre. La difficulté de cette leçon est qu'il s'agit d'un terme poétique, ce qui est assez inhabituel chez Origène — à supposer que ce fragment reproduise le texte d'Origène — et d'un quasi-hapax : non cependant d'un hapax complet, car un adjectif οὐδήεις, venant de οὖδας, est attesté par Homère, *Odyssée*, V, 334 et X, 136, selon ce qu'y lisait Aristote (voir éd. V. Bérard, *CUF*, tome I, p. 159, tome II, p. 60, notes critiques).

b) La finale du fragment rappelle de très près la seconde traduction du passage de Jérôme que nous avons placé après I, 5, 3 (note 17) : « *inrationabilium iumentorum possit crasso corpore conligari* » (*Lettre* 124, 3). Mais que désigne ce corps terrestre, ou ce corps grossier? Ou bien l'opinion que, d'après Rufin, Origène rejette, celle que des créatures raisonnables pourraient déchoir jusqu'à prendre des corps d'animaux ; ou bien ce corps grossier ou terrestre serait plus simplement le corps humain, analogue par sa nature à celui des animaux. Cette seconde hypothèse est renforcée par le passage de Jérôme placé après I, 5, 3, car il est ainsi commenté : « *eas (= rationabiles creaturas) ... ad terrena corpora esse delapsas* ». Il ne s'agit donc pas, à proprement parler, de métensomatose, constamment rejetée par Origène, mais d'ensomatose, d'incorporation dans des corps grossiers des intellects préexistants. L'allusion de ces fragments de Jérôme et de Justinien à la vie aquatique et au corps des quadrupèdes s'explique par un thème abondamment représenté dans l'œuvre d'Origène, celui des « images bestiales », avec la « ménagerie théologique » qu'il comporte : pécheurs et démons sont fréquemment assimilés aux bêtes, mais c'est une assimilation morale ; quant à la mer, elle est souvent considérée, conformément à l'imagerie biblique, comme le lieu du démon et du mal : voir les textes dans H. Crouzel, *Image*, p. 201-204. A propos de la vie aquatique, le texte de Justinien intercale, entre τὸν ἔνυδρον et βίον, l'expression ἵν' οὕτως εἴπω, qui indique un sens figuré.

c) Un argument supplémentaire peut être fourni par le titre du fragment, attribué par confusion à celui de *PArch.* II, 1, 1, auquel il ne convient guère. Il confirme qu'il ne s'agit pas là de métensomatose, mais d'ensomatose, et que le fragment a été compris de la sorte par les excerpteurs.

A la fin du chapitre IX de l'*Apologie* (*PG* 17, 607 C-608 A), pour introduire le chapitre X réfutant l'accusation faite à Origène de professer la métempsychose, Pamphile présente cette discussion du *PArch.* : il s'agit bien d'elle puisqu'il en cite la finale sous une forme toute proche de celle de Jérôme (voir note 29). Les détracteurs d'Origène n'ont pas compris sa manière de discuter : parfois en effet il présente l'opinion contraire à la sienne, parlant à la place de son interlocuteur, « comme si lui-même avait pensé ce qu'il met dans la bouche de l'adversaire ». Pamphile rappelle en outre qu'il s'agit là d'une discussion. Puis, après la citation, il ajoute : « Mais Origène dit cela dans ce passage où il s'interrogeait sur les âmes des animaux et non sur la transmutation des âmes. » Cette affirmation concorde avec les trois témoins en ce sens qu'il ne s'agit chez aucun d'eux de passage de corps à corps (métensomatose), mais de mise dans un corps (ensomatose) : raison de plus pour rejeter les textes utilisés par Koetschau pour combler la lacune.

Il semble que Rufin ait fortement abrégé ce passage où l'on ne retrouve pas tout ce qu'indiquent non seulement Jérôme et Justinien, mais encore Pamphile. Probablement, Origène discutait et rejetait finalement l'idée que des êtres raisonnables puissent tomber dans des corps d'animaux, tout en développant son thème favori de l'assimilation morale des pécheurs aux bêtes. Rufin aurait supprimé de son texte ces développements assez étranges, peu compréhensibles à ses lecteurs latins. Quant à Jérôme et aux auteurs du florilège de Justinien, ils ne les auraient guère compris.

29. Dans sa traduction de l'*Apologie* de PAMPHILE (*PG* 17, 608 A), Rufin rendait cette finale d'une manière différente, très proche de celle de Jérôme : « *Sed haec, quantum ad nos pertinet, non sint dogmata, sed discussionis gratia dicta sint, et abiciantur. Pro eo autem solo dicta sunt ne uideatur quaestio mota non esse discussa.* — Mais cela, en ce qui nous concerne, que ce ne soit pas des doctrines, mais que cela soit dit pour être discuté et que ce soit rejeté. Nous en avons seulement parlé pour que la question soulevée ne reste pas sans discussion. » La parenté de Pamphile-Rufin avec Jérôme montre qu'ils sont plus près du texte originel que la traduction rufinienne du *PArch.* Le *abiciantur* de Pamphile-Rufin permet de comprendre, contrairement au sens indiqué par Kettler, le *proiecta* de Jérôme.

Troisième traité (II, 1-3)

Il est difficile de mettre un ordre logique rigoureux dans ce troisième traité de la première série, divisé en trois chapitres dans les éditions Delarue et Koetschau, car deux sujets s'y mêlent, le monde et la matière. Le titre unique qu'il porte dans la liste de Photius montre qu'il forme vraiment une unité.

Au début du premier chapitre (II, 1), Origène avertit le lecteur qu'il va revenir sur quelques points indiqués dans le livre précédent et concernant le monde. Le monde comprend, outre les créatures raisonnables qui ont reçu une corporéité grossière, les animaux et différents lieux, terre, ciel, eau, air, etc. Son existence a pour origine la diversité des mouvements des créatures raisonnables dans leur chute (1). Mais Dieu a tout ordonné pour en faire un monde doué d'unité et d'harmonie (2). Il gouverne en effet le monde par sa Puissance et sa Raison, son Fils, comme par une âme unique et des passages scripturaires confirment que l'action de Dieu s'étend dans tout l'univers. Mais la fin de ce monde-ci ne sera-t-elle pas l'origine d'un monde suivant et la variété du monde actuel la cause de la diversité du futur (3) ? La matière dont le monde est composé est une sorte de substrat amorphe, capable de recevoir des qualités diverses et d'en changer, car il ne s'engage définitivement en aucune ; toutefois ce substrat ne peut subsister sans être informé par des qualités. Origène réfute alors ceux qui prétendent cette matière increée, platoniciens et stoïciens, et montre leur inconséquence quand ils reprochent aux épicuriens de refuser la providence (4). Il démontre par l'Écriture — le *Pasteur* d'Hermas est considéré comme quasiment inspiré — que Dieu a tout créé à partir du néant (5).

Le second chapitre des éditions Delarue et Koetschau (II, 2) est très court. De l'origine de la matière corporelle, Origène passe à la destinée des corps : la corporéité est-elle transitoire, liée au péché et disparaissant quand il est surmonté ? Ou au contraire est-elle attachée nécessairement à la condition de créature, de sorte que seule la Trinité serait incorporelle ? D'après la version rufinienne, Origène est favorable à la seconde hypothèse ; si on veut au contraire qu'Origène ait tenu l'incorporéité finale, il faut supposer que Rufin a tout modifié. Cependant l'hypothèse de l'incorporéité finale ne se retrouve nulle part clairement dans les œuvres d'Origène en dehors du *Peri Archon*. De l'hypothèse de la corporéité il résulte, et c'est dit explicitement, que, puisque la substance matérielle peut prendre diverses formes, autres sont les corps grossiers des hommes terrestres, autres les corps subtils des astres, anges et ressuscités (1-2).

Le troisième chapitre (II, 3) continue sur la lancée. Il traite deux des problèmes les plus épineux de la cosmologie origénienne, celui de la perpétuité ou non de la matière, déjà abordé, et celui de la pluralité ou non de mondes successifs. Cette seconde question est posée tout d'abord, comme pour introduire une discussion : y aura-t-il à la fin de ce monde une apocatastase définitive, ou au contraire cet état final sera-t-il le début d'un autre monde qui tirera son origine d'une nouvelle chute (1) ? De ce problème, Origène revient d'abord à celui de la matière qui lui est lié : si la matière disparaît quand le péché est surmonté, il faut envisager l'hypothèse d'une nouvelle chute où la matière sera de nouveau créée, donc l'existence par intervalles de la matière à travers des mondes successifs.

Mais une créature peut-elle vivre sans corps? Les textes pauliniens supposent au contraire que, dans la résurrection, la matière corporelle passera de la corruptibilité à l'incorruptibilité sans cesser d'être : l'âme, appelée vêtement du corps, lui communiquera alors cette qualité d'incorruptibilité qu'elle possède pour avoir elle-même revêtu le Christ. Les termes mortel et corruptible ne sont pas identiques, car le premier, à la différence du second, ne s'applique qu'au vivant. La corporéité peut donc recevoir une forme plus subtile et subsister ainsi (2). A ce moment Origène passe à l'hypothèse opposée et fait valoir plusieurs arguments en faveur de l'incorporéité finale, notamment le fait que la corporéité émousse l'acuité intellectuelle et n'est pas compatible avec une connaissance plus parfaite de Dieu. Cette disparition du corps pourrait être progressive, la corporéité s'amenuisant de plus en plus jusqu'à disparaître. Mais si on accepte cela et si on croit, à cause du libre arbitre, à la possibilité d'une nouvelle chute, il faudra alors que la matière soit créée de nouveau (3). Origène se prononce fermement, au nom du libre arbitre, contre la thèse stoïcienne d'une succession de mondes absolument pareils l'un à l'autre où se reproduiraient les mêmes événements : c'est comme si on jetait plusieurs fois à terre une mesure de blé en s'attendant à retrouver chaque fois les grains disposés suivant les mêmes figures (4). Ce monde est l'achèvement de nombreux siècles, mais dans un seul, le nôtre, le Christ est mort pour vaincre le péché. Au-delà de tous les siècles se trouve l'état final et parfait (5). Origène examine ensuite le mot κόσμος avec son double sens de monde et d'ornement, puis distingue notre monde terrestre avec son ciel et sa terre, de celui des bienheureux qui a lui aussi son ciel et sa terre. Ce dernier monde est distinct du nôtre, mais forme cependant avec lui un seul monde parfait. Situé par delà les sept sphères planétaires et celle des étoiles fixes comme une neuvième sphère, il échappe à la corruption, est invisible, non en lui-même, mais parce que l'homme mortel ne peut effectivement le voir (6). La fin du chapitre résume les trois hypothèses discutées : incorporéité finale par amenuisement progressif de la matière ; corporéité finale plus subtile que l'actuelle ; dépassement de tout le monde sensible jusqu'à la sphère des étoiles fixes et établissement dans la terre et le ciel des bienheureux (7).

Ce chapitre est une discussion et Origène ne s'engage ni sur l'une des trois hypothèses formulées plus haut, ni sur celles des mondes successifs ou d'une apocatastase finale. Ce caractère apparaît clairement dans la traduction de Rufin et, malgré le caractère unilatéral des fragments qu'il cite, Jérôme ne le cache pas complètement. Évidemment, Jérôme tire dans la direction de l'incorporéité, hétérodoxe, Rufin dans celle de la corporéité éthérée, compatible avec l'orthodoxie. Supprimer le sérieux de ce caractère problématique, en supposant qu'Origène avait déjà son siège fait, étant décidé en fait pour l'incorporéité finale (Fr. KETTLER, *Der Ursprüngliche Sinn...*, p. 24) est une position arbitraire que ne confirment guère les autres œuvres d'Origène, toutes en faveur de la corporéité éthérée. Si Origène discute sans se prononcer fermement, ce n'est pas là un expédient d'une loyauté douteuse, pour se couvrir à cause d'affirmations périlleuses à l'égard des susceptibilités ecclésiastiques, mais une recherche sincère traduisant la difficulté de concilier la tradition chrétienne de la résurrection des corps avec la spéculation philosophique. On peut lire à ce sujet : J. RIUS-CAMPS, « La suerte final... » et H. CORNÉLIS, « Les fondements cosmologiques... », p. 225-228 et la longue note 222.

Peri Archon II, 1

1. *PArch.* II, 9, 2 ; II, 9, 5.

2. Sur le monde matériel : *CCels* VI, 59, et sur le monde intelligible : *ComJn* XIX, 22 (5), 143-150.

3. L'éther, c'est à la fois le monde stellaire et le monde surnaturel des ressuscités : sur ce qu'Origène entend par ce mot : H. Crouzel, « La doctrine origénienne du corps ressuscité ».

4. Voir *PArch.* II, 9, 2 ; II, 9, 5 ; I, 6, 2. A cet endroit un fragment de Justinien (Mansi IX, 529) correspondant à Rufin avec des membres de phrase en moins, plus vraisemblablement omis par les excerpteurs qu'ajoutés par Rufin. Il est ainsi introduit : « Au sujet de la descente des êtres d'en-haut dans des corps », sans l'indication du tome, pourtant habituellement donnée dans le florilège. Voici le texte : « Οὕτω δὴ ποικιλωτάτου κόσμου τυγχάνοντος καὶ τοσαῦτα διάφορα λογικὰ περιέχοντος, τί ἄλλο χρὴ λέγειν αἴτιον γεγονέναι τοῦ ὑποστῆναι αὐτὸν ἢ τὸ ποικίλον τῆς ἀποπτώσεως τῶν οὐχ ὁμοίως τῆς ἑνάδος ἀπορρεόντων. — Le monde étant ainsi très varié et contenant un si grand nombre d'êtres raisonnables différents, quelle autre cause faut-il attribuer à son existence que la diversité des chutes, car ils ne sont pas tombés de l'unité de la même façon ? » Le fragment conclut ainsi : « et parfois l'âme choisit la vie aquatique », mots qui se trouvent déjà dans le fragment de I, 8, 4 et que Koetschau ne reproduit pas.

Comme nous l'avons déjà indiqué à propos du fragment de I, 8, 4 (note 28), il semble qu'il y ait eu dans les manuscrits du florilège, entre ces deux fragments, une triple confusion : 1) D'abord, comme nous venons de le dire, le dernier membre de phrase de II, 1, 1, se retrouve en I, 8, 4, où il est à sa place, alors qu'il ne l'est pas ici ; il aurait été répété en II, 1, 1, par suite d'un accident de copie. 2) Ensuite le fragment de II, 1, 1, est placé dans le florilège avant celui de I, 8, 4 : cette confusion n'est pas très significative, car les fragments de Justinien sont cités à la fin de sa lettre dans un ordre assez dispersé. 3) Enfin, beaucoup plus importante, une confusion des titres. Le titre du fragment de I, 8, 4, « Du second tome du *Peri*

Archon, ne lui convient pas, puisqu'il a son correspondant dans le tome I. En revanche le titre du fragment de II, 1, 1, qui ne contient pas, avons-nous dit, l'indication du tome, ce qui est inhabituel, porte : « Au sujet de la descente des êtres d'en-haut dans les corps ». Que ce soit en réalité le titre de I, 8, 4, est montré d'abord par ce que nous venons de dire, ensuite par le fait que ce titre ne convient qu'indirectement à II, 1, 1, alors qu'il convient tout à fait à I, 8, 4, confirmant qu'il s'agit là non de métensomatose, mais d'ensomatose, suivant l'explication que nous avons donnée en son lieu. Les deux fragments ont dû changer de place, par suite d'un accident de copie, sans que leurs titres aient aussi changé de place, quelques mots de l'un passant dans l'autre tout en restant dans le premier.

D'après Koetschau, p. CXII, le fragment grec est un résumé qui ne garde que les idées principales ; les deux passages conservés par Rufin qui séparent les parties du texte de Justinien ne sont certainement pas des ajouts de Rufin. G. BARDY, *Recherches*, p. 71-72, émet sur ce jugement de Koetschau des réserves que nous ne croyons pas devoir partager.

5. L'anathématisme II de 553 condamne la proposition selon laquelle les êtres raisonnables auraient formé une unité avec le Logos. On a voulu comprendre de là que, pour Origène, leur unité initiale aurait compris aussi le Logos (Fr. KETTLER, *Der ursprüngliche Sinn...*, p. 22) et cela a contribué à la confusion, fréquente chez les spécialistes d'Origène, entre le monde des idées contenu dans le Verbe-Sagesse et le monde des intelligences préexistantes. Or les anathématismes de 553 ne visent pas Origène, mais les origénistes du VIe siècle, les isochristes, et ils sont en bonne partie des citations littérales d'Évagre le Pontique (A. GUILLAUMONT, *Les Kephalaia Gnostica*, p. 124 s.). Pour Origène, c'est l'âme humaine préexistante jointe au Verbe qui est liée à l'unité des intelligences préexistantes et en forme même le centre, puisqu'elle est l'Époux dont l'Épouse est l'Église de la préexistence formée des autres intelligences. Le Logos fait partie du monde divin et non directement du monde de la création raisonnable, qui lui est lié par l'intermédiaire de son âme : *PArch.* I, 5, 3. Que l'unité soit un bien et la division un mal, voir *ComJn* V (*Philoc.* V) ; *PEuch.* XXI, 2. Que le péché soit dans la rupture de l'unité primitive, les gnostiques l'affirment et la figurent souvent par la distinction des sexes : *Évangile de Philippe* 116, 22 s. ; 118, 17 s.

6. Sur la providence : *HomGen.* III, 2 ; *CCels.* IV, 74 ; VI, 71 ; VIII, 70, etc. Elle sait tirer le bien du mal : *HomNombr.* XIV, 2. Tout cela est inspiré par le stoïcisme, dont Origène combat cependant les représentations matérialistes (*CCels.* V, 12 ; VI, 71).

7. Conception d'origine stoïcienne. Pour Origène, Dieu a créé le monde sensible comme un moyen de rédemption pour les créatures tombées : il est à la fois la conséquence de leur chute, mais par l'action créatrice de Dieu, et l'instrument de leur relèvement. Il est considéré d'une part comme une prison et une source d'imperfection (*PArch.* I, 7, 5 ; II, 10, 8 ; III, 4, 2 ; III, 5, 1), d'autre part comme plein de beauté et d'ordre par l'action de la providence (*PArch.* I, 1, 6 ; *CCels.* I, 23 ; III, 77 ; IV, 26 ; VIII, 38 ; *ComMatth.* XI, 18), et aussi, mais nous retrouvons ici le platonisme, parce que les créatures qui le composent sont le reflet du monde intelligible qui est dans le Verbe-Sagesse : *ComCant.* III (*GCS* VIII, p. 208) ; H. Crouzel, *Connaissance.*

8. *CCels.* IV, 54.

9. *PArch.* I, 1, 6.

10. *HomLév.* IX, 8 ; la providence est *minutissima* et *subtilissima* pour prendre soin de toute chose : *PArch.* II, 9, 8 ; III, 1, 17.

11. Ici *spiritus* doit traduire πνεῦμα appliqué aux esprits angéliques.

12. Sur l'opposition possible et permise par la providence entre la volonté de l'homme et celle de Dieu : *HomGen.* III, 2.

13. Le libre arbitre est une qualité fondamentale de l'être raisonnable, comme le chaud, le froid, le sec ou l'humide de la matière corporelle.

14. Ce sont les hommes, les anges et les démons.

15. La conception est stoïcienne, mais la notion d'âme du monde est platonicienne : Platon, *Timée* 30 b (E. ZELLER, *Die Philosophie der Griechen*, II, 1^2 : *Plato und die ältere Akademie*, Leipzig 1922, VII, 3). C'est donc le Fils, Puissance et Raison, qui constitue pour Origène cette âme du monde qu'ALBINOS, *Epitome* 14, 3 plaçait après le Dieu suprême (Hal KOCH, *Pronoia*, p. 262) et qui correspond aussi au *Pneuma* immanent des stoïciens : JUSTIN, *I Apol.* LX et *II Apol.* VI. Pour Origène, ce n'est pas un Logos immanent à la création, mais un Logos personnel qui la transcende : *PArch.* II, 11, 6 ; *ComJn* VI, 30 (15), 154 ; VI, 38 (22), 188-189 ; *HomPs. 36*, II, 1 ; *SerMatth.* 36.

16. Cette citation des *Actes* 17, 28, est empruntée au quatrain d'Épiménide de Cnosse, dont un autre vers est cité en *Tite* 1, 12 : il raille les Crétois qui prétendaient avoir le tombeau de Zeus. Voir E. JACQUIER, *Les Actes des Apôtres*, *Études Bibliques*, Paris 1926, p. 535 s., d'après Ishodad de Merv et une traduction syriaque du quatrain emprunté à un poème d'Épiménide intitulé *Minos*.

17. Expression déjà rencontrée dans le même chapitre, voir note 9.

18. *PArch.* II, 1, 1-2.

19. *PArch.* I, 6, 2, mais il ne s'agit pas du même monde. En I, 6, 2, ce sont les créatures raisonnables, ici le monde corporel dont la création a suivi leur chute.

20. Non le monde final de l'apocatastase caractérisé par le retour à l'unité, mais le monde corporel qui succédera à celui-ci : *PArch.* I, 6, 2 ; II, 3, 3 ; III, 5, 3. Sur l'hypothèse des mondes successifs, voir H. J. Vogt, *Kirchenverständnis*, p. 343-345 ; elle est équilibrée par des textes en sens contraire, montrant en particulier que la charité rend impossible une nouvelle chute : voir le commentaire de *PArch.* I, 6, notes 7, 8, 25.

21. E. Zeller, *Die Philosophie der Griechen*, II, 2[3] : *Aristoteles und die alten Peripatetiker*, Leipzig 1921, IX B.

22. De là vient l'argument majeur de la doctrine de l'εἶδος σωματικόν, assurant l'identité du corps terrestre à ses divers moments et son identité avec le corps glorieux dans le fragment du *ComPs.* 1, 5, cité par Méthode, *De Resurrectione*, I, 20-24 : les éléments matériels ne peuvent assurer la continuité du corps et son identité avec lui-même, car ils se succèdent dans l'organisme qui est comme un fleuve.

23. Sur les quatre éléments traditionnels : *PArch.* III, 6, 6 ; *ComJn* XIII, 40, 262-267 ; *HomJér.* X, 6. A propos de la conception de la matière du méso-platonicien Albinos, *Epitome* VIII, 2, et de sa comparaison avec celle d'Origène qui y est largement développée : Hal Koch, *Pronoia*, p. 253-254.

24. La conception origénienne de la matière est à la fois platonicienne (Platon, *Timée* 50 b - 51 b), stoïcienne et méso-platonicienne : outre Albinos, *Epitome* VIII, 2, voir Plutarque, *De commun. notitiis adv. Stoicos* 34 et 48 ; Sextus Empiricus, *Adv. Mathematicos* X, 312, et les *SVF* II, 125. Elle correspond à la matière prime des scolastiques : un substrat amorphe qui peut revêtir toutes les formes sans s'engager définitivement en aucune : *CCels.* III, 41 ; IV, 47 ; *ComJn* XIII, 21, 127 ; XIII, 61 (59), 429 ; *FragmGen.*, *PG* 12, 48 s. ; *PArch.* IV, 4, 5-8 ; III, 6, 4. Dans *PArch.* III, 6, 7, elle est considérée comme l'une des deux « natures générales », l'autre étant celle des êtres spirituels ; la même distinction dans les deux οὐσίαι de *PEuch.* XXVII, 8.

25. *PArch.* IV, 4, 7, y ajoute la dureté et la mollesse.

26. La matière sans qualités n'est donc qu'une notion abstraite et théorique : dans la réalité elle est toujours informée par des qualités. *PArch.* IV, 4, 7, dit que l'intellect ne parvient à la penser que *simulata quodammodo cogitatione*, « par une sorte de pensée artificielle », écho de l'expression employée par ALBINOS, νόθῳ λογισμῷ, « par un raisonnement bâtard ».

27. De tout le raisonnement qui suit, il résulte que, si la matière a été créée par Dieu, elle n'est pas pour Origène cause du mal, comme le tenaient des philosophes, ni mauvaise en elle-même selon les gnostiques. Dieu l'a créée à la suite de la chute des êtres raisonnables, pour leur donner le moyen de se racheter : *PArch* IV, 4, 6 ; Hal KOCH, *Pronoia*, p. 36-46.

28. Rufin écrit *ingenitam.* Sur la confusion de γενητός et γεννητός avant la crise arienne, voir Préface d'Origène note 21. Sur la nature increée : *PArch.* I, 3, 3 ; *FragmGen.*, *PG* 12, 48 s. et beaucoup de textes du *CCels.*

29. Origène s'en prend aux platoniciens et aux stoïciens polémiquant contre les épicuriens négateurs de la providence qui organise le monde (*CCels.* I, 19 ; IV, 60). Il lui semble contradictoire d'admettre à la fois la providence et une matière increée coéternelle à Dieu, car la matière n'ayant pas reçu de lui son origine limiterait sa toute-puissance :

Tertullien l'avait déjà montré dans sa polémique contre le gnostique Hermogène. Pour Plotin, la matière incréée est bien irréductible à l'action du Démiurge qu'elle limite.

30. Le thème du Dieu oisif est la conséquence extrême du dogme hellénistique de l'impassibilité de Dieu : c'est ce que soutenait un certain Isocrate combattu par l'élève d'Origène, Grégoire le Thaumaturge, dans le dialogue *A Théopompe, Du Passible et de l'Impassible en Dieu*, conservé en syriaque (édition et traduction latine de P. Martin dans J. B. Pitra, *Analecta Sacra* IV, 1883) : voir H. Crouzel, « La Passion de l'Impassible », dans *L'homme devant Dieu* (Mélanges H. de Lubac) I, 1964, p. 269-279. Même raisonnement dans *FragmGen.*, *PG* 12, 47-50.

31. *PArch.* II, 9, 1 : il y a correspondance parfaite entre la quantité de matière créée et les corps pour lesquels elle est utilisée ; cela suppose qu'elle est créée par Dieu et ne vient pas du hasard.

32. Voir une formule analogue à propos de la génération du Fils en *PArch.* I, 2, 6, et dans les textes cités à la note correspondante 37.

33. Les mêmes citations de *II Macc.* 7, 28 et d'Hermas sont invoquées dans *ComJn* I, 17 (18), 103, pour prouver la création *ex nihilo* ; et Hermas de même en *PArch.* I, 3, 3. Les livres des Macchabées sont donc cités comme Écriture, bien qu'ils soient absents de la Bible hébraïque, dont Origène donne la liste selon Eusèbe, *Hist. Eccles.* VI, 25, 2. Quant au *Pasteur*, et sa quasi-canonicité pour Origène, voir la note 12 de la préface d'Origène. *II Macc.* est encore cité en *ComJn* XIII, 58 (57), 403, à propos de la prière que les saints, quoique morts, adressent à Dieu pour les vivants. L'affirmation de la création *ex nihilo* en *ComJn* I, 17 (18), 103, œuvre conservée en grec et contemporaine du *PArch.*, avec les mêmes citations, nous assure que cette doctrine est bien d'Origène et non de Rufin. Elle a été cependant refusée à Origène au nom du prétendu « système », qui ne serait sur ce point qu'une répétition du platonisme, par E. von Ivanka dans l'article « Der geistige Ort von περὶ ἀρχῶν zwischen dem Neuplatonismus, der Gnosis und der christlichen Rechtgläubigkeit », *Scholastik* 35, 1960, p. 485-486, à cause d'un texte de Grégoire de Nysse dans le *De Anima et Resurrectione* qu'Ivanka pense à tort, après Koetschau, viser Origène.

34. Ce verset se trouve à la fois en *Ps.* 32 (33), 9, et 148, 5, et il est cité encore en *CCels.* II, 9 et VI, 60, mais l'interprétation présente est isolée dans l'œuvre d'Origène. Comme la matière n'existe pas sans qualité, il ne s'agit que de moments logiquement distincts. Il n'y a pas à en tirer de profondes conséquences spéculatives car cette interprétation découle d'un principe de la méthode exégétique d'Origène : le Saint Esprit, auteur des Écritures, n'a rien dicté d'inutile ; donc chaque répétition ou pléonasme doit avoir un sens et Origène le trouve, souvent d'une manière artificielle.

Peri Archon II, 2

1. Il est difficile de savoir le mot grec que traduit *profert*, car προφέρει ou προβάλλει évoqueraient la division de substance, la προβολή, qu'Origène refuse à propos du Fils comme exprimant une conception trop matérielle de la nature divine : *PArch.* I, 2, 6 (et note 25 correspodante) ; I, 3, 3 ; IV, 4, 1 ; *ComJn* XX, 18 (16), 157-159.

2. La formule latine rappelle à G. Bardy, *Recherches*, p. 130, un passage du symbole latin *Quicumque*, dit à tort de saint Athanase.

3. Ce problème touche la question de la résurrection des corps et rebondit aussi sur l'origine des êtres raisonnables en vertu du principe que la fin est semblable au commencement. Il est traité quatre fois dans le *PArch.* : voir J. Rius-Camps, « La suerte final... ».

4. Créés en conséquence du péché, les corps disparaîtraient quand le péché est surmonté, pour être de nouveau créés s'il se reproduit : voir *PArch.* II, 3, 2-3.

5. Pour ceux qui pensent, en dépit du témoignage contraire porté sur la résurrection par l'ensemble des œuvres conservées en grec, qu'Origène tenait fermement l'incorporéité finale — alors que c'est une hypothèse qu'il discute avec l'hypothèse contraire —, l'affirmation que l'incorporéité est le privilège de la Trinité seule sera considérée comme une interpolation de Rufin : voir encore *PArch.* I, 6, 4 ; IV, 3, 15 ; *HomEx.* VI, 5. Peut-on supposer qu'au moment où il écrivait le *PArch.*, il hésitait sur la corporéité finale, puisqu'il la discute, et qu'il deviendra plus ferme dans les œuvres postérieures où le problème n'apparaît plus. Il faut tenir compte du genre littéraire du livre où Origène, comme un professeur de philosophie, expose le pour et le contre, à propos des problèmes qui se posent à la conscience du temps, sans que cela l'empêche d'avoir lui-même résolu le problème dans un sens ou dans l'autre. L'incorporéité de la Trinité seule est liée à son immutabilité, sa simplicité, sa bonté et sainteté substantielles, tandis que les créatures sont sujettes à des changements et que le corps est le signe de leur caractère accidentel. Selon H. Cornélis, « Les fondements cosmologiques... », p. 247, cette affirmation que l'incorporéité est le privilège de la seule Trinité « cadre parfaitement avec tout l'ensemble du système », comme le montre toute son étude.

6. Le mot *principaliter* = προηγουμένως (*ComJn* I, 28 (30), 195 ; XX, 22 (20), 182 ; *ComMatth.* XVII, 20, etc.) signifie à la fois « initial » — souvent d'un commencement de raison — et « principal ». La matérialité est secondaire et accessoire, complémentaire des réalités principales, κατ' ἐπακολούθησιν : *ComPs.* 1 (*PG* 12, 1089 C) ; *CCels.* IV, 99.

7. Étant donné la technicité de l'argumentation, une interpolation rufinienne ne paraît pas vraisemblable. *PArch.* IV, 3, 15 : les créatures raisonnables sont de soi incorporelles, mais cependant elles sont douées de corps ; de même II, 9, 1 ; I, 7, 1 ; IV, 4, 8. Selon un passage de PROCOPE DE GAZA (*PG* 87, 221 AB) qui critiquerait le *ComGen.* d'Origène, les deux récits de la création de l'homme se rapporteraient, *Gen.* 1, 26, à celle de l'âme, *Gen.* 2, 7, à celle du corps subtil et lumineux dont Adam fut doté en Paradis, et les tuniques de peau de *Gen.* 3, 21 symboliseraient, non la corporéité qui existe déjà, mais sa qualité terrestre, grossière et mortelle : voir M. SIMONETTI, « Alcune osservazioni sull'interpretazione origeniana di *Genesi* 2, 7 e 3, 21 », dans *Aevum* 36, 1962, p. 370-381. La distinction de *Gen.* 1, 26, se rapportant à la création de l'âme, et *Gen.* 2, 7, à celle du corps, mais sans la précision qu'il s'agit du corps subtil et éthéré de la préexistence, se trouve fréquemment chez Origène : voir H. CROUZEL, *Image*, p. 148-153, où une liste considérable de textes parlant de la double création est indiquée, p. 148 note 8. L'explication que donne Procope de Gaza résout une certaine inconséquence qu'on ne peut manquer de sentir dans les autres textes d'Origène : si *Gen.* 2, 7 exprimait la création du corps dans son état terrestre, comment se fait-il, dans les perspectives d'Origène, qu'elle soit antérieure à la faute qui n'intervient qu'en *Gen.* 3 ? Un fragment du *ComGen.* conservé par THÉODORET (*Quaest. in Gen.* III, 39 : *PG* 80, 140-141 ; cf. *PG* 12, 101) discute le sens des tuniques de peau et fait des difficultés tant à l'exégèse par la corporéité — il est déjà question en *Gen.* 2, 23, d'os et de chair — qu'à celle par la mortalité. L'opinion couramment répandue qu'Origène a vu dans les tuniques de peau la corporéité pure et simple — et non simplement, comme dans Procope de Gaza, la qualité terrestre et mortelle de cette corporéité — est due au découpage inintelligent par ÉPIPHANE, dans *Panarion* 64, du *De Resurrectione* de Méthode : il a présenté comme une réfutation d'Origène celle du discours du médecin Aglaophon — dans MÉTHODE I, 27 - II, 8 — qui ne parle pas au nom d'Origène mais en son nom propre, sans donner un mot de la réfutation explicite d'Origène qui occupe tout le livre III de Méthode. Voir H. CROUZEL, « Les critiques adressées par Méthode et ses contemporains à la doctrine origénienne du corps ressuscité », *Gregorianum* 53, 1972, p. 679-716 (voir p. 707-710). Il est bien possible que le passage de Procope représente l'opinion la plus complète d'Origène, telle qu'elle s'exprimait dans le *ComGen.* Le corps subtil auquel se rapporterait *Gen.* 2, 7, a des correspondants dans le néoplatonisme. Selon SCHNITZER (p. 90-91 en note), d'après Plotin et Porphyre, les âmes après dissolution du corps grossier conservent le corps éthéré qui les entoure de partout et qui est appelé le « vêtement pneumatique ». A ces deux corps, JEAN PHILOPON en ajoute, toujours selon Schnitzer, un troisième, dit céleste, éthéré, etc., qui n'appartient qu'aux âmes libres de toute passion (cf. VII, 16-20, éd. Rabe p. 278-290). PROCLUS (voir l'*Index verborum* de l'éd. Diehl au mot ὄχημα, avec de multiples références) et HIÉROCLÈS (par exemple à la fin du commentaire *In aureum carmen* XXVII, commentant les vers 70-71, dans F. G. A. MULLACHUS, *Fragmenta Philosophorum Graecorum*, Paris 1860, p. 483) appellent ce corps éthéré le « véhicule (ὄχημα) pneumatique » de l'âme raisonnable. MÉTHODE (*De Resurrectione* III, 18) évoque l'ὄχημα à propos d'un texte d'Origène (selon Photius et la version paléoslave) attribuant aux âmes un corps entre la mort et la résurrection, et peut-être d'après ce texte même ; un σχῆμα, conservé par l'édition Bonwetsch (*GCS*, p. 414, 7) d'après Photius, aurait dû probablement être corrigé en ὄχημα que suppose la version paléoslave. D'après *ComMatth.* XVI, 18, l'entrée de Jésus dans Jérusalem le jour des Rameaux figure son entrée dans la Jérusalem céleste sur « son véhicule (ὄχημα) corporel », son corps glorifié, symbolisé par l'ânesse. A supposer même qu'Origène soit dans la question de la corporéité ou incorporéité finale resté servilement attaché à la tradition platonicienne, celle-ci n'exige donc pas l'incorporéité finale, puisque les néo-platoniciens connaissaient comme Origène une corporéité pneumatique ou éthérée.

8. *ComJn* XVII, 30 : « par la transformation de leurs corps d'humiliation, (les ressuscités) deviendront comme le corps des anges, éthérés, une lumière étincelante ».

9. *PArch.* I, 8, 4. Comme le montrent les notes 7 et 8, le corps spirituel n'est pas seulement le fait des anges et des ressuscités, mais aussi des intelligences préexistantes. Et le texte d'Origène cité par MÉTHODE dans *De Resurrectione* III, 17 — il vient vraisemblablement du *De Resurrectione* d'Origène —, attribuant un corps aux âmes entre la mort et la résurrection, montre à l'évidence qu'il lui est impossible d'imaginer qu'une créature puisse vivre sans corps.

10. Il y a diverses classes de ressuscités, affirme souvent Origène en dépendance de *I Cor.* 15, 41-42 : voir *PArch.* II, 3, 7, et bien d'autres textes.

11. *PArch.* I, 6, 4.

Peri Archon II, 3

1. Dans JÉRÔME, *Lettre* 124, 5, se trouve un résumé de II, 3, 1, qui ne se présente pas comme une citation : « *In secundo autem libro mundos asserit innumerabiles, non, iuxta Epicurum, uno tempore plurimos et sui similes, sed post alterius mundi finem, alterius esse principium. Et ante hunc nostrum mundum, alium fuisse mundum, et post* *hunc, alium rursum futurum, et post illum, alium, rursumque ceteros post ceteros. Et addubitat utrum futurus sit mundus alteri mundo ita ex omni parte consimilis, ut nullo inter se distare uideantur, an certe numquam mundus alteri mundo ex toto indiscretus et similis sit futurus.* — Dans le second livre, il affirme qu'il y a des mondes innombrables, non, comme le dit Épicure, plusieurs mondes existant à la fois et semblables l'un à l'autre, mais qu'après la fin d'un monde est le début d'un autre. (Il dit) qu'avant ce monde que voici il y en a eu un autre, et après lui il y en aura un autre, et après ce dernier encore un autre ; et de nouveau d'autres encore et ainsi de suite. Et il se demande si ce monde à venir sera en tout point semblable à l'autre monde en toutes ses parties, tellement qu'ils ne semblent se distinguer en rien, ou si jamais un monde peut être tout à fait indistinct et semblable à un autre.» Jérôme présente ces questions de façon plus affirmative que ne le fait Rufin : il s'agit de problèmes discutés en milieu alexandrin, comme le montre la notice de PHOTIUS sur les *Hypotyposes* de Clément (*Bibl.* 109).

2. *PArch.* I, 6, 3. Origène parle fréquemment du baptême eschatologique de feu : *ComMatth.* XV, 23 ; *ComJn* II, 7 (4), 57 ; *HomLév.* VIII, 4 ; XIV, 3 ; *HomJér.* II, 3. Ces tourments sont expliqués de façon psychologique en *PArch.* II, 10, 4-8. Pour l'exégèse de *I Cor.* 3, 11-15 entendu de la purification eschatologique, H. CROUZEL, « L'exégèse origénienne de *I Cor.* 3, 11-15... ».

3. Origène pose sous forme de problème, donc, du moins selon Rufin, sans prendre position, la question d'une multiplicité de mondes successifs.

4. Les stoïciens auraient supposé une série de mondes successifs parfaitement identiques l'un à l'autre, selon Origène qui les réfute en *PArch.* II, 3, 4, et plus longuement en *CCels.* V, 20 et 23.

5. Il s'agit de *PArch.* I, 6, 2, du traité précédent sur les créatures raisonnables ; de même II, 1, 2 dans ce même traité.

6. Jérôme, *Lettre* 124, 5 : « *Rursumque post modicum : ' Si omnia, inquit, ut ipse disputationis ordo compellit, sine corpore uixerint, consumetur corporalis uniuersa natura, et redigetur in nihilum, quae aliquando facta est de nihilo ; erit tempus, quo usus eius iterum necessarius sit '.* — Et de nouveau peu après : ' Si tous les êtres, dit-il, vivent sans corps, comme l'ordre même de la discussion oblige à l'admettre, toute la nature corporelle sera consumée et réduite au néant, elle qui a été faite autrefois à partir du néant ; et il y aura un temps où son usage deviendra à nouveau nécessaire '. » Rufin est plus court et moins complet. Mais la dernière phrase correspond à ce que dit Rufin dans le dernier paragraphe de II, 3, 3 : il n'est donc pas sûr qu'Origène en parlait à cet endroit et que Jérôme n'ait pas projeté ici ce qu'Origène disait plus loin. Le caractère tendancieux de la citation de Jérôme vient de ce que l'autre thèse n'apparaît pas et de ce que l'on voit moins qu'il s'agit d'une discussion.

7. C'est-à-dire : l'apôtre semble suggérer que la résurrection ne comportera pas la suppression du corps.

8. Schnitzer, p. 94 en note, pense que *dogmatibus* n'a ici aucun sens et qu'il n'y avait pas dans le grec δόγμασι, mais δείγμασι, « les signes caractéristiques ».

9. L'âme est vêtement du corps en tant qu'elle confère à la substance du corps, jusque-là informée par la qualité de corruptibilité, la qualité d'incorruptibilité qu'elle possède. Le Christ est vêtement des saints en tant qu'il leur confère les qualités qu'il possède, divinisation, *epinoiai* diverses, vertus. L'image se trouve chez Paul en *II Cor.* 5, 4 à propos du corps ressuscité, dans un passage qu'Origène commente : H. Crouzel, « La doctrine origénienne du corps ressuscité ». Voir aussi *ComJn* XIII, 61 (59), 430 : la nature mortelle ne se transforme pas en immortalité, mais la revêt. De même *CCels.* V, 19 ; VII, 32 ; *PEuch.* XXV, 3. L'image se trouve chez les gnostiques dans le Chant de la Perle (*Acta Thomae* 108 s.) et dans l'*Évangile de Philippe.*

10. Puisque la matière peut assumer des qualités diverses, le corps peut se modifier en fonction de la béatitude de l'âme (*CCels.* VII, 32) en sauvegardant son identité substantielle, exprimée dans le *PArch.* par la distinction substance/qualités et ailleurs par la notion de *logos* spermatique (raison séminale) ou par celle d'*eidos* corporel : voir la note 14 de *PArch.* II, 11.

11. Il y a pour Origène trois sortes de morts : la mort « commune » ou « indifférente », c'est-à-dire la mort physique ; la mort au péché qui est bienheureuse ; la mort du péché : *DialHér.* 25-27 ; *ComRom.* V, 3 ; V, 10 ; VI, 6 ; VII, 12 ; *ComMatth.* XIII, 9 ; *HomLév.* IX, 11 ; *ComJn* XIII, 23, 140 ; XX, 25 (21), 220-230. Souvent la mort du péché est opposée à la mort physique : *PEuch.* XXVII, 9 ; *ComJn* XIII, 61 (59), 427-429 ; *PArch.* II, 8, 3.

12. G. Gruber, *Zoé*, p. 144-145. Il y a donc deux sortes d'incorruptibilité : une naturelle à l'âme qui en revêt le corps ressuscité, une autre qui s'identifie au Christ qui en revêt l'âme.

13. Le corps terrestre appesantit l'âme (*Sag.* 9, 15) et lui donne une vision très imparfaite des réalités divines : *HomNombr.* XXIII, 11 ; *ComRom.* III, 2 ; *ComCant.* III (*GCS* VIII, p. 219-220).

14. *PArch.* II, 11, 4-7.

15. Jérôme, *Lettre* 124, 5 : « *Et in consequentibus :* ' *Sin autem, ut ratione et Scripturarum auctoritate monstra-*

tum est, corruptiuum hoc induerit incorruptionem et mortale hoc induerit inmortalitatem, absorbetur mors in uictoriam, et forsitan omnis natura corporea tolletur e medio, in qua sola potest mors operari. ' — Et à la suite : ' Si cependant, comme c'est montré par la raison et l'autorité de l'Écriture, ce corps corruptible revêtira l'incorruption et ce corps mortel l'immortalité, la mort sera absorbée dans la victoire et peut-être toute la nature corporelle sera-t-elle supprimée, car en elle seule la mort peut opérer. ' » La correspondance Jérôme-Rufin est suffisante. Jérôme rétablit avec *uictoriam* le texte de *I Cor.* 15, 54, là où Rufin avait écrit *finem.* Mais le découpage de Jérôme attribue à Origène des affirmations que, selon Rufin, il ne prend pas à son compte.

16. JÉRÔME, *Lettre* 124, 5 : « *Et post paululum:* ' *Si haec non sunt contraria fidei, forsitan sine corporibus aliquando uiuemus. Sin autem qui perfecte subiectus est Christo, absque corpore intellegitur, omnes autem subiciendi sunt Christo, et nos erimus sine corporibus, quando ei ad perfectum subiecti fuerimus* '. *Et in eodem loco:* ' *Si subiecti fuerint omnes Deo, omnes deposituri sunt corpora, et tunc corporalium rerum uniuersa natura soluetur in nihilum. Quae si secundo necessitas postularit, ob lapsum rationabilium creaturarum rursus existent. Deus enim in certamen et luctam animas dereliquit, ut intellegant plenam consummatamque uictoriam, non ex propria se fortitudine, sed ex Dei gratia consecutas. Et idcirco arbitror pro uarietate causarum diuersos mundos fieri, et elidi errores eorum, qui similes sui mundos esse contendunt.* ' — Et peu après : ' Si tout cela n'est pas contraire à la foi, peut-être vivrons-nous un jour sans corps. Mais s'il faut penser qu'est sans corps celui qui est parfaitement soumis au Christ, tous doivent être soumis au Christ, et nous serons sans corps, quand nous lui serons soumis parfaitement '. Et dans le même passage : ' Si tous sont soumis à Dieu, tous déposeront les corps et alors toute la nature des réalités corporelles sera réduite au néant. Si une seconde fois la nécessité les exige, elles existeront de nouveau, par suite d'une chute des créatures raisonnables. Dieu en effet a laissé les âmes dans le combat et la lutte, pour qu'elles comprennent qu'elles obtiendront la victoire complète et achevée non de leur propre force, mais de la grâce de Dieu. Et c'est pourquoi je pense que des mondes seront faits divers à cause de la variété de leurs causes et que sont supprimées ainsi les erreurs de ceux qui soutiennent des mondes semblables les uns aux autres '. »

Au second fragment de Jérôme correspond en partie Justinien (Mansi IX, 529) introduit ainsi : « Du même livre (= le IIe) : que la déposition des corps sera complète ». « Εἰ δὲ τὰ ὑποτεταγμένα τῷ Χριστῷ ὑποταγήσεται ἐπὶ τέλει καὶ τῷ θεῷ, πάντες ἀποθήσονται τὰ σώματα · καὶ οἶμαι ὅτι τότε εἰς τὸ μὴ ὂν ἔσται ἀνάλυσις τῆς τῶν σωμάτων φύσεως, ὑποστησομένης δεύτερον, ἐὰν πάλιν λογικὰ ὑποκαταβῇ. — Si tous ceux qui sont soumis au Christ seront soumis à la fin à Dieu aussi, tous déposeront les corps ; et je pense qu'alors la nature des corps se dissoudra dans le néant, pour être restaurée une seconde fois, s'il se produit de nouveau une descente des êtres raisonnables. »

Justinien correspond à Rufin et à Jérôme. Mais Jérôme présente tout cela hors du contexte de discussion, comme un opinion tenue par Origène : le ton est affirmatif, tandis que chez Rufin il est hypothétique. Dans Jérôme et Justinien, l'hypothèse d'une seconde création des corps, conséquence d'une seconde chute, suit immédiatement l'affirmation de l'incorporéité. Chez Rufin cette idée est attribuée à une autre personne, comme une objection à laquelle Origène doit répondre. Rufin cherche-t-il à atténuer ou les autres à aggraver? Ces derniers le font de toute façon en ne reproduisant pas le contexte de discussion. Jérôme et Justinien exposent clairement le « mythe de l'éternel retour », correspondant, comme l'incorporéité finale, à une hypothèse qu'Origène discute. L'a-t-il tenue en fait ? Cela semblerait difficilement conciliable avec celle de l'apocatastase conçue comme une fin absolue. Les passages qui parlent des « siècles innombrables » de l'histoire des âmes ne font pas problème s'ils précèdent l'apocatastase, mais le font si, après une apocatastase qui ne serait pas définitive, le cycle pouvait recommencer. Ce qui soulève l'hypothèse, c'est le libre arbitre. Cependant les affirmations concernant l'état stable que constitue la béatitude eschatologique ne manquent pas dans les œuvres d'Origène : voir la note 25 de *PArch.* I, 6, la note 31 de II, 6, et la discussion de P. Nemeshegyi, *La paternité*, p. 217-224.

17. *PArch* III, 6, 3 et IV, 4, 8.

18. L'aide divine est nécessaire et l'effort humain ne suffit pas : *PArch.* III, 1, 15 ; III, 1, 17 ; III, 1, 24 ; *ComPs.* 4, 6 (*Philoc.* 26, 7) ; *CCels.* VII, 33 ; *HomPs.* 36, IV, 1. Origène n'est pas un pélagien avant Pélage.

19. Cette thèse stoïcienne, attribuée aussi aux platoniciens et aux pythagoriciens, est combattue dans *CCels.* IV, 67-68 ; V, 20-21. Elle était basée sur un déterminisme rigide lié au mouvement des astres, alors que l'hypothèse des retours perpétuels est envisagée par Origène à cause du libre arbitre.

20. Ici Origène prend ses exemples dans les deux Testaments : en *CCels.* IV, 67 et V, 20, il évoque dans le même sens l'histoire grecque, surtout celle de Socrate. Sur l'histoire de Moïse, voir *CCels.* IV, 47.

21. Pareillement Cicéron contre les épicuriens : *De natura deorum* II, 6 s.

22. La différence essentielle du monde stoïcien et du monde origénien est que le déterminisme physique du premier est remplacé par une dynamique spirituelle et morale, le choix entre le bien et le mal déterminant les mouvements du monde. Ce sont de part et d'autre cependant des univers fermés, en ce sens que pour Origène les créatures raisonnables ont été faites par Dieu en nombre déterminé dès le début et qu'elles sont toujours les mêmes acteurs de ce drame ou de ces drames successifs : elles sont figurées ici par les grains de blé. Voir H. Cornélis, « Les fondements cosmologiques », p. 235-245.

23. *ComMatth.* XV, 31 ; *PEuch.* XXVII, 15, où Origène explique le mot αἰών = *saeculum.* Il signifie « ère », période indéterminée de temps, et aussi « monde », au sens d'un ensemble d'événements qui se sont déroulés dans une certaine période de temps. Pareillement *ComRom.* VI, 5, à propos d'*aeternus* (αἰώνιος). Chez les gnostiques, ce mot s'applique au monde divin, le Plérôme, et à chacune des personnifications divines qui le constituent, les Éons. Voir le *Patristic Greek Lexikon* de Lampe.

24. Même affirmation dans un écrit grec, *PEuch.* XXVII, 15. Ce n'est donc pas une invention de Rufin, malgré Jérôme, *Apol. adv. lib. Ruf.* I, 20, qui affirme que selon Origène le Christ aurait souffert à plusieurs reprises, et malgré ce que Jérôme et Justinien prétendent avoir lu en *PArch.* IV, 3, 13, que le Christ aurait souffert dans l'autre monde pour les démons. Origène parle plusieurs fois du Christ comme d'une double victime, offerte pour le salut des terrestres et celui des célestes, et de crucifixion invisible parallèle à la visible : *HomLév.* I, 3 ; *HomJos.* VIII, 3 ; *CCels.* VII, 17. Cependant Origène précise bien qu'il n'y a eu qu'un sacrifice de la croix, qui a purifié le ciel et la terre, et la crucifixion invisible n'est que l'aspect surnaturel du sacrifice visible. Outre notre texte et *PEuch.* XXVII, 15, le témoignage le plus clair est *ComJn* I, 35 (40), 255, texte grec et contemporain du *PArch.* : « la victime offerte une seule fois (τὴν ἅπαξ θυσίαν) non pour les hommes seuls, mais pour tout être raisonnable », donc non seulement pour les terrestres. Voir aussi *ComRom.*

V, 10 ; *HomLc* X, 3. En présentant le sacrifice céleste comme un autre sacrifice, Jérôme a donc fait un contresens non dénué de malveillance. Les auteurs contemporains restent divisés. Pour un seul sacrifice : H. DE LUBAC, *Histoire et Esprit*, p. 291-294. Pour deux sacrifices : J. BARBEL, *Christos Angelos*, p. 289-290 ; A. ORBE, *Los primeros herejes...*, p. 236-240 ; J. LOSADA, « El sacrificio de Cristo en los cielos según Orígenes », *Miscelánea Comillas* 50, 1968, p. 5-19.

25. La même interprétation de *Éphés.* 2, 7 se trouve dans *ComJn* XIII, 52 (51), 351 et dans JÉRÔME-ORIGÈNE *ComÉphés.*, *ad locum.* Origène tire argument du pluriel employé par l'apôtre pour la doctrine des mondes successifs. On peut souligner assez souvent le littéralisme déconcertant avec lequel il lit la Bible, pour en faire jaillir l'allégorie.

26. La condition future des créatures raisonnables sera assimilée à celle de la Trinité, soustraite au temps et à ses changements : affirmation difficilement conciliable avec le mythe de l'éternel retour.

27. Sur *PArch.* II, 3, 6-7, voir J. RIUS-CAMPS, *El dinamismo*, p. 444 s.

28. Ces explications sont évidement de Rufin, car le latin *mundus* n'englobe pas toutes les significations de κόσμος : développements analogues d'Origène sur ce mot en *ComJn* VI, 59 (38), 301-305 et *ComMatth.* XIII, 20.

29. Ce passage de la *Lettre aux Corinthiens* de CLÉMENT DE ROME (*I Clem.* 20, 8) est répété un peu plus loin. Origène lit ἀπέρατος, infranchissable, dans *SelÉz.* 8, 3 (*PG* 13, 796 CD) et ici où il est supposé par *intransmeabilis.* La leçon habituelle est ἀπέραντος, sans limite (voir *SC* 167, p. 134). On trouve des allusions à ce texte ou des citations dans : IRÉNÉE, *Adv. Haer.* II, 28, 2 (Massuet) ; CLÉMENT D'ALEXANDRIE, *Strom.* V, 12, 80 ; DENYS D'ALEXANDRIE d'après EUSÈBE, *Hist. Eccl.* VII, 21, 7 ; JÉRÔME-ORIGÈNE,

ComÉphés. sur *Éphés.* 2, 2 ; PHOTIUS, *Bibl.* 126. Clément de Rome est inspiré par PLATON, *Phédon* 109 a - 110 b. Sur les antichthoniens, H. CORNÉLIS écrit (« Les fondements cosmologiques », p. 230) : « l'ἀντίχθων imaginé par Philolaüs, terre ignée qui commande le dynamisme du reste de l'univers ». Dans une note qu'il a bien voulu rédiger pour nous, J. Flament voit au contraire, et probablement avec plus de raison, dans les antichthoniens, les Antipodes : « Croyance très ancienne et presque unanimement acceptée (Platon, Ératosthène, Cicéron, Pline, etc.) ; seuls les épicuriens y étaient hostiles (cf. LUCRÈCE, *De natura rerum* I, 1052-1067). Cratès de Mallos serait responsable de la division de la terre en quatre zones séparées par les bras d'un Océan infranchissable. Il faut remarquer que, chez les Pères, LACTANCE (*Div. Instit.* 3, 24) et AUGUSTIN (*Civ. Dei* 16, 9) rejettent la possibilité que de tels hommes existent, puisque, l'Océan étant infranchissable, ils ne pourraient être les descendants du premier homme Adam. »

30. H. WOLFSON, *The Philosophy of the Church Fathers*, Cambridge (Mass.) 1956, p. 270 s., pense que cette périphrase remonte à Origène et n'est pas une explication de Rufin. Le terme *idea* a été introduit en latin par Sénèque, alors que Cicéron traduisait ἰδέα par *forma* ou *species*. Rufin n'avait donc pas besoin de l'expliquer au lecteur latin.

31. Pour l'idée qualifiée de φαντασία, voir les *Placita* de AETIUS, I, 3 et I, 10 (Diels). L'expression *cogitationum lubrico* traduit peut-être l'appréciation négative des idées platoniciennes par les stoïciens leur refusant toute réalité hors de l'esprit : Origène ne s'oppose pas ici à leur existence, mais à ce qu'elles existent dans un monde séparé ; elles sont dans le Logos en tant qu'il est Sagesse. D'après le *Commonitorium* d'OROSE à Augustin (*PL* 42, 668) les origénistes espagnols dont il parle pensaient que « *omnia antequam* *facta apparerent, semper in Dei sapientia facta mansisse* — toutes choses, avant d'apparaître comme faites, sont toujours restées faites dans la Sagesse de Dieu ». Cela correspond à peu près à la pensée d'Origène : dans le Logos-Sagesse se trouvent les types, les plans, ou comme les germes des choses, sous le nom d'idées ou de raisons.

32. Le monde visible et le monde invisible sont un seul monde, non deux mondes sans rapport l'un avec l'autre comme le Plérôme et le Kénôme des gnostiques : *PArch.* II, 9, 3 ; *HomLév.* V, 1 ; *ComJn* I, 15, 87. Mais ce monde unique comporte des lieux différents et les lieux supra-célestes sont distingués du ciel sensible : *CCels.* III, 80 ; V, 4 ; VI, 59 ; VII, 44 ; *HomÉz.* I, 16. Le monde sensible est distingué, non séparé, du monde intelligible dont il contient les images (*ComJn* XIX, 22 (5), 147).

33. A propos de ce que les anciens entendaient par planètes et de leurs sphères, voir le commentaire de *PArch.* I, 7, notamment note 18.

34. En fait l'*Apocalypse grecque de Baruch* ou *III Baruch* qui nous est parvenue, ne parle que de cinq cieux. Mais M. R. James (*Texts and Studies* V, 1897, p. LI) et R. H. Charles (*The Apocrypha and Pseudepigraphica of the Old Testament*, II, p. 527) regardent l'œuvre comme incomplète sous la forme où nous la possédons. Il est probable que, quand Origène la lisait, sept cieux y étaient décrits. Appelée *IV Baruch* par James et *III Baruch* par Charles, c'est probablement la rédaction chrétienne d'une œuvre juive du début du IIe siècle. Irénée, *Démonstr.* 9, parle de sept cieux, mais Hilaire, *ComPs.* 135, 10, en connaît trois comme Grégoire de Nysse, *In Hexahemeron* (*PG* 44, 120), et Basile (*Hom. III in Hexahemeron* 3). Les gnostiques distinguaient sept cieux correspondant à chacune des planètes, soleil, lune, Mars, Mercure, Jupiter, Vénus, Saturne, dits l'Hebdomade, et un huitième, l'Ogdoade, celui des étoiles fixes. Origène parle de trois cieux à la suite de Paul, *II Cor.* 12, 2, dans *ComCant.* I (*GCS* VIII, p. 109) et l'opinion d'Hilaire se rattache à Paul, peut-être à Origène qui inspire tout le *ComPs.* d'Hilaire. Dans *CCels.* VI, 21 et 23, il objecte à la distinction de sept cieux qu'elle n'est pas fondée sur l'Écriture. Sur les trois cieux d'Origène, voir les explications qui seront données à la note 43.

35. De ce neuvième globe, Cicéron parle dans le Songe de Scipion (*République* VI, 17) : « *Nouem tibi orbibus uel potius globis connexa sunt omnia quorum unus est caelestis, extimus, qui reliquos omnes complectitur, summus ipse Deus, arcens et continens ceteros : in quo infixi sunt illi, qui uoluuntur, stellarum cursus sempiterni.* — Toutes choses sont attachées pour toi à neuf cercles ou plutôt globes, dont un est céleste, le plus éloigné, qui embrasse tous les autres, le Dieu suprême lui-même, maintenant et contenant tous les autres : sur celui-là sont fixés ceux qui tournent, les cours éternels des étoiles. » Voir Grégoire de Nysse, *In Hexahemeron* (*PG* 44, 117 B). Tout cela sera expliqué à la note 43, à propos de l'ἀντιζώνη dont parle Jérôme.

36. Voir M. Simonetti, « Sola sediesi in su la terra vera », *Rivista di cultura classica e medioevale* 9, 1967, p. 111-112, qui étudie, à propos de Dante, les textes d'Origène parlant de la bonne terre.

37. Dans le *ComGen.* aujourd'hui perdu, sauf des fragments, et qui est contemporain du *PArch.*

38. Le ciel et la terre de *Gen.* 1, 1, sont différents pour Origène du firmament et de l'aride de *Gen.* 1, 8 : les premiers sont le séjour des bienheureux, donc probablement aussi des intelligences préexistantes. Voir *PArch.* II, 9, 1 ; III, 6, 8 ; *HomNombr.* XXVI, 5 (le Paradis d'Adam est sur la « terre », non sur l'« aride », en opposition avec ce que nous lirons en *PArch.* II, 11, 6) ; *HomPs. 36*, II, 4 et V, 4 ;

CCels. VII, 28-29 et 31. La distinction de la terre et de l'aride est déjà gnostique.

39. Ce passage serait une allusion à PLATON, *Timée* 41 ab : voir G. M. DE DURAND, « Un lien plus fort : ma volonté. Exégèse patristique de *Timée* 41 ab », *Science et Esprit* 27, 1975, p. 329-348 (voir p. 336). De même Hal KOCH, *Pronoia*, p. 260-261 et 275, à propos d'Atticos, Severos, Albinos, Calvisios Tauros et Origène.

40. Voir ce qui sera dit à la note 43 au sujet des trois cieux. Notre traduction de l'expression ambiguë de Rufin en dépend.

41. L'exégèse trop littéraliste d'Origène lui fait mettre une distinction entre notre monde terrestre, décrit symboliquement comme fait par les mains de Dieu, et le monde supérieur, non fait de matière terrestre, donc non fait par les mains de Dieu façonnant la matière.

42. *FragmJn* XIII (*GCS* IV, p. 494) ; *CCels.* VII, 46. Cette distinction est soulignée par l'identité de l'invisible et de l'incorporel : *PArch.* I, préf. 8-9 ; I, 7, 1 ; IV, 3, 15. Le texte que nous commentons semble supposer que cette terre est visible par nature, ce qui suppose chez les bienheureux une certaine corporéité, mais invisible aux mortels. Mais, selon *PArch.* II, 11, 7, les bienheureux parviennent aux réalités invisibles au sens strict et selon *ComJn* XIX, 22 (5), 146, le monde où vont les bienheureux est invisible (ἀόρατος), ne se voit pas (οὐ βλεπόμενος), est intelligible (νοητός). Y a-t-il contradiction ? Nous ne le pensons pas, car le mot νοητός est toujours appliqué au monde des idées, raisons et mystères contenus dans le Verbe-Sagesse (H. CROUZEL, *Connaissance*, p. 41-43) : il correspond à « idée », non à « être spirituel », à qui répond habituellement chez Origène l'adjectif νοερός. Les bienheureux parviennent donc à la contemplation du Monde Intelligible contenu dans le Verbe. Il n'y a donc aucune contradiction entre cette affirmation et celle que le séjour des bienheureux serait d'une corporéité subtile ou éthérée. Origène distingue nettement, à la différence de certains de ses commentateurs, le monde intelligible des idées et celui des intelligences, préexistantes ou glorifiées.

43. Jérôme, *Lettre* 124, 5 : « *Et iterum: ' Triplex ergo suspicio nobis de fine suggeritur: e quibus quae uera et melior sit, lector inquirat. Aut enim sine corpore uiuemus, cum subiecti Christo, subiciemur Deo, et Deus fuerit omnia in omnibus; aut quomodo Christo subiecta, cum ipso Christo subicientur Deo, et in unum foedus artabuntur: ita omnis substantia redigetur in optimam qualitatem, et dissoluetur in aetherem, quod purioris simpliciorisque naturae est; aut certe sphaera illa, quam supra appellauimus ἀπλανῆ, et quidquid illius circulo continetur, dissoluetur in nihilum: illa uero qua ἀντιζώνη ipsa tenetur, et cingitur, uocabitur terra bona, nec non, et altera sphaera, quae hanc ipsam terram circum ambit uertigine, et dicitur caelum, in sanctorum habitaculum seruabitur* '. — Et de nouveau : ' Une triple hypothèse nous est suggérée à propos de la fin : de ces trois, que le lecteur recherche la vraie et la meilleure. Ou en effet nous vivrons sans corps, lorsque soumis au Christ nous serons soumis à Dieu et que Dieu sera tout en tous (*I Cor.* 15, 28). Ou, de la même manière que les êtres soumis au Christ seront avec le Christ soumis à Dieu et seront liés dans une seule alliance, ainsi toute substance sera amenée à sa qualité la meilleure et sera dissoute dans l'éther, qui est de la nature la plus pure et la plus simple. Ou, certes, cette sphère que nous avons appelée plus haut celle des étoiles fixes et tout ce qui est contenu dans son orbite, sera dissoute dans le néant : mais cette sphère par qui l'*antizone* elle-même est maintenue et entourée sera appelée la bonne terre (*Ex.* 3, 8), et une autre sphère qui ceint cette terre de sa rotation et est appelée ciel sera conservée comme demeure des saints. » Jérôme continue (*Lettre* 124, 6) : « *Cum haec dicat, nonne manifestissime* *gentium sequitur errorem, et philosophorum deliramenta simplicitati ingerit christianae?* — En disant cela, ne suit-il pas très clairement l'erreur des païens et n'introduit-il pas les délires des philosophes dans la simplicité chrétienne? »

La citation de Jérôme correspond à celle de Rufin, avec peut-être certains résumés ou omissions secondaires. Au moins ici Jérôme ne cache pas le caractère de discussion du chapitre. Il situe le séjour des bienheureux au-delà de la sphère des fixes, vouée elle aussi à la destruction, dans un ensemble de deux sphères correspondant l'une à la « bonne terre », l'autre au ciel. H. Cornélis (« Les fondements cosmologiques », p. 225 s. et surtout la longue note 222) fait une analyse détaillée des textes de Rufin et de Jérôme et il essaie d'expliquer, p. 230, la mystérieuse « antizone » que Rufin a omis de mentionner, sans doute à cause de son caractère trop technique pour le lecteur latin.

Sur les problèmes concernant l'astronomie antique et contenus dans ce passage nous reproduisons la note qu'a bien voulu rédiger pour nous J. Flament :

Origène combine ici des explications allégoriques de type eschatologique (sort des âmes et du cosmos à la fin des temps) et des aperçus cosmologiques empruntés à la science profane. Pour la structure du Monde, il retient le système simplifié de Platon : sept sphères concentriques, chacune portant une des sept planètes et une huitième sphère « aplane », portant les étoiles fixes. Mais il mentionne aussi une neuvième sphère extérieure aux autres et les enveloppant toutes.

On peut voir dans cette neuvième sphère la partie la plus extérieure de la sphère des fixes, que certains stoïciens, Chrysippe et Posidonius en particulier (cf. P. Boyancé, *Études sur le Songe de Scipion*, p. 71-73), distinguaient des fixes et qu'ils tenaient pour formée du feu le plus pur, l'éther : la deuxième hypothèse selon laquelle l'ensemble du monde, c'est-à-dire les huit sphères, peut se transformer en éther à la fin des temps s'inscrirait tout naturellement dans ce schéma posidonien, qu'Origène aurait connu à travers Philon.

Mais on peut y voir également une allusion à la neuvième sphère qui, dans l'hypothèse de la précession des équinoxes découverte par Hipparque, englobe toutes les autres sphères et leur imprime le mouvement diurne, d'Est en Ouest, qui s'ajoute au mouvement d'Ouest en Est propre à chacune (celui de la sphère des fixes, d'un degré par siècle, rendant compte précisément de la précession des équinoxes) : telle est l'interprétation de P. DUHEM (*Le système du Monde, histoire des doctrines cosmologiques de Platon à Copernic*, tome II, p. 192-193). Ce dernier cite (p. 191-192) un autre texte d'Origène (*FragmGen. PG* 12, 80 BC, d'après EUSÈBE, *Prép. Évang.* VI), où l'allusion au mouvement de précession d'un degré par siècle est très claire : la distinction entre « signes (du zodiaque) sensibles » et « signes intelligibles » qu'Origène attribue aux astrologues est précisément celle que PTOLÉMÉE, dans sa *Tétrabible*, avait introduite pour sauver l'astrologie que la découverte d'Hipparque menaçait de ruiner. La traduction de Jérôme apporterait une confirmation : il y est dit en effet que la neuvième sphère entoure et tient l'ἀντιζώνη, c'est-à-dire probablement — le mot est un hapax — « la sphère de mouvement contraire » qui est au-dessous, celle des fixes. Il n'est pas impossible non plus qu'Origène confonde ici la théorie *physique* des stoïciens et la théorie *astronomique* de Ptolémée.

D'autre part il distingue, à la limite de l'univers visible, trois ciels, dont le dernier au moins est totalement invisible. Est-il influencé par la théorie stoïcienne des trois feux (cf. BOYANCÉ, *loco cit.*) ou par la vieille cosmologie des Chaldéens à trois sphères (lune, soleil et fixes) qui a laissé tant de traces dans l'eschatologie païenne des premiers siècles ? Toujours est-il qu'il combine ces deux partitions du cosmos, qu'il juxtapose en les superposant partiellement : la huitième sphère (l'aplane) se confond avec la première sphère céleste ; la neuvième (la *terra bona*) avec la seconde et la troisième sphère céleste constitue une sorte d'enveloppe intelligible du monde où séjourneront les âmes des saints. La première assimilation, celle de la sphère aplane avec la première sphère céleste n'est pas très nette, elle résulte des deux autres.

Il ne faut pas chercher trop de cohérence dans cette astronomie qui sert surtout de support à une eschatologie, elle-même ouverte sur plusieurs hypothèses. Duhem a cependant raison lorsqu'il prétend trouver dans ces textes la preuve que les découvertes d'Hipparque reprises par Ptolémée avaient « trouvé un rapide crédit dans les écoles d'Alexandrie ».

Nous ajoutons, en dépendance toujours de J. Flament, deux dernières remarques. Le mot ἀντιζώνη ne se lit guère dans les dictionnaires. On le trouve cependant dans le *Thesaurus* d'H. Estienne qui traduit *contraria zona*, dans E. A. Sophocles où il est rendu par *the opposite zone* — mais l'auteur ajoute ensuite : *Quid?* —, dans H. Lampe qui reprend la traduction de Sophocles : ils renvoient uniquement à Origène. Ce mot désignerait donc, soit la sphère aplane, mue d'Ouest en Est, à l'inverse du mouvement diurne, soit l'ensemble formé par les sphères planétaires et celle des fixes, mues par des mouvements différents, mais toujours d'Ouest en Est. La neuvième sphère se déplacerait au contraire selon le mouvement diurne, d'Est en Ouest, qu'elle communiquerait aux sphères qui sont tenues par elle *(qua tenetur)*.

D'autre part, Jérôme dit que le troisième ciel ceint la bonne terre de sa rotation *(uertigine)*, ce qui suppose qu'il serait en mouvement, tandis que Rufin parle du ciel qui entoure et enferme cette terre « comme dans une enceinte plus magnifique » *(ambitu magnificentiore)* : cela suppose qu'il ne bouge pas. Rufin semble le plus exact.

44. *Spiritus* doit traduire πνεύματα, à cause de *I Cor.* 6, 17. Le mot s'applique en effet aux créatures *logikai*, spécialement aux anges.

45. Stabilité dans le bien, non immobilité, puisque les bienheureux sont appelés à un progrès décrit en *PArch.* II, 11, 5-7.

46. La topographie céleste d'Origène est encore plus complexe que ce qui résulte de ce chapitre, car la géographie d'Israël et de ses voisins et ennemis en est le symbole, autour du pivot Jérusalem terrestre/Jérusalem céleste : *PArch.* IV, 3, 7-12 ; *CCels.* VI, 23 ; VII, 29 ; *HomEx.* I, 2 ; *HomLév.* XIII, 4 ; *HomNombr.* I, 3 ; III, 3 ; XXI, 2 ; XXVII, 2 ; *HomJos.* XXIII, 4 ; XXV, 3 ; *ComMatth.* XV, 24.

47. Dans *HomPs.* 36, V, 7, le royaume des cieux est considéré comme une étape temporaire des bienheureux, appelés à continuer jusqu'au royaume de Dieu. D'autres textes font penser à une montée indéfinie dans la connaissance des mystères divins : *HomNombr.* XVII, 4 ; *PArch.* IV, 3, 15 ; *PEuch.* XXV, 2 ; *ComCant.*, Prol. (*GCS* VIII, p. 79) : voir Irénée, *Adv. Haer.* II, 28, 3 (Massuet). Mais cela ne signifie pas un changement de lieu.

SECOND CYCLE DE TRAITÉS

Premier traité (II, 4-5)

Après un exposé général sur les trois personnes, les créatures raisonnables et le monde, Origène va parcourir de nouveau le même chemin en envisageant les questions que pose surtout la controverse avec les hérétiques. La première question, divisée dans les éditions Delarue et Koetschau en deux chapitres, est une polémique contre les sectes gnostiques et les marcionites, qui distinguaient le Dieu de l'Ancien Testament de celui du Nouveau, faisaient du premier un être très inférieur au second, le Démiurge des valentiniens, ou même comme les marcionites un Dieu juste, mais non bon et même cruel, opposé au Dieu bon du Nouveau. Cette controverse se trouve avant Origène chez Irénée, Tertullien et Clément.

Le Nouveau Testament, renvoyant à l'Ancien, montre qu'il y a un même Dieu pour l'un et pour l'autre, que le Père de Jésus-Christ est identique au Créateur (1-2). Mais les hérétiques prennent prétexte des anthropomorphismes appliqués à Dieu par l'Ancien Testament pour distinguer ce Dieu de celui du Nouveau. Le Dieu suprême est invisible : or, disent-ils, l'Ancien Testament dit que Moïse a vu Dieu. Mais les gnostiques ne disent pas que voir est souvent employé pour comprendre, désignant alors une opération non sensible, mais uniquement spirituelle (3). Les hérétiques s'appuient aussi sur les passions attribuées au Dieu de l'Ancien Testament : mais on trouve dans le Nouveau des expressions semblables. Aussi bien dans l'un que dans l'autre, il ne faut pas les prendre à la lettre, mais les entendre spirituellement, comme des figures (4).

La seconde partie, présentée dans les éditions antérieures comme un chapitre à part (II, 5), a une réelle unité. Origène s'attaque à l'opposition gnostique et marcionite entre le Dieu juste de l'Ancien Testament et le Dieu bon du Nouveau. Il faut critiquer leur conception de la justice : ils croient que celui qui châtie n'est pas bon, parce qu'ils ne voient pas que le châtiment est utile ; ils pensent que le juste doit rendre nécessairement le mal pour le mal. De l'Ancien Testament ils recueillent tout ce qui parle de châtiment, et du Nouveau les paroles de miséricorde (1). Mais, si on les prend à la lettre sans les allégoriser, bien des textes des vieilles Écritures où ils voient des preuves de la justice de leur Dieu montrent au contraire qu'il n'est pas juste : si le diable et les pécheurs sont méchants par nature et non par leur volonté libre, comme le prétendent ces hérétiques, on ne voit pas comment Dieu serait juste en les punissant. Comment le Dieu du Nouveau Testament, qu'ils disent bon, serait-il bon, alors qu'il laisse les pécheurs aller à la perdition. Origène rassemble alors plusieurs passages évangéliques parlant du châtiment des pécheurs (2). Suit une discussion philosophique sur la vertu et la malice, ainsi que sur la justice et la bonté, qui montre la rencontre nécessaire de ces deux vertus. Quand Dieu exerce sa justice en punissant, il le fait par bonté, pour corriger et sauver. Pas de justice sans bonté, ni de bonté sans justice. Même rencontre nécessaire entre l'injustice et la méchanceté (3). Mais les gnostiques avancent *Matth.* 7, 18 et 12, 33 : l'arbre bon ne peut donner que de bons fruits et l'arbre mauvais que de mauvais fruits. La loi, œuvre du Dieu de l'Ancien Testament, n'est-elle pas cet arbre mauvais ? Mais Paul déclare que la loi est à la fois bonne et juste. La bonté est la vertu générique, la justice une de ses espèces, comme les autres vertus. Les hérétiques tirent aussi prétexte de l'affirmation du Sauveur : seul le Père est bon ; le Dieu de l'Ancien Testament n'aurait pas cette vertu. Or dans l'Ancien Testament il est dit plusieurs fois bon, de même que dans le Nouveau il est dit aussi juste (4).

A la base de la démonstration se trouve, plus ou moins explicite, une conception de la peine comme médicinale, destinée à la correction de celui à qui elle est appliquée et manifestant donc la bonté de Dieu.

Peri Archon II, 4

1. C'est nous qui ajoutons, dans le titre indiqué par Photius, les mots *et des Évangiles*, sans lesquels la première partie du titre n'est pas compréhensible.

2. *PArch.* I, préf. 4 : cette introduction sert de charnière entre la première et la seconde série de traités. Elle indique clairement le plan : les trois sujets, puis retours au propos initial, aux questions posées dans la préface.

3. Gnostiques et marcionites. Tertullien a déjà réfuté Marcion sur ce point, mais Origène, comme Clément, ne distingue pas en cette question gnostiques et marcionites, encore que le problème des natures, qui revient en *PArch.* II, 5, 4, vise plus spécialement les valentiniens. Voir *CCels.* V, 61 et le fragment du *ComTite* (*PG* 14, 1303) ; Eusèbe, *Hist. Eccl.* IV, 11.

4. Pour cela Origène va citer des textes du Nouveau Testament se référant à l'Ancien comme étant leur accomplissement ou des paroles du Christ désignant le Dieu de l'Ancien Testament comme son Père. Ainsi font aussi Irénée, *Adv. Haer.* III, 6-11 ; Clément, *Péd.* I, 8, 71-74 et Origène lui-même quand, dans le *ComJn*, il réfute le valentinien Héracléon.

5. La portée de cet argument pour convaincre les valentiniens ne pouvait être très grande, car, tout en comprenant la prophétie dans l'économie prophétique de l'Ancien Testament (Héracléon dans Origène, *ComJn* VI, 20-21 (12), 108-118 ; *Elenchos* VI, 35, 1), ils soutenaient qu'une partie au moins des prophètes tenait son inspiration du Dieu suprême à l'insu du Démiurge (Irénée, *Adv. Haer.* I, 7, 3, Massuet).

6. La citation *Matth.* 5, 48 et 45 est exploitée dans le même sens par Clément, *Péd.* I, 8, 72. De même l'argument tiré de *Notre Père qui es aux cieux* dans *Péd.* I, 8, 73.

7. *ComJn* VI, 39 (23), 201-202.

8. *ComJn* X, 33 (19), 210-216 : Jésus n'a pas connu le temple de Salomon mais celui d'Hérode.

9. Pour les gnostiques, seuls les pneumatiques étaient les vrais vivants : Héracléon dans Origène, *ComJn* II, 21 (15), 137 ; Irénée, *Adv. Haer.* I, 8, 5 (Massuet). Or Jésus appelle Dieu des vivants le Dieu de l'Ancien Testament, donc le Démiurge des valentiniens. Ces derniers faisaient d'Abraham une figure du Démiurge : *Elenchos* VI, 34, 4.

10. La liaison de *Matth.* 22, 31 et d'*Is.* 46, 9 (ou 45, 5) a d'autant plus de poids que ce dernier texte servait aux gnostiques de preuve que le Démiurge ignorait l'existence du Dieu qui lui était supérieur : Irénée, *Adv. Haer.* I, 5 (Massuet) ; *Elenchos* VI, 33 ; VII, 23 ; VII, 25, 3 ; *Apokryphon Joannis* 44 ; *Hypostase des archontes* 134, 27-31.

11. *Lév.* 19, 18 ; *Deut.* 6, 5.

12. Ptolémée, *Lettre à Flora* VII, 2-4 ; Héracléon dans Origène, *ComJn* VI, 20 (12), 109 ; *Elenchos* VI, 35, 1. Dans Origène, *PEuch.* XXIX, 12 ; *HomJér.* X, 5 et XII, 5.

13. Paul est un pneumatique pour les valentiniens, qui

faisaient grand cas de ses épîtres : *PArch.* I, 8, 2 ; *ComJn* X, 33 (27), 290-291.

14. Les théophanies de l'Ancien Testament (*Gen.* 12, 7 ; 18, 1-39 ; 32, 24-33 ; *Ex.* 3, 1 à 4, 17) leur paraissaient en opposition avec l'invisibilité de Dieu (*Ex.* 33, 20 ; *Jn* 1, 18 ; *I Tim.* 6, 16 ; *I Jn* 4, 12) et elles étaient attribuées par eux au Démiurge. C'est une des raisons pour lesquelles, depuis Justin, les théophanies étaient attribuées par les auteurs chrétiens au Logos (voir G. Aeby, *Les Missions divines...*). C'est habituellement le cas d'Origène (*HomGen.* IV, 1 ; VIII, 8 ; *SelGen.*, *PG* 12, 128). Parfois il s'agit de Dieu vu à travers un ange : ainsi pour la scène du Buisson Ardent (*HomJér.* XVI, 4), un ange qui dit : « Je suis le Dieu d'Abraham... ». Ou *ComCant.* II (*GCS* VIII, p. 158). En fait il ne semble pas qu'il s'agisse pour Origène d'un ange quelconque à travers qui Dieu, ou plutôt le Fils, se montrerait, car *HomGen.* VIII, 8 dit à propos de l'ange qui empêche Abraham de sacrifier Isaac que cet ange est le Seigneur, devenu homme parmi les hommes, ange parmi les anges. L'explication semble être que le Logos apparaît dans son âme préexistante qui, n'ayant pas péché, a gardé l'état primitif angélico-humain des âmes. Ici le raisonnement repose sur le fait que voir est employé souvent pour connaître, non de manière sensible, mais intellectuelle.

15. Hypothèse faite pour les besoins du raisonnement, car les valentiniens croyaient le Dieu suprême invisible et inconnaissable. Origène leur reproche cependant le matérialisme de leur doctrine de la *probolè : PArch.* I, 2, 6 ; IV, 4, 1.

16. Raisonnement analogue chez Tertullien, *Adv. Hermogenem* 7.

17. Jérôme, *Lettre* 124, 6 : « *Et in eodem libro : ' Restat ut inuisibilis sit Deus. Si autem inuisibilis per naturam* *est, neque Saluatori uisibilis erit.* ' — Et dans le même livre : ' Il reste que Dieu est invisible. S'il est invisible par nature, il ne sera même pas visible pour le Sauveur. ' » Ce texte correspond à Rufin, mais, comme précédemment en *PArch.* I, 8-9, Jérôme le trouve scandaleux parce qu'il n'en comprend pas le contexte.

18. Pour les gnostiques comme pour les orthodoxes, invisible signifiait aussi inconnaissable : cf. A. Orbe, *Hacia la primera teologia*, p. 411 s. Ici les gnostiques sont visés et non comme en *PArch.* I, 1, 8-9, les « simples », c'est-à-dire les anthropomorphites.

19. *HomJér.* XVI, 2, et *ComCant.* III (*GCS* VIII, p. 231) où il s'agit en outre du « trou de la roche », qui symbolise la médiation du Christ et où *posteriora mea* est interprété de la connaissance de ce qui arrivera dans les derniers temps, l'Incarnation.

20. Les « simples » prenaient à la lettre les anthropomorphismes scripturaires qu'invoquaient gnostiques et marcionites pour dévaluer l'Ancien Testament : l'exégèse allégorique permet à Origène d'écarter leurs objections : *ComJn* XIII, 22, 131 ; *HomGen.* XIII, 2.

21. C'est ce que n'ont pas fait Épiphane et Jérôme reprochant à Origène d'avoir dit que le Sauveur lui-même ne voyait pas Dieu : voir *PArch.* I, 1, 8-9 et la note correspondante 36. Pour prétendre que cette phrase serait un ajout de Rufin, il faudrait supposer qu'il a interpolé toute la seconde partie de II, 4, 3, qui repose tout entière sur la distinction voir/comprendre. Or cette seconde partie est articulée logiquement sur la première et II, 4, 4, sur l'ensemble de II, 4, 3 : la construction de ce chapitre est sans faille. Son authenticité confirme du coup celle des idées développées en I, 1, 8, malgré le scandale peu explicable d'Épiphane et de Jérôme.

22. L'expression latine que nous traduisons ainsi paraît mettre la Trinité, ou du moins une partie d'elle, parmi les créatures. Il s'agit d'une tournure pléonastique fréquente en grec, comme le fait remarquer Schnitzer : voir note 5 de *PArch.* I, préf. : de même ce que nous y disons sur le sens de κτίσις.

23. Les anthropomorphismes scripturaires s'étendent aussi aux passions attribuées à Dieu. Origène répond qu'on en trouve aussi dans le Nouveau Testament, que les hérétiques opposent sur ce point à l'Ancien. Selon Origène ces expressions correspondent à certaines réalités divines : voir H. Crouzel, *Connaissance*, p. 258-262.

24. *HomJér.* XVIII, 6 ; XX, 1. On voit par là l'importance de cette polémique contre gnostiques et marcionites d'une part, anthropomorphites de l'autre, pour la légitimité de l'interprétation allégorique.

25. Allusion au *ComPs.* d'Origène, dont il ne reste que des débris, assez nombreux certes, mais mêlés à ceux d'autres auteurs. Origène commenta les vingt-cinq premiers psaumes à Alexandrie : Eusèbe, *Hist. Eccl.* VI, 24, 2. Il reste justement de *Ps.* 2, 5 un fragment sur ce sujet (*PG* 12, 1105 CD - 1108 A), jugé authentique par R. Devreesse (*Les Anciens Commentateurs grecs des Psaumes*, *Studi e Testi* 264, Vatican 1970, p. 8) : on peut aussi s'en faire une idée par le commentaire d'Hilaire qui s'inspire d'Origène. Ce dernier insistait, certes, sur l'impassibilité divine, mais aussi sur son antithèse, une certaine passibilité divine : tout concept humain peut en effet être à la fois affirmé et nié quand il est appliqué à Dieu. Dieu connaît la passion de l'amour et de la miséricorde, et ainsi le Père lui-même n'est pas impassible, car il a envoyé son Fils parmi les hommes par amour pour eux, comme l'indique un magnifique passage de *HomEx.* VI, 6. Et *ComMatth.* X, 23, s'exprime à ce sujet de façon paradoxale à propos du Logos qui a pitié de la foule : « A cause de son amour pour les hommes il a souffert, l'Impassible (πέπονθεν ὁ ἀπαθής), l'émotion le prenant aux entrailles. » De même le dialogue de Grégoire le Thaumaturge, élève d'Origène, *A Théopompe, Du Passible et de l'Impassible en Dieu* (note 30 de *PArch.* II, 1). Sur la bonté de Dieu : *PArch.* II, 5. Sur la colère de Dieu interprétée dans un sens éducatif : *ComJn* VI, 58 (37), 300 ; *CCels.* IV, 72 ; *HomJér.* XX (XIX), 1 ; *HomÉz.* I, 2 ; *ComMatth.* XV, 11. Sur l'utilité de la crainte pour le salut : *CCels.* IV, 10 ; V, 15 ; *HomGen.* VII, 4. Idées analogues dans Clément : *Péd.* I, 8, 64 s. ; *Strom.* II, 16, 72 ; et dans Philon, *Immut.* 52.

Peri Archon II, 5

1. Sur *PArch.* II, 5, 1, voir H. J. Horn, « Antakoluthie der Tugenden und Einheit Gottes », dans *Jahrbuch für Antike und Christentum* 13, 1970, p. 5-28 : il met en relief les sources philosophiques.

2. L'opposition du juste et du bon faite par les gnostiques provient, pense Origène, d'une fausse notion des deux vertus, la première comportant l'amour du digne et la haine de l'indigne, et la seconde la bienveillance envers tous sans discrimination. Ils ne voient dans l'Ancien Testament que sentiments de vengeance, désirs de châtier, de la part de Dieu, et dans le Nouveau que miséricorde.

3. Origène pense au contraire que le châtiment a pour but le bien du coupable.

4. Si on entend littéralement ce que les gnostiques considèrent comme juste, Dieu n'est pas juste, mais cruel et méchant. Origène n'a pas plus que les gnostiques l'idée d'une évolution des conceptions morales dans l'Ancien Testament considéré selon l'histoire, par exemple entre la phrase ici citée d'*Ex.* 20, 5 et 34, 7, qui correspond à une conception clanique de la responsabilité, et *Éz.* 18 qui en prend le contrepied et affirme la responsabilité personnelle.

5. En en prenant le contrepied, *Éz.* 18 a montré qu'il fallait interpréter cela allégoriquement. Ainsi *SelEx.*dans *PG* 12, 289 C, et *HomEx.* VIII, 6 : il s'agit du diable et de ses fils, les pécheurs, ces derniers punis pour leur amendement.

6. Toujours la doctrine valentinienne des natures : le diable et ses fils, à cause de leur nature, ne peuvent faire que le mal. Dans ce cas, demande Origène avec pertinence, Dieu est-il juste en les punissant, alors qu'ils ne sont pas responsables de leur méchanceté ? *ComJn* XX, 24 (20), 202-219 ; XX, 28 (22), surtout 254.

7. Le Dieu du Nouveau Testament est aussi un Dieu qui punit. *ComJn* I, 35 (40), 253-258, semble attribuer la justice au Fils, la bonté au Père ; mais en 255-258 le sacrifice du Christ pour les hommes est montré comme la marque de sa bonté et compassion.

8. Si Jésus n'est pas allé à Tyr et à Sidon, c'est parce que, selon les valentiniens, leurs habitants étaient païens, donc hyliques, voués à la perdition : tous les païens sont hyliques selon Héracléon cité par Origène, *ComJn* XIII, 16, 95. Mais, rétorque Origène, puisque l'Évangile dit qu'ils se seraient convertis si le Sauveur l'avait fait, ils n'étaient pas destinés à la perdition par leur nature.

9. La base du raisonnement est la connexion étroite, l'ἀντακολουθία, qui unit les vertus et les rend inséparables : doctrine d'inspiration stoïcienne : *SVF* I, p. 49 ; III, p. 72 s. ; Clément, *Strom.* II, 9, 45 ; II, 18, 80.

10. L'existence de vertus en Dieu était acceptée par Platon et les stoïciens, refusée par Aristote : Plotin répond aux objections d'Aristote dans *Ennéades* I, 2.

Pour Origène, le Père est l'origine des vertus, et les vertus elles-mêmes sont des *epinoiai* ou dénominations du Christ : elles s'identifient au Christ. Comme elles nous parviennent à travers son âme humaine, son « ombre », nous n'avons que des ombres de vertus : substantielles chez le Fils, elles sont chez nous accidentelles, susceptibles d'acquisition ou de perte, de croissance ou de décroissance.

11. *PArch.* III, 1, 16, selon *Philoc.*, montre qu'Origène utilisait pour bonté le terme ἀγαθότης. Les stoïciens se servaient aussi de χρηστότης et de φιλανθρωπία, φιλοστοργία (*SVF* III, 71 s.) : ces termes, surtout les deux premiers, sont fréquents aussi chez Origène. Pour l'identification entre vertu et bonté : *SVF* III, p. 36 et 71 ; pour l'unité de la vertu : *SVF* III, p. 15 et 63 ; Clément, *Strom.* I, 20, 97.

12. La δικαιοσύνη est pour les stoïciens une des quatre vertus cardinales, avec la prudence (φρόνησις), la tempérance (σωφροσύνη) et la force ou courage (ἀνδρεία). Cette classification, adoptée par *Sag.* 8, 7, le sera par toute la tradition patristique et scolastique. Elle forme le cadre de l'enseignement moral donné par Origène à ses élèves selon Grégoire le Thaumaturge, *RemOrig.* IX, 122 à XII, 145 ; on y trouve plusieurs définitions de chacune de ces vertus. Celle de la justice est une adaptation de la définition de Platon dans *République* IV, 441 c - 445 e ; mais, refusant la doctrine des trois parties de l'âme, Origène lui donnait, selon Grégoire, une signification très anachorétique : on reste dans la justice lorsqu'on met toutes choses à leurs places, et par conséquent lorsque, respectant l'activité propre de l'âme, on donne la primauté à la vie intérieure, sans se répandre au dehors : *RemOrig.* XI, 138-140.

13. C'est la distinction stoïcienne du bien, du mal et de l'indifférent (μέσον ou ἀδιάφορον), constamment utilisée par Origène : voir *PArch.* III, 1, 18 ; III, 2, 7. Schnitzer

(p. 112) remarque que le raisonnement d'Origène ne porte guère contre les gnostiques. D'abord, suivant Rufin, il passe de *bonitas* à *bonum* comme si les deux mots étaient interchangeables : le Dieu bon est pour eux le Dieu bienveillant par opposition au Dieu juste, non un Dieu bon par opposition à un Dieu mauvais.

14. La valeur pédagogique des châtiments est une idée platonicienne : Platon, *Gorgias* 525 ab ; *République* II, 380 bc ; *Lois* XI, 934 a ; Plutarque, *De sera numinis vindicta* 4. Dans l'Écriture : *Sag.* 12, 2. Pour Philon : *Quaest. Gen.* IV, 51 ; *Quaest. Ex.* II, 25 ; *Deter.* 144 s. Pour les auteurs chrétiens primitifs : *I Clém.* 56, 16 ; Clément d'Alexandrie, *Péd.* I, 8, 64 s. ; *Strom.* IV, 24, 153 s. Pour Origène : *HomÉz.* I, 2 ; *HomEx.* VIII, 5 s. ; *HomJér.* VI, 2 ; XII, 5 ; *CCels.* III, 75 ; IV, 72 ; VI, 56 ; *PArch.* I, 6, 3 ; II, 10, 6 ; *HomNombr.* VIII, 1 ; *FragmEx.* 10, 27 dans *Philoc.* 27, 1-8. La mort même est ainsi considérée : *ComMatth.* XV, 15 ; *HomLév.* XIV, 4. Si Origène présente surtout la peine comme médicinale, Tertullien insiste au contraire sur l'aspect rétributif et vindicatif : *Adv. Marc.* I, 26 s. Sur la purification eschatologique, cf. H. Crouzel, « L'exégèse origénienne de *I Cor.* 3, 11-15 ».

15. Cette phrase est entendue par Origène de la descente dans l'Hadès de l'âme du Christ, emmenée par le démon à qui elle a été livrée en rançon ; mais elle lui arrache les âmes des justes qu'il gardait prisonnières pour les emmener dans son ascension : *SerMatth.* 132 et J. A. Alcain, *Cautiverio...*, p. 177-237.

16. *PArch.* I, 8, 2 ; *ComJn* XIII, 11, 73. Marcion s'en servait pour distinguer le Dieu bon et le Dieu juste : *Elenchos* X, 19, 3 (à propos de Marcion et de Cerdon) ; Tertullien, *Adv. Marc.* IV, 7, 11 s. ; Pseudo-Tertullien *Adv. omn. haer.* VI, 2.

17. Plusieurs expressions pauliniennes fournissaient aux gnostiques l'occasion de représenter la loi comme un arbre mauvais : ainsi *I Cor.* 15, 56. Mais Origène leur oppose des passages de Paul en sens inverse.

18. La bonté est donc la vertu en général dont toutes les autres sont les espèces : *SVF* III, p. 48 ; PHILON, *Sacrif.* 84 ; *Cherub.* 5 s. ; *Leg. alleg.* I, 59 ; I, 63. Dans la théologie scolastique, c'est la charité, l'ἀγάπη, qui, en dépendance de *I Cor.* 13, 1-3, va assumer ce rôle générique en tant que « forme » des vertus, les orientant vers Dieu et leur donnant leur valeur surnaturelle de grâce. Dans l'enseignement d'Origène présenté par GRÉGOIRE LE THAUMATURGE, *RemOrig.* XII, 149, la piété (εὐσεβεία) « est, dit-on avec raison, la mère de toutes les vertus. Elle est en effet le principe et la fin de toutes : en partant d'elle il nous serait très facile de posséder aussi les autres. » Cette piété s'identifie à la charité en tant qu'amour de Dieu et du prochain, et la bonté, vertu qui nous fait vouloir et faire le bien, la suppose aussi.

19. Suivant *Elenchos* V, 7, 26, les naassènes ou ophites utilisent ce texte ; de même VII, 31, 6, Marcion et son disciple Prépon ; selon CLÉMENT, *Strom.* II, 20, 114, Valentin. Voir de même IRÉNÉE, *Adv. Haer.* I, 20, 2 (Massuet) et la *Lettre à Flora* du valentinien PTOLÉMÉE.

20. Les gnostiques qui n'attachaient pas de valeur à l'Ancien Testament ne pouvaient apprécier la force de cet argument. Mais Origène s'adresse à des membres de la Grande Église qui peuvent être tentés par ces théories et il montre ainsi l'unité des deux Testaments.

21. Le monde est entendu ici négativement, dans le sens johannique, par les gnostiques, c'est-à-dire dans ses composantes psychiques et hyliques. Sur l'ignorance du Démiurge : *PArch.* II, 4, 1 et la note 10 correspondante.

Second traité (II, 6)

Alors que *PArch.* I, 2, s'occupait surtout de la divinité du Christ, II, 6 étudie le Verbe dans son Incarnation. Ce chapitre est un des plus beaux de l'ouvrage, tant par son contenu que par sa forme, dans la mesure où la version de Rufin nous permet d'en juger.

Après avoir rappelé ce qu'il a dit de la divinité du Christ et de sa majesté, Origène exprime sa stupéfaction devant son Incarnation et sa vie terrestre (1), qui manifestent à la fois l'immensité de la grandeur et de la faiblesse : il faut examiner ce mystère en sauvegardant la réalité de chaque nature ; or cela dépasse les forces humaines (2). Alors que chaque être raisonnable adhère au Christ avec un amour d'intensité variable, l'âme assumée par le Verbe le fait avec une telle force qu'elle ne forme avec lui qu'un seul esprit. Cette âme est médiatrice entre un Dieu et la chair, et de son union avec le Verbe est formé le Dieu-Homme. L'union est si étroite que toutes les dénominations du Verbe sont appliquées à cette âme et à la chair qu'elle a reçue, de même que toutes les actions humaines dont l'âme et la chair sont le principe sont reportées sur le Fils de Dieu (communication des idiomes). Elle forme un seul esprit avec le Verbe d'une manière bien plus vraie que les autres âmes quand elles se joignent à lui (3).

L'intensité de son amour l'a ointe de l'huile d'allégresse, c'est-à-dire de l'Esprit Saint qu'elle possède comme le Verbe dans sa plénitude. Comme les personnes de la Trinité, elle est douée d'une impeccabilité substantielle (4).

Comment concilier cela avec l'affirmation que toute âme raisonnable n'a de sainteté qu'accidentelle et reste capable de recevoir le mal comme le bien? En effet l'âme du Christ est une âme authentiquement semblable aux autres. Mais l'intensité de son amour l'a établie dans l'impeccabilité, sa volonté se changeant par l'habitude en nature (5). Comme le fer plongé dans le feu devient feu, cette âme, toujours plongée dans le Verbe et ayant Dieu comme but unique de ses pensées et de ses actions, est inconvertible et immuable : en elle le feu du Verbe repose en substance, alors qu'aux saints ne parvient de lui qu'un peu de chaleur. Elle possède le Verbe d'une manière bien différente de celle des saints prophètes et apôtres : elle est le vase contenant l'onguent dont le parfum leur parvient (6). C'est elle que Jérémie, *Lam.* 4, 20, désigne comme l'ombre du Christ Seigneur quand il dit : « A son ombre nous vivrons parmi les nations » ; elle adhère en effet au Verbe comme l'ombre au corps, reproduisant tous ses mouvements. Nous vivons ici-bas à l'ombre du Christ, c'est-à-dire protégés par cette âme (7).

Le début de *PArch.* II, 7, montre que, de même que II, 4-5, refusait de séparer le Dieu de l'Ancien Testament de celui du Nouveau, de même que II, 7, montrera qu'il n'y a pas deux Saints Esprits, celui des prophètes et celui des apôtres, ce chapitre a pour but aussi de prouver, toujours à l'encontre des gnostiques et marcionites, qu'il n'y a pas deux Christs, le Dieu et l'homme, comme ces hérétiques le soutenaient de diverses façons : ainsi les valentiniens distinguaient l'Éon Christ ou Sauveur et le Christ psychique que le Sauveur aurait abandonné au moment de la crucifixion pour remonter au ciel (IRÉNÉE, *Adv. Haer.* III, 18, 5, Massuet).

Peri Archon II, 6

1. Origène veut-il dire que l'homme est aussi le plus faible et le plus fragile en comparaison des démons qui sont dits en *PArch.* I, 5, 2, habiter aussi le ciel (astral)? Bien que l'hypothèse se pose aussi pour Origène du passage d'un état dans l'autre, les anges sont dans une certaine mesure stabilisés dans le bien et les démons dans le mal, tandis que l'homme est dans un état instable de tension entre le bien et le mal, qui fait sa faiblesse et sa fragilité. Pour l'expression « dans le ciel et au-dessus des cieux », voir *PArch.* II, 3, 6-7 et note 43 correspondante : le ciel doit être la sphère des fixes, et ce qui est au-dessus des cieux la neuvième sphère qui est le séjour des bienheureux.

2. Cette notion d'intermédiaire entre le monde et Dieu est très importante pour Origène comme pour ses contemporains. Mais si Irénée (*Adv. Haer.* III, 18, 7 ; V, 17, 1, Massuet), Tertullien (*Adv. Prax.* 27, 15 ; *Resurr.* 51, 2 ; *Carn. Christ.* 15, 1), Novatien (*Trin.* 23, 134) voient dans sa double nature ces fonctions de médiateur, Origène les met déjà dans le Logos selon sa divinité et c'est à lui qu'il applique, d'après *Col.* 1, 15, la qualité d'image (invisible) de Dieu et de « premier-né de toute κτίσις », κτίσις ayant chez lui un sens plus large que créature, tout ce qui vient de Dieu (cf. Introduction V, 4°). Cette notion de médiation est d'ordre métaphysique et moral à la fois.

3. Ce passage souvent cité lie la connaissance du Fils par le Père à sa génération ; *FragmJn* 13 (*GCS* IV, 495) : le Père pense le Fils et est pensé par le Fils ; de même *ComCant.* prol. (*GCS* VIII, p. 74).

4. Cette impossibilité ne tient pas tant au nombre des faits rapportés qu'à leur grandeur et profondeur spirituelle : l'homme ne peut comprendre et exprimer dans sa plénitude le sens des paroles et actions du Christ. C'est ainsi qu'Origène interprète souvent le dernier verset de l'Évangile de Jean, *Jn* 21, 25 : *PArch.* IV, 3, 14 ; *ComMatth.* XIV, 12 ; *ComJn* I, 4 (6), 24 ; XIII, 5, 26-32 ; XIX, 9 (2), 59 ; XX, 34 (27), 304.

5. *SelPs.* 44, 3 (*PG* 12, 1429) : le *Ps.* 44 était déjà considéré par les Juifs comme messianique.

6. Le Fils est pour Origène à l'œuvre dans tout l'Ancien Testament : *PArch.* I, préf. 1 ; *HomJér.* IX, 1 ; *CCels.* III, 14. Il est l'agent des théophanies, il est la Parole divine qui fut envoyée aux prophètes : voir G. Aeby, *Les missions divines.*

7. *FragmJn* 18 (*GCS* IV, p. 497-498).

8. L'humanité du Christ est bien réelle pour Origène, non apparente comme pour le docétisme des gnostiques : *PArch.* I, préf. 4 ; *CCels.* IV, 19 ; *ComJn* II, 26 (21), 163-166. Elle est cependant exempte de péché : sa chair est « semblable à la chair de péché » (*Rom.* 8, 3) sans être cependant « chair de péché » (*ComRom.* V, 9).

9. La mort a atteint l'homme et non le Dieu : *ComJn* XXVIII, 18 (14), 158-159 ; *HomJér.* XIV, 6.

10. *ComJn* XIX, 2 (1), 6-11 ; XX, 30 (24), 268-275 ; XXXII, 16 (9), 188. Les apôtres ont su reconnaître le Verbe : *HomLc* I, 4. Il est difficile de connaître vraiment le Christ : M. Harl, *Fonction révélatrice*, p. 172 s.

11. Dans le mystère du Christ il faut respecter l'authenticité de sa divinité et de son humanité, donc de ses souffrances et de sa mort : *CCels.* IV, 19.

12. Bien qu'ils le connaissent mieux que les autres : *HomLc* I, 4 ; *ComJn* XIII, 5, 28.

13. Sur la prudence d'Origène : *PArch.* I, 6, 1 ; II, 3, 7 ; *ComJn* XXXII, 22 (14), 291, 294 ; *ComMatth.* XIV, 22 ; *HomNombr.* XIV, 1.

14. L'homme participe au Verbe en proportion de sa sainteté : *PArch.* IV, 4, 2 ; *HomJér.* XIV, 10.

15. Jérôme, *Lettre* 124, 6 : « *Et in inferioribus : ' Nulla* *alia anima, quae ad corpus descendit humanum, puram et germanam similitudinem signi in se prioris expressit, nisi illa de qua Saluator loquitur : Nemo tollit animam meam a me, sed ego ponam eam a meipso.* ' — Et plus bas : ' Aucune autre âme qui soit descendue dans un corps humain n'a exprimé en elle une ressemblance pure et authentique du signe antérieur, si ce n'est celle dont le Sauveur dit : Personne ne m'ôte mon âme, mais c'est moi qui la déposerai de moi-même. » Rufin a supprimé le début, avant la citation. Ce signe antérieur, c'est l'état de perfection de la préexistence. Il ne s'ensuit pas nécessairement que cette âme soit la seule à n'avoir pas péché, mais que sa correspondance au Verbe a atteint une perfection complète, ce qu'aucune autre n'a pu faire.

16. Sur l'union de l'âme avec le Verbe : *ComJn* I, 32 (36), 231 ; XX, 19 (17), 162 ; *CCels.* V, 39. Elle s'étend au corps lui-même : *CCels.* III, 41 ; *ComJn* XX, 36 (29), 335. Souvent chez Origène, *I Cor.* 6, 17, exprime l'union du croyant avec Dieu : *CCels.* VI, 47 ; *ComJn* XXXII, 25 (17), 326.

17. Tout homme doit imiter, dans son union au Christ, l'union de cette âme au Verbe : *CCels.* VII, 17 ; III, 28 ; *ComJn* X, 6 (4), 26 ; *HomCant.* II (*GCS* VIII, p. 153). Cette âme est égale à celles des autres hommes.

18. Cette expression *Deus-Homo* se trouve dans une traduction d'Origène par Jérôme, *HomÉz.* III, 3 : rien ne permet de douter qu'Origène ait donc employé ici le mot θεάνθρωπος. On le trouve dans un fragment sur Luc édité par M. Rauer dans sa première édition (*GCS* VIII[1], p. 48 ligne 16) et qu'il n'a pas repris dans la seconde parce que ce mot l'avait rendu suspect à R. Devreesse (*Revue Biblique* 42, 1933, p. 144-145). Mais il est accepté par C. Vagaggini, *Maria nelle opere di Origene*, Rome 1942, p. 102 note 16 et p. 109 note 47 : il remarque que son contenu est bien origénien.

19. *ComRom.* III, 8. Cette fonction intermédiaire vient de l'affinité que l'âme a d'une part avec Dieu (*PArch.* I, 1, 7 ; IV, 4, 9-10), d'autre part, par sa partie inférieure, avec le corps (*PArch.* II, 8, 1 ; II, 10, 7). PLATON, *Timée* 35 a, fait de l'âme un certain intermédiaire entre le divin et le corps. Cette idée se retrouve chez RUFIN, *Expos. Symb.* 11. L'âme du Christ, image du Verbe, est comme une seconde image intermédiaire après le Verbe entre Dieu et l'homme, et c'est pourquoi elle est dans une certaine mesure le parallèle de l'Ame du Monde de la Triade plotinienne, en tant qu'elle est présentée par Origène comme l'Époux de l'Église de la préexistence, de l'Incarnation et de la gloire (voir *PArch.* I, 3 note 4). « Ombre » du Verbe, c'est à son modèle que nous vivons parmi les nations (*Lam.* 4, 20), c'est par elle que nous recevons sous une forme atténuée les vertus qui sont parmi les *epinoiai* du Verbe : cf. H. CROUZEL, *Image*, p. 129-142. Pour racheter l'homme, le Fils a assumé un homme complet avec son esprit *(pneuma)*, son âme et son corps (*DialHér.* 7). L'union avec le corps n'a pas modifié substantiellement l'âme humaine du Christ : *CCels.* IV, 18. L'union du Verbe avec l'homme en fait un composé (σύνθετον) : *CCels.* I, 66 ; II, 9.

20. Ce passage exprime pour la première fois, semble-t-il, et avec beaucoup de clarté ce que l'on appelle la « communication des idiomes », dont il sera surtout discuté au ve siècle : les caractères et attributs (ἰδιώματα) convenant en propre à la divinité du Christ sont attribués à son humanité, et *vice versa: ComRom.* I, 6. Cela permet de mieux comprendre, dans la pensée d'Origène, certaines formulations qui paraissent nestoriennes avant la lettre, semblant attribuer à l'âme du Christ une personnalité distincte du Verbe, parce qu'Origène n'a pas de terme pour désigner la personne, ni de conception claire de la personnalité. Voir H. CROUZEL, « Marie peut-elle être dite Mère de Dieu selon l'origénisme du VIe siècle ? » dans *De Cultu Mariano* *saeculis VI-XI* (Congrès marial international de Zagreb, 1971), III, Rome 1972, p. 67-86. Selon Socrate, *Hist. Eccl.* VII, 32, Origène a qualifié Marie de θεότοκος dans un passage du livre I du *ComRom.* qu'on ne trouve pas dans la version de Rufin ; mais on n'a pas de raison de suspecter ce témoignage, car Rufin déclare avoir renoncé à traduire nombre de passages de ce commentaire, qu'il a réduit de quinze tomes à dix. L'Homme-Dieu est la source et le principe de la filiation adoptive : *CCels.* I, 57. Et *FragmIs.* (*PG* 13, 217) distingue nettement le Fils par nature des fils par adoption, ainsi que *FragmJn* 109 (*GCS* IV, p. 563). Il est principe et source non seulement en tant que modèle (*CCels.* III, 28), mais parce que son abaissement met le Verbe à la portée des hommes et favorise par là leur ascension (*HomIs.* VII, 1 ; *CCels.* IV, 15). Voir aussi *CCels.* II, 9 : après l'économie (= l'Incarnation), l'âme et le corps sont devenus un avec le Verbe de Dieu. Sur ce passage : A. Lieske, *Die Theologie der Logosmystik bei Origenes*, Münster i. W. 1938, p. 123-124.

21. Origène ne souligne pas la portée messianique du titre de Fils de l'homme d'après *Daniel* 7, 13 : il y voit l'affirmation de l'humanité du Verbe.

22. Schnitzer ne dit pas ce qui lui permet d'écrire (p. 121 en note) : « Origène est très éloigné d'attribuer à de pareilles expressions de l'Écriture une valeur objective pour fonder là-dessus la démonstration de la communication des idiomes ; bien mieux il excuse l'échange des prédicats par l'interdépendance intime des deux natures ; dans le même sens l'âme du Christ pourrait être dite un seul Esprit avec Dieu, parce qu'au moins elle méritait de l'être. » Origène manque de terme pour désigner la personne et des expressions techniques capables de rendre sans trop de confusion l'union du Christ et de son âme ; mais bien des passages, dont celui-ci, montrent la réalité de l'union.

23. Les deux citations sont encore mises en connexion à propos de l'union du Verbe et de son âme dans *CCels.* VI, 47. Cette manière de présenter l'union peut paraître insuffisante à la théologie moderne, mais Origène n'avait pas les outils conceptuels qui lui auraient permis de mieux s'exprimer.

24. D'expressions semblables on a souvent conclu qu'Origène concevait l'union du Verbe et de l'âme comme purement morale ; mais il doit être jugé sur l'ensemble de ses spéculations et non sur des expressions isolées qui paraissent maladroites.

25. Justinien, Mansi IX, 528, fragment ainsi reproduit : « Du second livre du *Peri Archon* où il dit que le Seigneur est un simple homme ». « Διὰ τοῦτο καὶ ἄνθρωπος γέγονε Χριστός, ἐξ ἀνδραγαθήματος τούτου τυχών, ὡς μαρτυρεῖ ὁ προφήτης λέγων · *Ἠγαπήσας δικαιοσύνην καὶ ἐμισήσας ἀνομίαν · διὰ τοῦτο ἔχρισέ σε ὁ θεός, ὁ θεός σου, ἔλαιον ἀγαλλιάσεως παρὰ τοὺς μετόχους σου.* Ἔπρεπε δὲ τὸν μηδέποτε κεχωρισμένον τοῦ μονογενοῦς συγχρηματίσαι τῷ μονογενεῖ καὶ συνδοξασθῆναι αὐτῷ. — C'est pourquoi un homme aussi est devenu Christ, l'ayant obtenu de ses bonnes actions, comme en témoigne le prophète en ces termes : *Tu as aimé la justice et tu as haï l'iniquité : c'est pourquoi Dieu, ton Dieu, t'a oint de l'huile d'allégresse plus que tes participants* (*Ps.* 44 (45), 8). Il convenait que celui qui n'a jamais été séparé du Fils Unique portât le même nom que le Fils Unique et soit glorifié avec lui. » Le fragment donne peut-être un texte authentique ou un résumé mais l'interprétation qu'en donne le titre n'est pas valable. Les excerpteurs du florilège jugent en effet ces paroles avec la mentalité de leur époque, à qui les crises nestorienne et monophysite ont donné le concept de personne qui manquait à Origène. En fait l'ensemble de la doctrine, avec la communication des idiomes, montre qu'on ne peut interpréter anachroniquement l'union du Verbe et de l'âme comme celle de deux personnes. Les excerpteurs n'ont pas remarqué que, d'après le fragment lui-même, l'homme n'a jamais été séparé du Fils Unique : il n'a donc pas obtenu l'union de mérites qu'il aurait acquis avant d'être uni. Voir les notes 20 et 30. Il est difficile de dire si Rufin a paraphrasé ou si les excerpteurs ont simplifié.

26. N'oublions pas que Christ veut dire Oint. Dans *ComJn* I, 28 (30), 191-197, l'onction du Fils comme roi paraît rapportée à sa divinité, et celle du Fils comme Christ à son humanité préexistant à l'Incarnation. Mais les deux ne forment qu'un Logos (*ibid.* 196).

27. Ce texte empêche de voir dans l'union du Verbe et de l'âme une association purement extérieure et morale : dans l'homme Jésus se trouve la plénitude du Verbe et de l'Esprit. On peut évoquer le beau passage de *HomIs.* III, 2 : sur aucun prophète l'Esprit Saint ne s'est reposé, il n'est venu qu'en passant, car tout homme est pécheur ; sur Jésus seul, Jean Baptiste a vu l'Esprit demeurer (*Jn* 1, 33-34), comme l'avait prédit *Is.* 11, 1-2. L'union hypostatique, qu'Origène affirme de façon équivalente, donne à l'humanité du Christ la présence substantielle, et non accidentelle, de l'Esprit, qui appartient en propre au Verbe.

28. Toutes ces citations montrent l'impeccabilité de l'âme du Christ qui, par son union au Verbe, possède la bonté de façon substantielle comme lui, prérogative exclusivement divine : *PArch.* I, 5, 3 ; I, 5, 5 ; I, 6, 2. Le lien unissant l'âme au Logos ne peut se dénouer, alors que l'union des saints au Logos reste toujours instable ici-bas, ou pour parler de façon plus technique, accidentelle. Il y a là encore une affirmation équivalente de l'union hypostatique.

29. *PArch.* I, Préf. 5 ; I, 3, 6 ; I, 7, 2 ; I, 8, 3, etc.

30. La difficulté vient de ce que pour Origène, en opposition avec le docétisme des gnostiques, l'humanité du Christ est une humanité complète. L'âme du Christ n'a pas existé de façon autonome avant son union au Logos, mais lui a été unie dès sa création dans la préexistence : son « élection » et son « mérite » représentent un moment de raison, comme il en est de même pour la génération du Verbe : sur les moments de raison chez Origène, voir la distinction faite explicitement par lui dans *PArch.* I, 2, 2 (et note 9 correspondante). Le fragment de Justinien cité dans la note 25 dit que l'homme n'a jamais été séparé du Fils Unique. Selon *ComMatth.* XIV, 17, c'est l'âme humaine du Christ, créée comme les autres « selon l'image » — seul le Verbe est Image de Dieu, l'homme n'est que « selon l'image », et c'est un point sur lequel la terminologie d'Origène ne varie jamais — qui est le mari de l'Église préexistante et cela « dès le début (ἀπ' ἀρχῆς) » : or elle ne l'est que par son union au Verbe qui la met « sous la forme de Dieu » selon *Phil.* 2, 6. Théophile d'Alexandrie reprochait à Origène d'appliquer *Phil.* 2, 5-11, et la kénose qui y est décrite non au Verbe, mais à l'âme (*Lettre* 92, 4 de la correspondance de Jérôme). Or dans la Christologie d'Origène, cela a une certaine justification : voir les explications qui seront données à propos de *PArch.* IV, 4, 5. L'âme préexistante quitte à l'Incarnation le sein du Père (*ComJn* XX, 19 (17), 162), alors que le Verbe reste toujours dans le sein du Père, son lieu, tout en étant d'une certaine façon présent sur terre avec son âme (*ComJn* XX, 18 (16), 152-159).

31. Par conséquent l'intensité de l'amour produit dans l'âme l'immutabilité, qui lui ôte l'accidentalité qui est le propre de toutes les créatures raisonnables. Si l'union de l'âme du Christ au Verbe est le modèle proposé à tous, malgré la distance qui sépare une union substantielle d'une union qui reste toujours accidentelle, il faut en conclure que les créatures raisonnables peuvent tendre, dans leurs rapports avec Dieu, à une certaine immutabilité dans le bien, où la possibilité de pécher deviendrait de plus en plus improbable, surtout pour les saints dans la béatitude. L'idée d'un retour toujours possible dans le péché, et pour cela dans la matérialité, n'est donc pas une conséquence inéluctable de la cosmologie d'Origène, et la liberté de la créature n'est pas incompatible avec la persévérance dans le bien. Que la liberté, pour Origène, ne se réduise pas au libre arbitre, mais comporte l'idée paulinienne d'une liberté qui s'accroît dans la mesure même où elle s'engage dans le bien, il ne manque pas de textes qui le disent. *ComRom.* I, 1 (*PG* 14, 839 C) confirmé en grec par le *FragmRom.* 1 (K. Staab dans *Biblische Zeitschrift* 18, 1927-1929, p. 74-75), oppose la liberté limitée du vertueux d'ici-bas à la liberté complète de la béatitude. De même *ComRom.* V, 10 (*PG* 14, 1054 A) : « Le libre arbitre ne pourra nous séparer de la charité. » *ComMatth.* XIII, 11 : le pécheur est esclave, seul celui qui adhère au Verbe est libre. *HomJos.* X, 3 : la liberté des Hébreux est opposée à la servitude des Gabaonites figurant les pécheurs. *HomJos.* IX, 4 : l'intelligence spirituelle des Écritures est liberté. *HomGen.* XVI et *HomEx.* VIII : la captivité en Égypte symbolise l'asservissement au péché et au vice, l'exode la liberté dans l'adhésion au bien (voir J. A. Alcain, *Cautiverio*). On ne voit trop souvent dans la conception origénienne de la liberté que le libre arbitre, car il y a beaucoup insisté à cause des négations gnostiques. Mais son idée d'ensemble n'est pas différente de celle de Paul : l'adhésion à Dieu est liberté, l'adhésion au péché esclavage. Celui qui s'approche de Dieu participe à son unité et immutabilité : *HomIRois (I Sam.)* 1, 4. C'est pourquoi Origène peut parler parfois, comme d'un état-limite, de l'impeccabilité du parfait : par exemple *ComJn* XX, 14 (13), 108-115 ; XX, 39 (31), 367-371 ; H. Crouzel, *Connaissance*, p. 420-421. L'idée de retours perpétuels est donc dans le *PArch.*

un thème de réflexion qu'on ne doit pas séparer de son antithèse : le progrès vers la perfection tend à une certaine immutabilité.

32. En *PArch.* I, 6, 3 (voir note 25 correspondante), Origène se demandait pareillement si la malice invétérée du démon ne s'était pas changée en nature.

33. L'image se trouve chez les stoïciens : *SVF* II, p. 153 et 155. Mais pour eux chaque corps conserve sa nature en se compénétrant. Origène semble dire que le fer devient feu. Aristote connaît un type d'union dans lequel une des deux substances prédomine complètement sur l'autre qui n'est cependant pas supprimée, mais sa relation à la première devient comme celle de la matière à la forme : Aristote, *De gen. et corr.* I, 5, 320 ; Alexandre d'Aphrodise, *De mixtione* 9. Voir H. Wolfson, *The philosophy of the Greek Fathers*, Cambridge (Mass.) 1956, p. 395 s. Si on pressait trop cette image on ferait d'Origène un monophysite avant la lettre, comme à trop presser d'autres déclarations du même chapitre on en ferait un prénestorien : voir note 38. Or les deux hérésies sont contradictoires, ne retenant chacune qu'un des aspects antithétiques de la vérité : il n'est pas possible d'être à la fois l'un et l'autre.

34. C'est ainsi que l'âme du Verbe est, à un degré bien plus intense que les autres âmes, image de l'Image qu'est le Verbe (*FragmRom.* I dans *JTS* 13, p. 211 ; cf. *ComRom.* VII, 7) et vis-à-vis d'elles une seconde image intermédiaire : *ComJn* VI, 34 (18), 172 et note 19 de ce chapitre.

35. De même que la Trinité possède substantiellement la sainteté et que les créatures raisonnables y participent de façon accidentelle (*PArch.* I, 5, 3 ; I, 5, 5 ; I, 6, 2 ; *HomNombr.* XI, 8), de même l'union de l'âme du Christ au Verbe est substantielle, alors que celle des autres âmes au Verbe reste accidentelle et inférieure à elle. Sur la participation de la nature humaine à la nature divine : *CCels.* III, 28.

36. L'huile de joie représente ici le Verbe-Sagesse, de même en *PArch.* IV, 4, 4 ; en II, 6, 4, elle symbolisait l'Esprit Saint.

37. Ici et un peu plus bas le Christ désigne surtout l'âme humaine.

38. La conception origénienne de l'âme du Christ a donc été accusée tantôt de monophysisme comme absorbant la nature humaine dans la divine, tantôt de nestorianisme comme séparant trop les deux entités : représentations arbitraires de sa pensée selon une problématique postérieure, mais surtout, avons-nous dit, accusations contradictoires qui se détruisent l'une par l'autre (note 33 de ce chapitre). L'accusation de nestorianisme est ancienne : PAMPHILE a dû défendre Origène contre le reproche d'avoir professé deux Christs (*Apol.* VI, 5 : *PG* 17, 588), alors que justement le but de ce chapitre est de montrer qu'il n'y a pas deux Christs comme le prétendent les gnostiques. On retrouve la même accusation chez JUSTINIEN : voir le titre du fragment cité note 25 ; pareillement la *Lettre à Ménas* (*PG* 86/1, 963 C) et l'anathématisme 2 de 543 (*ibid.* 989 B). Bien des modernes lui ont fait écho. L'accusation de monophysisme se trouve chez un petit nombre de modernes qu'énumère W. VÖLKER avec quelques partisans d'un Origène prénestorien (*Das Vollkommenheitsideal des Origenes*, Tübingen 1931, p. 110-112). Origène va bien plus loin qu'une union purement morale dans l'exemple du fer changé en feu, tout en sauvegardant les deux natures. Voir encore *ComMatth.* XVI, 8, et A. ORBE, *La Uncion del Verbo*, Rome 1961, p. 175-180. Qu'Origène donne en exemple aux âmes humaines l'union de l'âme du Christ avec le Verbe veut dire, non qu'il leur soit possible de parvenir à une union aussi étroite, mais qu'elle leur montre la voie à suivre : *ComJn* I, 28 (30),

196-197 ; *PEuch.* IX, 2 ; W. Völker (livre cité dans la note, p. 113 s.). Il y a une certaine analogie entre l'assomption d'une âme humaine par le Logos selon Origène et celle du Christ psychique par le Sauveur selon les valentiniens (*Exc. ex Theod.* 58 ; Irénée, *Adv. Haer.* I, 6, 1, Massuet), mais elle reste extérieure et lointaine : en effet le Sauveur valentinien, remontant au ciel après avoir accompli sa mission, abandonne le Christ psychique à son sort (*Exc. ex Theod.* 61 s.), tandis que le Logos reste indissolublement lié à son âme, avec laquelle il ne forme qu'un. Si pour Origène c'est l'humanité, et non le Verbe, qui est soumise à la mort, c'est la présence du Logos dans cette âme qui lui permet de libérer, dans sa descente dans l'Hadès, les captifs du démon, car elle est forte et de la force même de Dieu : J. A. Alcain, *Cautiverio.*

39. *Lam.* 4, 20, est souvent interprété par Origène. Le sens littéral concerne le roi Sédécias, l'Oint (= le Christ) du Seigneur, prisonnier à Babylone. Mais pour Origène, cette ombre est l'âme du Christ, comme nous l'avons dit plusieurs fois. Irénée, *Démonstr.* 71, voit dans cette ombre le corps du Seigneur. Selon les réflexions que Clément d'Alexandrie ajoute à ses *Exc. ex Theod.* 18, les justes de l'ancienne alliance, évangélisés par le Sauveur ressuscité, « vivront à son ombre ». Sur la citation de *Lam.* 4, 20, dans la littérature chrétienne primitive, voir J. Daniélou, « Christos Kyrios », dans *Mélanges J. Lebreton*, tome I, *Recherches de Science Religieuse* 39, 1951, p. 338-352. Chez Origène : *ComJn* II, 6 (4), 50 ; *ComCant.* III (*GCS* VIII, p. 182) ; *HomJos.* VIII, 4 ; *DialHér.* 27 ; *ComMatth.* XV, 12, *FragmLam.* 116 (*GCS* III, p. 276).

40. La foi suffit au salut, même si Origène exhorte ses auditeurs à ne pas rester dans la simple foi, mais à progresser jusqu'à la connaissance : *PArch.* III, 5, 8 ; *CCels.* VI, 13 ; *ComRom.* III, 9 ; IX, 38 ; *DialHér.* 19.

41. Il n'est pas facile de traduire l'expression « *in commutatione Christi tui* » qui reproduit τὸ ἀντάλλαγμα τοῦ χριστοῦ σου (*Ps.* 89 (88), 52). L'hébreu signifie « sur les traces », « sur les pas ».

42. Même interprétation soulignant l'imperfection de la vie actuelle par rapport à la future dans *DialHér.* 27. *Col.* 3, 3, est rapproché de *Jn* 11, 25 et 14, 6, dans *ComJn* XX, 39 (31), 363 ; *ComMatth.* XII, 33 ; *ComRom.* V, 10.

43. Voir H. Crouzel, *Connaissance*, passim entre les p. 324 et 370. L'Ancien Testament est ombre, le Nouveau image, l'Évangile éternel — c'est-à-dire les biens eschatologiques, appellation tirée d'*Apoc.* 14, 6 — vérité, selon *Hébr.* 10, 1 : voir *HomPs.* 38, II, 2. L'ombre du Christ l'emporte sur l'ombre de la loi, car elle donne déjà la réalité du Christ et confère la force divine : d'après *Cant.* 2, 3 dans *HomCant.* II, 6 ; *ComCant.* III (*GCS* VIII, p. 182). La conception de Jésus s'est faite à l'ombre de la Puissance du Très Haut : la Puissance est le Verbe et l'ombre son âme humaine (*HomCant.* II, 6).

44. *PArch.* II, 11, 7 ; *ComCant.* II et III (*GCS* VIII, p. 121, 160, 173, 211), *ComJn* I, 7 (9), 39-40.

45. Cette opposition paulinienne de *I Cor.* 13, 12, liée à celle de la connaissance partielle et de la connaissance totale (*I Cor.* 13, 9-10, 12) est utilisée par Origène dans un nombre incalculable de textes : H. Crouzel, *Connaissance*, p. 345-350. La connaissance « à travers un miroir, en énigme » est celle de l'Évangile temporel, du Nouveau Testament ici-bas vécu, non celle de l'Ancien qui lui est inférieure — cette expression ne lui est jamais appliquée. Elle indique la manière imparfaite, mais cependant déjà réelle, dont nous connaissons ici-bas, opposée à la connaissance « face à face » de la béatitude. On trouve cette distinction employée non seulement dans le domaine de la connaissance, mais pour tout ce qui concerne la manière de vivre dans l'Évangile temporel et dans l'Évangile éternel : enseignement, foi, vertus, adoration, liberté. Le baptême est même dit « à travers un miroir, en énigme » par opposition à son mystère, la purification eschatologique, qui sera « face à face » (*ComMatth.* XV, 23). L'expression « à travers un miroir, en énigme » désigne donc aussi les réalités sacramentelles.

46. Les déclarations de ce genre sont assez fréquentes : voir *PArch.* II, 3, 7.

Troisième traité (II, 7)

Comparé au passage correspondant du tome I (I, 3, 1-4), celui-ci traite moins de questions libres, sans réponses précises dans la règle de foi, et davantage de la règle de foi elle-même. Les gnostiques ont parlé de deux Dieux et de deux Christs, mais on ne voit pas qu'ils aient distingué deux Saints Esprits (1). Toute créature raisonnable peut participer à l'Esprit Saint : mais, alors que dans l'ancienne alliance son action n'atteignait qu'un petit nombre, elle s'étend maintenant à des foules innombrables qui perçoivent, ne serait-ce qu'obscurément, qu'il y a dans l'Écriture un sens spirituel (2). Le Saint Esprit ne se manifeste qu'à ceux qui sont prêts à le recevoir. Mais les montanistes le calomnient, confondant avec lui des esprits démoniaques, alors qu'il a fait comprendre aux apôtres ce que leur avait enseigné le Sauveur (3). Ce qu'il enseigne ne peut être exprimé par une langue humaine : on ne peut pas dire seulement qu'il n'est pas permis d'en parler, mais cela n'est pas possible. Le nom de Paraclet désigne la consolation et la joie qu'il communique à ses participants. Le Sauveur lui-même est appelé Paraclet, dans le sens d'intercesseur, alors que pour le Saint Esprit ce mot exprime plutôt le consolateur (4).

Peri Archon II, 7

1. Un seul et même Dieu, tel était le sujet très explicite de II, 4-5. Un seul et même Christ : le but de II, 6 était donc aussi de montrer que l'âme humaine et le Verbe forment un seul et même Christ.

2. Origène pense certainement aux gnostiques distinguant de façons diverses le Christ Dieu et le Christ crucifié : ainsi chez les valentiniens l'Éon Sauveur et le Christ psychique. Que penser de l'information surprenante de PHOTIUS, *Bibl.* 109 : dans les *Hypotyposes* aujourd'hui perdues, sauf des fragments, Clément aurait parlé de deux Verbes du Père ; il faudrait pour en juger avoir le texte et le contexte. Origène fut aussi accusé d'avoir professé deux Christs : PAMPHILE, *Apol.* (voir note 38 de *PArch.* II, 6).

3. Origène est moins affirmatif dans le fragment du *ComTite* (*PG* 14, 1304 s.) : celui qui distingue l'Esprit Saint des prophètes de celui des apôtres commet le même péché que celui qui sépare le Dieu de l'Ancien Testament de celui du Nouveau. Les gnostiques ne semblent pas avoir distingué deux Saints Esprits, mais on peut le conclure de leur doctrine des deux Testaments : l'Esprit du Père aurait inspiré les apôtres, et celui du Démiurge les prophètes. Dans *Canons Apostoliques* 49 (*Const. Apost.* VIII, 47, 49 : éd. Funk p. 578) il est question d'évêques ou de prêtres qui baptiseraient au nom de trois êtres inengendrés, ou de trois fils, ou de trois Paraclets.

4. Les noms de ces deux hérésiarques sont souvent associés par Origène qui leur joint parfois Basilide : *PArch.* II, 9, 5 ; *HomNombr.* XII, 2 ; *HomJos.* XII, 3 ; *SerMatth.* 38 ; *Hom. I Rois (I Sam.)* I, 10 ; *HomÉz.* VIII, 2 ; *HomJér.* X, 5 ; *ComMatth.* XII, 12 ; XII, 23 ; cf. CLÉMENT, *Strom.* VII, 17, 108.

5. Cela paraît en contradiction avec *PArch.* I, 3, 5, d'après lequel seuls les saints participent à l'Esprit. Mais, dans le contexte antignostique du passage, Origène veut dire que sa participation n'est pas limitée à une catégorie privilégiée par sa nature comme les pneumatiques valentiniens, mais ouverte à tous ceux qui s'en rendent dignes par leur conduite.

6. Quand il s'agit d'apprécier la valeur de l'Ancien Testament par rapport au Nouveau, Origène oscille suivant ses interlocuteurs, accentuant soit l'importance de ce qu'il possède, soit son infériorité. Devant les gnostiques, il tend à le représenter presque égal au Nouveau Testament : *ComJn* I, 7 (9), 37-38 ; II, 34 (28), 199-209 ; VI, 3-6 (2-3), 13-30. En présence des Juifs il montre au contraire la grande supériorité du Nouveau : *ComJn* XIII, 46-47 (46), 305-319 ; XXXII, 27 (17), 336-343 ; *HomJos.* III, 2 ; *ComMatth.* X, 9. L'Ancien Testament n'a pas connu Dieu comme père : *ComJn* XIX, 4-5 (1), 24 s. Il a usé de moyens propédeutiques : *ComJn* I, 7 (9), 37-40 ; *ComMatth.* X, 9. Cette question de la valeur respective de l'Ancien et du Nouveau Testament tient une grande place dans la théologie d'Origène : la solution la plus complète est la distinction de l'ombre (Ancien Testament), de l'image (Évangile temporel), de la vérité (Évangile éternel, tirée d'*Hébr.* 10, 1 : voir note 43 de *PArch.* II, 6) : l'image exprime une participation existentielle à la vérité eschatologique que n'a pas l'ombre. En effet l'Évangile temporel et l'Évangile éternel forment une seule ὑπόστασις, une même réalité ; ils ne diffèrent que par l'ἐπίνοια, manière humaine de voir les choses, de toute la différence qui sépare la vision « à travers un miroir, en énigme » de la vision « face à face » (voir note 45 de *PArch.* II, 6). Mais le chrétien est déjà dès ici-bas en possession des « vrais » biens, c'est-à-dire des réalités eschatologiques : voir H. Crouzel, *Connaissance*, p. 280-370. Mais Origène craint qu'en dépréciant trop l'Ancien Testament il n'apporte de l'eau au moulin des gnostiques.

7. La grâce de l'Esprit Saint est donnée non seulement aux hagiographes pour qu'ils écrivent, mais aussi aux lecteurs de l'Écriture pour qu'ils comprennent : *PArch.* I, préf. 8 ; *HomGen.* IX, 1 ; *HomLév.* VI, 6 ; *HomNombr.* XXVI, 3 ; *ComCant.* prol (*GCS* VIII, p. 77) ; *SerMatth.* 40 ; *Fragm. I Cor.* XI (*JTS* IX, p. 240) ; *ComJn* X, 28 (18), 172-173 ; Grégoire le Thaumaturge, *RemOrig.* XV, 179.

8. *PArch.* IV, 1-3.

9. Sur la grande diffusion du Christianisme de son temps : *PArch.* IV, 1, 1-2 ; *CCels.* III, 9 ; III, 68 ; VII, 26 ; *ComCant.* III (*GCS* VIII, p. 204).

10. *CCels.* II, 7 ; *HomGen.* III, 4-7 ; *HomNombr.* XXIII, 4 ; *ComRom.* II, 13. Origène porte ici un témoignage positif sur la foi des plus simples qui savent que les usages du culte juif ne sont pas à prendre au sens corporel. Habituellement, il est plus dur (*HomLév.* XVI, 4 ; *HomIs.* VI, 4) et il leur reproche parfois d'observer encore des rites juifs par manière de superstitions : *HomJér.* XII, 13 ; *HomLév.* X, 2 ; *SelEx.* 12, 43-45 (*PG* 12, 285 D). Cette double attitude se constate dans le *CCels* : d'une part Origène rétorque à Celse que la foi des simples est bien préférable à toute la science des païens ; d'autre part il relève les imperfections et les équivoques auxquelles elle donne lieu : *CCels.* I, 9 ; I, 13 ; III, 79 ; V, 16 ; V, 20.

11. Le mot *intellectus*, traduit par « manière de comprendre », représente vraisemblablement ἐπίνοια. Sur ce mot voir *PArch.* I, 2, commentaire.

12. L'idée du Christ, et de Dieu, médecin, est venue de *Matth.* 9, 12 et des images médicales utilisées par les Grecs depuis Platon : *PArch.* II, 10, 6 ; III, 1, 13-15 ; *ComJn* I, 20 (22), 124 ; *CCels.* II, 7 ; III, 62 ; *HomLév.* VIII, 1 ; *HomJér.* XII, 5 ; *HomÉz.* I, 2. L'image était traditionnelle chez les chrétiens : Ignace, *Éphés.* 7, 2 ; *A Diognète* 9, 6 ; Clément, *Protr.* I, 8 ; *Péd.* I, 1, 1 ; I, 2, 6 ; I, 9, 83. De même Grégoire le Thaumaturge, *RemOrig.* XVII, 200. Voir G. Dumeige, « Le Christ Médecin dans la littérature chrétienne des premiers siècles », *Rivista di archeologia cristiana*, 1972, p. 129-138.

13. *PArch.* I, 3, 7. Et surtout *ComJn* II, 10 (6), 77 : l'Esprit fournit la matière (ὕλη) des charismes.

14. *HomÉz.* II, 2 ; VI, 6 ; *HomNombr.* IX, 9 ; *CCels.* V, 1 ; VI, 70 ; *ComRom.* III, 8 ; IV, 5.

15. Schnitzer, p. 128, pense qu'en traduisant en *hoc efficitur uel hoc intellegitur*, Rufin « sans aucun doute » a pris un verbe moyen pour un passif. Cela ne paraît guère s'imposer : de même que le Christ devient toute sorte d'aliments pour s'adapter aux capacités de l'âme qu'il a à nourrir de sa nature divine, ainsi agit le Saint Esprit.

16. Il s'agit des montanistes comme dans le fragment du *ComTite* (*PG* 14, 1306) où il leur est reproché, de même qu'à la fin de ce paragraphe, d'interdire les noces et certaines nourritures. Cette accusation revient assez souvent de façon anonyme : *SerMatth.* 10 ; *ComMatth.* XIV, 16 ; XV, 4 ; XVII, 27 ; *HomLév.* X, 2 ; *FragmRom.* 5 (Scherer, p. 142). Il leur est reproché d'attribuer « à des esprits d'erreur et à des démons le grand nom de Paraclet » (*ComMatth.* XV, 30). Si Origène ne les nomme guère, toute sa doctrine de l'extase est dirigée contre eux : ils disaient que l'Esprit Saint, entrant dans le prophète, chassait son intelligence, et qu'il était ainsi transformé en un instrument inerte et inconscient ; Origène considère au contraire ce genre d'extase-inconscience comme diabolique (H. Crouzel, *Connaissance*, p. 197-207). Schnitzer, p. 128, pense que ce passage serait une interpolation de Rufin, car les montanistes, loin de considérer l'Esprit Saint comme vil, l'exaltaient au-dessus des deux autres personnes : Rufin se référerait à des hérétiques de son temps, peut-être aux manichéens qui voyaient dans Mani le Paraclet. Mais le fragment du *ComTite* rend cette hypothèse intenable. Le terme « esprits vils » ne reflète pas le jugement des montanistes, mais celui d'Origène, et il se comprend parfaitement dans le cadre de sa polémique contre l'extase-inconscience prônée par ces hérétiques : pour l'Alexandrin une telle extase est le signe et la preuve d'une « possession » diabolique. Dieu respecte la liberté et la conscience de l'intelligence qu'il a créée libre, selon l'idée qu'Origène se fait de l'inspiration des prophètes ; le démon au contraire obnubile et obscurcit. C'est une des règles fondamentales du « discernement des esprits » selon lui. Voir Fr. MARTY « Le discernement des esprits dans le *Peri Archon* d'Origène », *Revue d'ascétique et de mystique* 34, 1958, p. 147-164, 253-273.

17. Sur *Jn* 16, 12 s., voir *PArch.* I, 3, 4. SCHNITZER, p. 128-129, considère comme interpolation rufinienne les mots qui suivent : « *qui se eorum animabus infundens inluminare eos possit de ratione et fide Trinitatis* », car il les juge en contradiction avec la première phrase de II, 7, 4. Il est difficile de comprendre où est la contradiction. Le mystère de la Trinité est, certes, une de ces vérités ineffables dont parle le second passage. Mais le premier est à comprendre dans le sens que la grâce de l'Esprit Saint donne à l'âme une connaissance, non totale certes, ni parfaite, mais limitée, une approche de ce mystère.

18. *ComMatth.* XV, 30.

19. G. BARDY, *Recherches*, p. 128, voit là une formule liturgique ; il cite la *benedictio ad sponsas uelandas:* « *doctrinis caelestibus erudita* » (*Sacramentarium Gregorianum*, 200, 10, éd. Lietzmann, p. 112).

20. SCHNITZER, p. 129, voit là encore une paraphrase de Rufin. Mais Origène applique fréquemment *I Tim.* 4, 1-3, aux montanistes dont il est question dans tout ce passage : voir les textes cités note 16.

21. La révélation de l'Esprit Saint ne permet pas d'exprimer les mystères, mais en donne cependant une certaine compréhension. En *II Cor.* 12, 4, οὐκ ἐξόν, *non licet*, peut signifier « il n'est pas permis » ou « il n'est pas possible » : c'est le second sens qui est le bon. Seul le Fils peut exprimer ces « paroles ineffables » : *ComJn* XXXII, 28 (18), 351.

22. Cette expression, *ineffabilibus sacramentis*, serait d'origine liturgique selon G. Bardy, *Recherches*, p. 128 ; il cite la collecte de la sixième férie de la quatrième semaine de Carême : « *Deus qui ineffabilibus mundum renovas sacramentis* » (*Sacramentarium Gregorianum* 64, 1, éd. Lietzmann, p. 38) et une des *orationes paschales* : « *Imple pietatis tuae ineffabile sacramentum* » (*ibid.* 96, 12, p. 62).

23. Sur la joie que procure la connaissance : *ComJn* I, 30 (33), 205-208 ; H. Crouzel, *Connaissance*, p. 184-197. Origène adopte l'oxymoron philonien de la « sobre ivresse » (H. Lewy, *Sobria Ebrietas*, Giessen 1929, p. 118-128), mais le purge soigneusement de tout relent de la doctrine de l'extase-inconscience qui n'était pas étrangère à Philon.

24. La doctrine de l'ἀπάθεια, de l'impassibilité du parfait, joue un rôle considérable chez Clément d'Alexandrie (*Strom.* VII, 10-14), comme chez le principal représentant de l'origénisme du IVe siècle, Évagre le Pontique. Bien qu'Origène partage des conceptions assez voisines, le vocabulaire de l'« apathie » soulève chez lui une méfiance visible ; les mots ἀπαθής et ἀπάθεια sont très rares chez lui et il semble souvent plus proche de la μετριοπάθεια aristotélicienne, maîtrise des passions, que de l'ἀπάθεια stoïcienne qui supposerait l'éradication des passions : *PArch.* III, 2, 2 ; *HomGen.* I, 17 ; II, 6 ; *Fragm. I Cor* 33 (*JTS* IX, p. 500). De toute façon, pour Clément comme pour Origène, ce n'est pas le fruit de l'effort moral seul, mais un don de Dieu.

25. *HomLév.* VII, 2 ; *PEuch.* XV, 4 ; *CCels.* III, 49 ; IV, 28.

Quatrième traité (II, 8-9)

Pamphile dit qu'Origène n'a jamais écrit de traité systématique sur l'âme (*Apol.* fin du chap. VIII, *PG* 17, 603) ; nous avons donc ici l'exposé le plus systématique qu'il ait fait, en deux sections nettement distinguées. Dans la seconde série de traités qui commence en *PArch.* II, 4, il s'occupe davantage, a-t-on déjà remarqué, de la règle de foi que des questions qu'elle laisse ouvertes. Ici il s'intéresse à l'âme humaine, plus qu'à celles des anges, démons ou astres, comme en I, 5-8. On a pensé que la première section, traitant de l'âme en général, avait été fortement remaniée par Rufin, mais une telle conviction manque de preuves solides et les remaniements constatables ne sont pas si considérables.

Origène commence par une définition de l'âme qui s'applique à tous les animaux : le principe des imaginations et des instincts. Mais l'Écriture semble dire que le sang est l'âme ; chez les animaux qui n'ont pas de sang il y a un liquide analogue où réside la force vitale. L'opinion commune et l'Écriture s'accordent à accepter une âme chez les animaux et chez l'homme. Mais peut-on dire que les anges ont ou sont des âmes ? L'Écriture n'en dit rien. Mais elle parle en revanche de l'âme de Dieu et de celle du Christ incarné (1). Cette « âme de Dieu » pose problème, celle du Christ incarné non. Les anges possèdent, certes, sensibilité spirituelle et mouvement, comme l'âme. Mais Paul présente l'âme comme inférieure à l'esprit (*spiritus* =

πνεῦμα), l'homme animal à l'homme spirituel, le corps animal au corps spirituel de la Résurrection. Et il associe à la prière non l'âme, mais l'esprit (πνεῦμα) et l'intelligence (*mens* = νοῦς) (2). L'âme, semble-t-il, est une réalité qui a besoin de salut : quand elle sera sauvée, peut-être ne sera-t-elle plus âme, et avant sa chute peut-être n'était-elle pas encore âme. En effet Dieu est feu et chaleur, mais ceux qui sont tombés, s'éloignant de lui, se refroidissent. Les puissances démoniaques sont figurées par le froid, par la mer qui est froide, par Borée qui est le vent du nord. Le mot âme n'exprimerait-il pas ce refroidissement, ψυχή étant de même origine que ψῦχος, froid ? Dans l'Écriture il est plus souvent associé au blâme qu'à la louange. L'âme serait donc appelée ainsi parce qu'elle s'est refroidie à partir de son état initial de ferveur (3). Ce refroidissement comporte, selon les âmes, du plus et du moins : de là chez les hommes des degrés divers d'intelligence. De l'application au Sauveur dans l'Évangile des termes âme et esprit (πνεῦμα), on peut conclure que l'âme est intermédiaire entre cet esprit et la chair (4). Mais comment entendre l'âme de Dieu ? Les anthropomorphismes divins de l'Écriture doivent se comprendre de facultés de Dieu. Peut-être est-ce le Fils qui est désigné comme âme de Dieu, car il s'étend à tout ce qu'est son Père, ou parce que dans l'Incarnation il est un intermédiaire entre Dieu et le monde comme l'âme entre l'esprit et la chair. On a même dit que les apôtres étaient l'âme du Sauveur comme les croyants son corps. Tout cela est objet de discussion, non d'affirmation doctrinale (5).

II, 8, 5, sur l'âme de Dieu constitue une digression comme l'indique le début de II, 9, 1. Cette seconde section reprend plus en détail ce qu'a déjà dit I, 6, 1-2 ; mais elle porte surtout son attention sur l'homme et répond aux objections des gnostiques, qui tirent prétexte de l'inégalité des conditions où naissent les hommes pour soutenir leur doctrine des natures et rabaisser le Dieu créateur. Dans les éditions du XVIe siècle, Merlin, Érasme, Génébrard, II, 9, 1-2, est rattaché au chap. 8 dont il sera séparé par Delarue.

Dieu a fait dès le début un nombre déterminé de créatures raisonnables, car seul le fini peut être compris ; il a fait de même une quantité déterminée de matière (1). Les créatures raisonnables ont donc commencé à être et c'est pourquoi elles sont convertibles et changeantes, car elles ne tiennent pas leur existence d'elles-mêmes, mais du Créateur. Douées de liberté elles sont capables de progresser ou de régresser : cette régression est l'éloignement du bien, donc le mal. De ce que leurs mouvements sont variables résulte la diversité des créatures raisonnables, et par là la variété du monde (2). Origène passe alors en revue la diversité des êtres, supracélestes ou terrestres, et les différentes conditions, favorables ou non, des naissances humaines (3). Cependant tout cela a été créé par et dans le Christ, qui selon une de ses *épinoiai* est Justice. Il est bien difficile de comprendre comment s'exerce la Justice de Dieu, qui est son Verbe, dans la création : cela ne peut être révélé qu'à celui qui prie (4). Les hérétiques objectent que la diversité des conditions n'est pas compatible avec la Justice de Dieu. Ils résolvent cette objection par leur théorie des natures : les hommes naissent par nature sauvés ou perdus. Dans ce cas le monde n'est pas fait par Dieu ni régi par sa providence : il n'y a pas à en attendre la justice (5). Il est impossible de résoudre adéquatement ce problème dont Dieu seul peut révéler la solution ; mais l'auteur se voit contraint par l'arrogance des hérétiques à hasarder une réponse. Dieu a créé l'univers avec justice et par bonté. Il a fait toutes les créatures égales et semblables, mais en même temps libres : de là leurs progrès ou régressions, qui ont causé la diversité des êtres. Dieu n'a donc pas créé cette diversité, mais il l'a utilisée pour en tirer l'harmonie d'un monde unique, où il y a à la fois des vases à usage honorable et des vases à usage méprisable. Dieu gouverne chaque être selon la variété de ses propres mouvements venant de causes antécédentes (6). Si Jacob a été aimé et Ésaü haï avant même de naître, cela ne vient pas d'un arbitraire du Créateur, mais de causes antécédentes à leur naissance, des mérites ou démérites de la préexistence. Mais parmi ceux qui ont mérité, certains se sont incarnés pour venir en aide à leurs frères déchus. Chaque être raisonnable porte donc en lui, avant de naître dans un corps, les causes qui entraînent ces différences de conditions (7). Il y a donc, déjà eu, avant la venue dans un corps, un Jugement analogue à ce que sera le Jugement dernier. De même que celui qui ici-bas s'est purifié de ses fautes aura dans l'au-delà une situation bien supérieure à celui qui ne l'aura pas fait, de même la condition de la naissance terrestre est fonction de l'état de pureté ou d'impureté de la préexistence. Ainsi est sauve la justice de Dieu (8).

Peri Archon II, 8

1. *ComJn* VI, 14 (7), 85-87, pose une série de problèmes sur l'âme, dont la métensomatose (réincarnation) distinguée de l'ensomatose (incarnation de l'âme), mais la discussion est renvoyée à plus tard : le livre VI du *ComJn*, écrit dès l'arrivée à Césarée en 233, est postérieur de plusieurs années au *PArch.*

2. Définition scolaire : Aristote, *De anima* III, 9, 1, 432 a ; Philon, *Leg. Alleg.* II, 23 ; *Immut.* 41 ; Tertullien, *De anima*, 14-16. Chez Origène, *PArch.* III, 1, 2 s. ; *CCels.* VI, 48. Cette définition convient aussi aux animaux, puisqu'il n'y est pas question de principe rationnel. *CCels.* IV, 85 : le mouvement irrationnel des animaux est distingué de celui des êtres raisonnables. *PEuch.* XXIX, 2 ; *SelPs.* 17, 29 (*PG* 12, 1236) : la partie rationnelle de l'âme est opposée à la partie irrationnelle, désignée dans le second texte par l'irascible et le concupiscible platoniciens. Sur l'âme des bêtes : fragment du *ComPs.* 1 dans *Philoc.* II, 4.

3. Sous l'influence de *Lév.* 17, 14, et d'autres passages similaires (*Lév.* 17, 11 ; *Deut.* 12, 23), l'âme de l'homme était considérée aussi comme formée par le sang : *DialHér.* 10 ; Clément, *Péd.* I, 6, 39. Tel était aussi l'avis de médecins : Galien, *De placitis Hippocratis*, II, 8, 275 Kühn. Origène explique cela par le thème des anthropomorphismes et des cinq sens spirituels (*PArch.* I, 1, 9) ainsi que de la correspondance entre l'homme intérieur et l'homme extérieur : le sang de l'homme extérieur correspond à l'âme de l'homme intérieur en tant qu'ils sont tous deux force vitale : *DialHér.* 16-23 ; *PArch.* III, 4, 2.

4. L'essentiel est la force vitale, qu'elle se trouve dans le sang ou dans une autre sorte de liquide pour les animaux qui n'ont pas de sang rouge, et dans l'âme pour l'homme intérieur. *ComMatth.* XVII, 8 : il y est question du développement vital avant et après l'âge de raison.

5. Photius, *Bibl.* 234, 293 a, à propos de Méthode : « Et Origène dit que l'âme seule est l'homme, comme Platon. » Ce n'est pas faux, car l'essentiel de l'homme est dans l'âme, mais il ne faudrait pas en conclure que pour Origène l'homme pourrait être une âme sans corps, sinon terrestre, du moins éthéré. *PArch.* IV, 2, 7 : « J'appelle maintenant hommes les âmes qui se servent de corps. »

6. Le texte reçu des Septante pour *Lév.* 17, 10, porte : « Je mettrai ma face » (τὸ πρόσωπόν μου), non τὴν ψυχήν μου. De même en hébreu. En *ComRom.* II, 13, ce texte est cité par Rufin d'après Origène avec pareillement *animam* : « et statuam animam meam super animam illam... ». Les deux mots sont signalés par les *Hexaples.*

7. Origène va traiter ce problème en *PArch.* II, 8, 5.

8. Koetschau attribue à ce passage l'accusation rapportée et combattue par l'*Apologie* anonyme lue par Photius (*Bibl.* 117) que l'âme du Christ serait celle d'Adam. Mais on n'en voit de trace ni dans le *PArch.* ni dans le reste de l'œuvre d'Origène, à moins qu'elle ne procède d'une méprise sur l'exégèse allégorique d'Adam et d'Ève, entendus comme les figures de l'âme préexistante du Christ et de son Épouse l'Église de la préexistence, l'ensemble de toutes les intelligences : *ComMatth.* XIV, 17 et le témoignage de SOCRATE, *Hist. Eccl.* III, 7 ; selon un des livres perdus de l'*Apologie* de PAMPHILE, Origène la développait dans le *ComGen.* IX, aujourd'hui disparu. Selon Socrate, Origène n'a pas inventé cette explication, « mais l'a trouvée dans la tradition mystique de l'Église ». En effet cette assimilation de l'âme du Christ à celle d'Adam se lit, selon une ligne de pensée théologique asiatique, dans MÉTHODE, *Banquet*, III, 4, 59-61. Voir A. ORBE, « Homo nuper factus », *Gregorianum*, 46, 1965, p. 489-493.

9. Raisonnement *a fortiori* qui paraît un peu faible, car l'âme du Christ c'est son âme humaine. Le raisonnement qui suit, fondé sur l'affinité qui unit l'âme humaine et l'ange en tant qu'elle est principe de rationalité et de mouvement est meilleur. Mais il suppose que l'on puisse passer avec sécurité d'une définition à la substance définie.

10. Homme animal, c'est-à-dire homme qui se réduit à son âme *(anima)*, ou homme psychique (ψυχή) par opposition à l'homme spirituel ou pneumatique dirigé par l'esprit (*spiritus* = πνεῦμα). Ces passages pauliniens supposant l'âme comme une force de vie inférieure à l'esprit s'opposeraient à l'attribution d'une âme aux anges. A cause de cela, Origène va exposer sa doctrine de l'âme comme ayant été auparavant égale aux anges, avant la chute des créatures raisonnables : maintenant elle ne l'est plus, tout en restant d'une même substance.

11. C'est toute la conception origénienne de la résurrection qui est ainsi résumée : H. CROUZEL, « La doctrine origénienne du corps ressuscité », et aussi « Les critiques adressées par Méthode à la doctrine origénienne du corps ressuscité », *Gregorianum* 53, 1972, p. 679-716.

12. *PArch.* II, 9, 1-2.

13. La citation qui suit semble montrer que *spiritui sancto* désigne plutôt le *pneuma* humain que la troisième personne de la Trinité : J. Dupuis, *L'Esprit de l'homme*, p. 103. Le grec devait porter πνεῦμα ἅγιον sans article comme dans *ComJn* XX, 37 (29), 338 ; mais le latin manquant d'article, la nuance a disparu.

14. Dans l'anthropologie trichotomique d'Origène (J. Dupuis, *L'Esprit de l'homme* ; H. Crouzel, « L'anthropologie d'Origène »), l'esprit *(pneuma)* est la partie la plus haute de l'homme, guide et entraîneur de l'âme, don divin (une certaine participation au Saint Esprit), qui ne fait pas à proprement parler partie de la personnalité dont le siège est l'âme. L'intelligence (νοῦς = *mens*) est la partie supérieure de l'âme, élève de l'esprit, la faculté qui reçoit ce don divin, et dans la préexistence les âmes étaient des νοῖ ; l'âme constitue, nous allons le voir en *PArch.* II, 8, 3, un refroidissement de ce *nous* originaire, par l'adjonction d'une partie inférieure qui correspond dans une certaine mesure à la concupiscence et à l'âme des animaux. Cette distinction, fondamentale chez Origène, du πνεῦμα et du νοῦς a été récemment contestée, faute d'une recherche suffisante, par W. D. Hauschild, *Gottes Geist und der Mensch*, Munich 1972, p. 90-98. Elle se retrouve cependant continuellement dans l'ensemble de l'œuvre d'Origène. Pour ce dernier *I Cor.* 14, 15, a le sens suivant : la prière n'est pas le fait de l'âme tout entière, ici plus ou moins identifiée à sa partie inférieure, mais de sa partie supérieure, l'intelligence, dont l'esprit est l'entraîneur.

15. Le rapprochement de *I Cor.* 14, 15, et de *I Pierre* 1, 9, montre dans l'âme une intelligence (νοῦς) dégradée qui a besoin d'être sauvée.

16. Jérôme, *Lettre* 124, 6 : « *Et in alio loco : ' Vnde cum infinita cautione tractandum est, ne forte cum animae salutem fuerint consecutae, et ad beatam uitam peruenerint, animae esse desistant. Sicut enim uenit Dominus atque Saluator quaerere, et saluum facere quod perierat, ut perditum esse desistat : sic anima quae perierat, et ob cuius salutem uenit Dominus, cum salua facta fuerit, anima esse cessabit. Illud quoque pariter requirendum, utrum sicut perditum aliquando non fuit perditum, et erit tempus quando perditum non erit : sic et anima fuerit aliquando non anima, et fore tempus, quando nequaquam anima perseueret.* ' — Et à un autre endroit : ' C'est pourquoi il faut traiter avec une précaution infinie la question de savoir si peut-être les âmes, lorsqu'elles auront obtenu le salut et seront parvenues à la vie bienheureuse, cesseront d'être des âmes. De même en effet que le Seigneur et Sauveur est venu chercher et sauver ce qui avait péri pour qu'il cesse d'être perdu, de même l'âme qui avait péri et pour le salut de laquelle le Seigneur est venu, cessera d'être une âme quand elle aura été sauvée. Il faut rechercher également si, de même que ce qui est perdu ne l'était pas autrefois, et qu'il y aura un temps où il ne le sera plus, de même l'âme auparavant n'était pas âme et il y aura un temps où elle ne continuera plus à être âme. ' »

Justinien, Mansi IX, 532, fragment introduit par : « Du même livre sur le même sujet » : le fragment précédent est le second fragment de II, 8, 3, qui est placé avant dans le florilège. « ῞Ωσπερ σῶσαι τὸ ἀπολωλὸς ἦλθεν ὁ σωτήρ, ὅτε μέντοι σώζεται τὸ ἀπολωλός, οὐκέτι ἐστὶν ἀπολωλός, οὕτως, εἰ σῶσαι ἦλθε ψυχήν, ὡς σῶσαι τὸ ἀπολωλός, οὐκέτι μένει ψυχὴ ἡ σωθεῖσα ψυχή οὔτε τὸ ἀπολωλὸς ἀπολωλός. ῎Ετι βασανιστέον εἰ, ὥσπερ τὸ ἀπολωλὸς ἦν ὅτε οὐκ ἀπολώλει καὶ ἔσται ποτὲ ὅτε οὐκ ἔσται ἀπολωλός, οὕτω καὶ ἡ ψυχὴ ἦν ὅτε οὐκ ἦν ψυχὴ καὶ ἔσται ὅτε οὐκ ἔσται ψυχή. — De même que le Sauveur est venu sauver ce qui était perdu, quand cependant ce qui était perdu est sauvé, il n'est plus perdu ; de même s'il vient sauver l'âme, comme il est venu sauver ce qui était perdu, l'âme sauvée ne reste plus une âme ni ce qui était perdu perdu. Il faut examiner encore si, de même qu'il fut un temps où ce qui était perdu n'était pas perdu, et qu'il y aura un temps où il ne sera plus perdu, de même il y eut un temps où l'âme n'était pas âme et il y aura un temps où elle ne sera plus âme. »

La correspondance est plus étroite entre Jérôme et Justinien, quoique Rufin dise substantiellement la même chose. La première phrase de Jérôme sur les précautions à prendre pour en parler n'a de correspondance chez aucun des deux autres : elle est cependant très origénienne. Rufin a un peu paraphrasé à son habitude. Cependant, si l'expression « *ex perfectioris partis suae uocabulo nuncupabitur* » est une adjonction de Rufin, elle précise tout à fait le sens d'Origène, au lieu d'obscurcir : on peut se demander si ce ne sont pas les deux autres qui ont omis. Là où Jérôme et Justinien disent : « il faut rechercher *(requirendum)* », « il faut examiner (βασανιστέον) », ce qui indique bien un sujet de discussion, le texte de Rufin éloigne un peu plus encore d'Origène cette question : « *et illud adici posse uidebitur quibusdam* ». D'après les trois textes l'âme exprime une condition transitoire de la créature raisonnable, résultant du péché et destinée à finir avec sa purification : elle était νοῦς, est devenue ψυχή, redeviendra νοῦς.

17. C'est-à-dire νοῦς, *mens*, intelligence, partie supérieure de l'âme.

18. Le plus souvent *Deut.* 4, 24, est appliqué à Dieu consumant le péché pour en purifier l'âme, avec le souci d'éviter une représentation anthropomorphique : voir H. Crouzel, « L'exégèse origénienne de *I Cor.* 3, 11-15 ». Ici Dieu est feu en tant que source de chaleur et de vie.

L'idée se retrouve fréquemment chez Origène, le feu étant appliqué au Christ : ainsi dans de nombreux passages interprétant *Lc* 24, 32, la réflexion des disciples d'Emmaüs (H. Crouzel, *Connaissance*, p. 193 note 4) ; en dépendance aussi de l'agraphon : « Qui est près de moi est près du feu, qui est loin de moi est loin du Royaume. » Cité en latin dans *HomJér.* latine III, 3, et pour la première partie seulement en *HomJos.* IV, 3, on le trouve en grec dans Didyme provenant certainement d'Origène : *Exp. Ps.* 88, 8 : *PG* 39, 1488 D. Ce feu est aussi le Saint Esprit (*HomLév.* IX, 9). Il rappelle le *pneuma* igné qui, pour les stoïciens, constitue le principe vivifiant et unifiant l'univers. Les deux actions du feu sont mentionnées en *HomEx.* XIII, 4 ; Clément, *Eclogae* 26.

19. Ce passage est aussi interprété dans les deux sens : ici et dans *SelPs.* 27, 1 (*PG* 12, 1284) en sens positif, mais les deux sens, lumière pour les bons, châtiment pour les mauvais, sont indiqués dans *HomLc* XXVI, 1 et *ComRom.* X, 14.

20. De même *CCels.* IV, 1, dans un sens punitif. Voir *HomJér.* XX (XIX), 8-9. D'après l'édition Swete de la Septante, les mots ὡς πῦρ ne se trouvent pas en *Jér.* 1, 9, même pas dans l'apparat critique.

21. *SelPs.* 21, 1 (*PG* 12, 1284), fragment reconnu comme authentique par R. Devreesse, *Les anciens commentateurs grecs des psaumes*, *Studi e Testi* 264, Vatican 1970, p. 13 : l'opposition chaud/froid signifie monde divin/monde diabolique. La mer et les fleuves sont le royaume du diable et de la mort : *CCels.* IV, 50 ; *ComMatth.* XIII, 17 ; *HomJér.* XVI, 1 ; *ComJn* I, 17, 96-97 ; VI, 48 (29), 248-250 ; *SelPs.* 4, 3 (*PG* 12, 1140 D), origénien d'après R. Devreesse, *op. cit.*, p. 9. Voir dans la note 28 de *PArch.* I, 8, l'allusion à la « vie aquatique » dans des fragments de Jérôme et de Justinien.

22. Les Grecs considéraient le vent du Nord comme nocif et en attribuaient les effets à des esprits malins : voir dans PAULY-WISSOWA, *Realencyclopädie*, article « Boreas » III, 720 s. La Sagesse dont il s'agit ici est celle de Jésus ben Sirach, l'*Ecclésiastique*, 43, 20 : voir *FragmJn* 74 et 136 (*GCS* IV, p. 541 et 573).

23. Le rapprochement entre ψυχή, « âme », et ψῦχος, ψῦξις, « froid », vient des philosophes : PLATON, *Cratyle*, 399 de ; ARISTOTE, *De anima* I, 2, 405 b ; *SVF* II, 222 s. ; PHILON, *Somn.* I, 31 ; de même TERTULLIEN, *De anima* 25, 6 et 27, 5. Mais cela n'entraînait pas un jugement négatif, que l'on trouve chez les gnostiques dans *Evang. Verit.* 34. La dévaluation de l'âme par Origène découle surtout du rapport esprit-âme, esquissé dans le milieu juif et chez Paul, d'où il serait passé chez les gnostiques : voir M. SIMONETTI, « *Psychè* e *psychikos* nella Gnosi valentiniana », *Rivista di storia e letteratura religiosa* 2, 1966, p. 9 s. Ce qui est dit de l'âme est appliqué, en *HomLév.* IX, 11, à l'homme qui, quand il sera retourné dans la condition primitive ne sera plus homme ; il y a une certaine identité entre l'âme et l'homme, le corps étant secondaire : voir en *PArch.* II, 6, 4, note 25, la comparaison Justinien-Rufin et IV, 2, 7. *HomLév.* IX, 9, revient sur le rapport âme-froid et le sens négatif de froid par rapport à chaud. L'étymologie ψυχή-ψῦχος est reprochée à Origène par ÉPIPHANE dans sa *Lettre à Jean de Jérusalem* (51, 4 dans la correspondance de Jérôme).

24. A cet endroit Koetschau suppose une lacune et insère un passage d'ÉPIPHANE, *Panarion* 64, 4, mais rien n'assure que ce soit une citation explicite : « Ce que dit le prophète : ' Avant d'être humilié j'ai péché ' (*Ps.* 118, 67), la parole divine le dit de l'âme elle-même, comme si elle avait péché en haut dans le ciel avant d'être humiliée dans le corps ; et ce qu'il dit : ' Retourne, mon âme, dans ton repos ' (*Ps.* 114, 7), comme de celui qui a fait le bien ici-bas dans des bonnes actions et qui retourne dans le repos d'en-haut à cause de la justice de ses actions. » Pareillement, dans le *Contra Ioannem Hierosolymitanum* 7, de Jérôme, une des propositions prétendûment origénistes qu'Épiphane veut faire condamner par Jean de Jérusalem : « Secondement, l'affirmation que les âmes sont enchaînées dans ce corps comme dans une prison ; et avant que l'homme soit dans le paradis elles séjournaient au ciel avec les créatures raisonnables. C'est pourquoi dans la suite, pour se consoler, l'âme parle dans les *Psaumes* : ' Avant d'être humiliée j'ai péché ' et ' Retourne, mon âme, dans ton repos. ' » Mêmes citations dans la *Lettre d'Épiphane à Jean de Jérusalem*, 51, 4, de la correspondance de Jérôme.

Rien ne montre qu'Épiphane, pour écrire cela, s'appuyait sur le *PArch.*, et l'insertion de Koetschau est arbitraire. La citation du *Ps.* 118, 67, se trouve dans le *ComÉphés.* de Jérôme inspiré d'Origène et celle du *Ps.* 114, 7, dans le passage que nous expliquons. La théorie de la préexistence et de la chute était aussi présente dans le *ComÉphés.* que Jérôme copie et on la trouve un peu partout dans l'œuvre d'Origène, par exemple dans l'explication de la parabole du Bon Samaritain pour expliquer la descente de Jérusalem à Jéricho (*HomLc* XXXIV ; *HomJos.* VI, 4). Dans la proposition qu'Épiphane veut faire condamner par Jean de Jérusalem, selon Jérôme, un point ne paraît guère conforme à la mentalité d'Origène : le séjour des créatures raisonnables au ciel précéderait le séjour d'Adam au Paradis, qui serait donc à situer après la chute ! Or pour Origène, Adam et Ève sont les symboles du Christ-homme préexistant et de son épouse l'Église de la préexistence (note 8), et le Paradis du ciel où vivaient les intelligences. Il faut cependant remarquer, mais cela ne rend pas Épiphane plus conséquent, que certains textes d'Origène acceptent l'existence d'un « Paradis sensible », donc reconnaîtraient une certaine historicité aux trois premiers chapitres de la Genèse : voir *P Arch.* II, 11, 6 (quant au fragment cité par Rauer sur un « Paradis sensible », voir la note correspondante 43). Origène veut supprimer toute explication anthropomorphique du texte, mais ne refuse pas toute réalité. Bel exemple de la compatibilité entre l'allégorisation d'un récit et la croyance en son historicité !

25. *PArch.* II, 3, 2 ; II, 8, 4 ; sur les trois sortes de morts voir note 11 de *PArch.* II, 3.

26. Justinien, Mansi, 529, fragment introduit : « Du livre second du *Peri Archon* : « Παρὰ τὴν ἀπόπτωσιν καὶ τὴν ψύξιν τὴν ἀπὸ τοῦ ζῆν τῷ πνεύματι γέγονεν ἡ νῦν λεγομένη ψυχή, οὖσα καὶ δεκτικὴ τῆς ἐπανόδου τῆς ἐφ' ὅπερ ἦν ἐν ἀρχῇ · ὅπερ νομίζω λέγεσθαι ὑπὸ τοῦ προφήτου ἐν τῷ ἐπίστρεψον, ψυχή μου, εἰς τὴν ἀνάπαυσίν σου · ὥστε ὅλον τοῦτο εἶναι νοῦς. — A cause de sa chute et de son refroidissement qui l'ont fait déchoir de la vie dans l'esprit, s'est formé ce qui est maintenant appelé âme, étant cependant susceptible de revenir à ce qu'elle était au début ; cela, je pense que le prophète le dit en ces termes : Retourne, mon âme, à ton repos (*Ps.* 114, 7). Et alors elle redevient tout entière intelligence. » Le dernier membre de phrase : « Comment (l'intelligence) est devenue âme et l'âme corrigée devient intelligence » est mis par E. Schwartz (*Acta Conciliorum Oecumenicorum* III, p. 208-213) dans le titre. Ce fragment concorde avec Rufin qui est un peu plus développé.

27. Sur la rédintégration de l'âme dans l'état primitif d'intelligence : *ExhMart.* 12 ; *PEuch.* IX, 2 ; *PArch.* II 11, 7. Sur le péché de l'âme *ComJn* XX, 19 (17), 160-162.

A cet endroit, P. Koetschau suppose encore une grande lacune et, avant d'y insérer le fragment de Jérôme que nous allons reproduire plus bas, il la remplit par les anathématismes II à VI du Ve concile œcuménique, Constantinople II, de 553 (et non de 543 comme l'écrit Koetschau suivant A. et G. L. Hahn, *Bibliothek der Symbole*, p. 127, car les anathématismes de 543 sont ceux qui terminent la *Lettre à Ménas* de Justinien). Les anathématismes de

553, qui ne figurent pas dans les Actes officiels de Constantinople II, ont été découverts en 1672, par P. Lambeck, dans un manuscrit viennois et correspondent point par point à une *Lettre au Saint Synode* de Justinien conservée à la fois par Georges le Pécheur ou le Moine et par Georges Kédrénos : ils ont été vraisemblablement discutés avant l'ouverture officielle du Ve concile œcuménique, suivant l'hypothèse de Fr. Diekamp, *Die origenistischen Streitigkeiten*. Or : 1) Les anathématismes de 553 visent explicitement non Origène, mais les moines origénistes palestiniens du VIe siècle, les isochristes, comme l'indiquent clairement le début de la lettre impériale à laquelle ils correspondent et le pluriel « ils disent » constamment répété. 2) Ils reproduisent, parfois littéralement, la doctrine d'Évagre le Pontique, en qui se résume l'origénisme du IVe siècle, dans ses *Kephalaia Gnostica* : voir A. Guillaumont, *Les Kephalaia Gnostica*, p. 143 s. ; ce ne sont donc pas des textes d'Origène qui puissent combler une lacune de Rufin. 3) Koetschau croit à une grande lacune parce que Jérôme lie le fragment qui va suivre avec le précédent, inséré au début de *PArch.* II, 8, 3 (note 16), par ces mots : « Et après avoir beaucoup parlé de l'âme », et Koetschau juge insuffisamment longs les développements rufiniens qui séparent les deux fragments. En outre, Origène annonce à la fin de II, 8, 2, qu'il discutera dans le détail les raisons des imperfections de l'âme et Koetschau ne trouve pas ce développement dans le chapitre II, 8. En ce qui concerne cette seconde raison, on peut répondre qu'il se trouve en II, 9, qui primitivement, selon la division de Photius que nous avons rétablie, formait un seul traité avec II, 8 : et c'est à cette discussion que se réfère II, 8, 2. La phrase de Jérôme rapportée plus haut n'oblige pas à croire qu'Origène aurait traité plus longuement ce sujet qu'il ne le fait. C'est pourquoi la lacune supposée doit se réduire au fragment de Jérôme qui suit. Voir à ce sujet M. Simonetti, « Osservazioni », p. 375, note 1.

JÉRÔME, *Lettre* 124, 6 : « *Et post multum de anima tractatum, hoc intulit : νοῦς, id est mens corruens, facta est anima, et rursum anima instructa uirtutibus mens fiet. Quod et de anima Esau scrutantes possumus inuenire, propter antiqua peccata eum in deteriori uita esse damnatum. Et de caelestibus requirendum est, quod non eo tempore quo factus est mundus, solis anima (uel quodcumque eam appellari oportet), esse coeperit, sed antequam lucens illud et ardens corpus intraret. De luna et stellis similiter sentiamus, quod ex causis praecedentibus, licet inuitae, conpulsae sint subici uanitati, ob praemia futurorum, non suam facere, sed creatoris uoluntatem, a quo in haec officia distributae sunt.* — Le νοῦς, c'est-à-dire l'intelligence, en tombant a été fait âme, et de nouveau l'âme éduquée par les vertus deviendra intelligence. Nous pouvons trouver cela en examinant ce qui est dit de l'âme d'Ésaü : pour des péchés anciens, il a été condamné à une vie inférieure. A propos des êtres célestes il faut rechercher si l'âme du soleil — de quelque nom qu'il faille l'appeler — aurait commencé à être, non au temps où le monde a été fait, mais avant d'entrer dans ce corps brillant et brûlant. Il faut penser pareillement de la lune et des étoiles que, par suite de causes antécédentes, et cependant malgré elles, elles ont été contraintes de se soumettre à la vanité (*Rom.* 8, 20), pour l'avantage de ceux qui viendraient, et à ne pas faire leur volonté, mais celle du Créateur, par qui ces offices leur ont été attribués. »

Jérôme présente ce passage comme une citation. On ne trouve pas de trace dans Rufin des exemples qu'il donne, du moins ici, c'est-à-dire de la préexistence de l'âme d'Ésaü, de celles du soleil, de la lune et des étoiles. On peut donc admettre que ce passage a été omis par Rufin, soit pour éviter des répétitions — il en est question plusieurs fois ailleurs —, soit pour ne pas choquer le lecteur latin. Pour l'exemple d'Ésaü, voir *PArch.* I, 7, 4 ; *PEuch.* V, 4 ; pour celui du soleil, de la lune et des étoiles, *PArch.* I, 7, 5 ; II, 9, 7, etc.

28. Expressions analogues : *PArch.* I, 6, 1 ; I, 8, 4 ; II, 3, 7 ; II, 6, 7. La préexistence des âmes est présentée comme hypothèse. Sur ces formules, voir Kettler, *Der ursprüngliche Sinn*, p. 20-21 ; mais il n'y a pas de raison de ne pas les prendre au sérieux.

29. Sur *Jn* 13, 21, « Jésus fut troublé en esprit », et la difficulté que ce texte pose, voir *ComJn* XXXII, 18 (11), 218-228 : dans le juste, à plus forte raison dans le Christ, l'esprit a rendu l'âme complètement spirituelle, l'assimilant à lui, aussi il souffre ce qu'elle souffre.

30. C'est la trichotomie esprit-âme-corps de *I Thess.* 5, 23, habituelle chez Origène, avec, au lieu du corps, la chair, qui représente la partie inférieure de l'âme, tirant l'âme vers le corps : elle est aussi appelée selon *Rom.* 8, 6-7, φρόνημα τῆς σαρκός, la « pensée de la chair », mot traduit par Rufin en *sensus carnis* ou *sensus carnalis* (*HomPs.* 37, I, 2). L'âme, siège du libre arbitre, est placée entre l'esprit vers lequel l'attire sa partie supérieure, l'intelligence, et qui la pousse au bien, et le corps vers lequel l'attire sa partie inférieure, la « pensée de la chair », et qui la pousse au mal : *PArch.* III, 4, 2-3 ; *ComJn* XXXII, 18 (11), 218-228 ; *ComMatth.* XIII, 2 ; *SerMatth.* 37 ; *DialHér.* 6 ; cf. H. Crouzel, « L'anthropologie ». Cette conception se trouve chez Tatien, *Ad Graecos* 13 ; et dans la gnose : *Apocryphon Joannis* 65 s. ; *Évang. Phil.* 115, 118 ; Irénée, *Adv. Haer.* I, 6, 1, Massuet ; *Exc. ex Theod.* 56. Il y a chez Origène un contraste entre le schéma ternaire en question et le schéma binaire âme-corps, résultant des spéculations sur la préexistence et la chute (*PArch.* III, 4, 2 ; *ComJn* XX, 22 (20), 182-183). Mais, pour Origène, l'esprit n'est pas à proprement parler une composante de l'homme, c'est un don divin (*ComJn* II, 21 (15), 138) qui représente d'une certaine façon la grâce sanctifiante ; d'une certaine façon seulement, car il n'est ôté qu'au damné : *PArch.* II, 10, 7 ; *SerMatth.* 62 ; *ComRom.* II, 9, trois textes interprétant ainsi le διχοτομήσει de *Lc* 12, 46, et *Matth.* 24, 51. Chez le pécheur il reste seulement en sommeil, d'après *Éphés.* 5, 14 : *FragmÉphés.* XXVI (*JTS* III, p. 563) ; *FragmPs.* 107, 3 (Cadiou 95) ; *HomGen.* XV, 2-3 ; *HomIs.* VI, 5. Cependant des textes semblent dire que l'esprit peut pécher (*HomÉz.* VII, 10 ; *ComRom.* VII, 6) et qu'il a besoin d'être sauvé par le Christ : *DialHér.* 7. *CCels.* IV, 40 et VI, 43, montrent l'influence exercée sur Origène par l'image platonicienne de la perte par l'âme de ses ailes dans *Phèdre* 246 c. Voir encore *PArch.* II, 10, 7 ; III, 4, 2. D'une autre façon encore, une structure binaire se trouve sous le schéma ternaire : l'âme étant composée d'une partie supérieure, qui est l'élève de l'esprit, et d'une partie inférieure, qui tend vers le corps, est donc traversée par une ligne de démarcation séparant le couple esprit-intelligence du couple corps-pensée de la chair. Et c'est pourquoi elle est le siège du libre arbitre et le champ clos où se livre le combat spirituel.

31. Comme l'indique le début de *PArch.* II, 9, 1, II, 8, 5 est une sorte de digression sur une question particulière.

32. *HomGen.* III, 2. Origène interprète fréquemment de la sorte les anthropomorphismes scripturaires, désignant les membres du corps ou les passions attribués à Dieu, contre les anthropomorphites, parmi lesquels il compte Méliton de Sardes (*SelGen.* 1, 26, *PG* 12, 93) : voir *ComJn* XIII, 22, 131 ; *PArch.* I, 1, 1. Les membres de Dieu sont ses vertus : *Fragm. I Rois (I Sam.)*, *PG* 12, 992.

33. *PArch.* I, 2, 10 ; I, 3, 5-6.

34. *PEuch.* XXIII, 3, citant *Gen.* 3, 8.

35. De même que l'âme est médiatrice entre l'esprit et le corps, donc inférieure à l'esprit, de même le Fils, médiateur entre Dieu et le monde est subordonné au Père ; mais puisqu'il s'agit de la descente du Fils sur terre, analogue à celle qu'ont accomplie les âmes dans leur chute

— elle est figurée par le Jourdain, « celui qui descend » : *ComJn* VI, 42 (25), 217 — cette infériorité est liée à l'Incarnation dans l'exemple donné. D'autres âmes aussi, bien qu'exemptes de faute, sont descendues pour aider à la purification des autres : tel est le cas de Jean-Baptiste, Paul, Daniel, Ézéchiel, etc. ; voir *PArch.* I, 7, 5 et note 35 correspondante, avec les références qui y sont indiquées.

36. Interprétation analogique ; on ne sait d'où elle vient.

37. *PArch.* II, 8, 4.

38. Sur cette finale : KETTLER, *Der ursprüngliche Sinn*, p. 21.

Peri Archon II, 9

1. La digression qui coupe le fil du développement est II, 8, 5. Avant d'avoir vu cela, M. SIMONETTI avait englobé tout II, 8, dans la digression : « Osservazioni », p. 375-377.

2. JUSTINIEN, Mansi 489 et 525. Le passage qui suit se trouve dans le corps même de la *Lettre à Ménas* et une partie est reprise dans le florilège qui la suit. Dans la lettre il est ainsi introduit : « Et il (= Origène) ajoute à ses blasphèmes ce qui suit dans le premier tome sur les Principes suivant ses termes eux-mêmes. » La lettre renvoie donc au premier tome, mais l'introduction du fragment du florilège plus justement au second : « La puissance de Dieu le Père est limitée, d'après le second tome du même livre. »

Voici le texte de la Lettre, le plus complet : (εἰπὼν οὕτως ·) ἐν τῇ ἐπινοουμένῃ ἀρχῇ τοσοῦτον ἀριθμὸν τῷ βουλήματι αὐτοῦ ὑποστῆσαι τὸν θεὸν νοερῶν οὐσιῶν, ὅσον ἠδύνατο διαρκέσαι · πεπερασμένην γὰρ εἶναι καὶ τὴν τοῦ θεοῦ δύναμιν λεκτέον, καὶ μὴ προφάσει εὐφημίας τὴν περιγραφὴν αὐτῆς περιαιρετέον. Ἐὰν γὰρ ᾖ ἄπειρος ἡ θεία δύναμις, ἀνάγκη αὐτὴν μηδὲ ἑαυτὴν νοεῖν · τῇ γὰρ φύσει τὸ ἄπειρον ἀπερίληπτον. Πεποίηκε τοίνυν τοσαῦτα, ὅσον ἠδύνατο περιδράξασθαι καὶ ἔχειν ὑπὸ χεῖρα καὶ συγκρατεῖν ὑπὸ τὴν ἑαυτοῦ πρόνοιαν · ὥσπερ καὶ τοσαύτην ὕλην κατεσκεύασεν, ὅσην ἠδύνατο διακοσμῆσαι. — (disant ainsi) que dans le début, tel qu'on se le représente, Dieu a donné l'existence par sa volonté à un nombre d'essences intelligentes tel qu'il pouvait y suffire. Car il faut dire que la puissance de Dieu elle-même est limitée et il ne faut pas sous prétexte de bien parler d'elle supprimer ses limites. Car si la puissance de Dieu était infinie, elle ne pourrait même pas se comprendre elle-même : car l'infini est par nature inconcevable. Il a créé par conséquent autant d'êtres qu'il pouvait en embrasser, les avoir sous la main et les maintenir sous sa providence ; et il a fabriqué pareillement autant de matière qu'il pouvait en ordonner. »

La première phrase est-elle citation explicite ou résumé ou explication ? En effet, 1) c'est une proposition infinitive gouvernée par εἰπών, « disant ainsi », à la fin de la phrase qui introduit la citation. 2) Elle ne figure pas dans le fragment du florilège qui omet aussi la phrase : « ἐὰν γὰρ ... ἑαυτὴν νοεῖν — Car si la puissance de Dieu... se comprendre elle-même ». Mais cette seconde omission est alors signalée par « καὶ μετ' ὀλίγα — et peu après ». Ce fragment est considéré par P. Koetschau, p. cxiii, et G. Bardy, *Recherches*, p. 71, comme lacuneux et à compléter par Rufin dont, selon eux, la traduction serait exacte, le fragment ayant été écourté par le scribe impérial ou l'excerpteur palestinien.

La même opinion est rapportée par Théophile d'Alexandrie, *Lettre* 98, 7 de la correspondance de Jérôme, et Rufin le Syrien, *De Fide* 17. Rufin d'Aquilée a peut-être atténué quelques expressions sur la finitude de la puissance divine, mais Justinien, selon Koetschau lui-même, a dû laisser de côté des parties du texte original conservées par Rufin. Jusqu'à quel endroit du texte rufinien va la fin du fragment de Justinien ? Selon

Koetschau jusqu'à « *inconpraehensibile erit* » (ligne 16). Mais la dernière phrase de Justinien trouve dans Rufin sa traduction un peu plus loin : de « *ut tantae sint* » (ligne 19) jusqu'à « *sufficere* » (ligne 23). On ne peut douter de l'authenticité origénienne de la citation de *Sag.* 11, 20. Il y a donc une lacune chez Justinien avant la dernière phrase et elle va de « *Porro autem* » (ligne 16) à « *mentibus* » (ligne 19).

L'idée développée revient en *PArch.* IV, 4, 8, et l'incompréhensibilité de ce qui est infini en III, 5, 2. Le concept d'infini n'est pas toujours considéré négativement par les Grecs (cf. R. MONDOLFO, *L'infinito nel pensiero dei Greci*, Florence 1934) : il l'est cependant la plupart du temps. Le vide est infini, de même que la matière en tant qu'elle est désordonnée, inintelligible, source du mal, pure puissance : PLATON, *Timée* 49 s. ; ARISTOTE, *Physica* III, 6, 206 ; PLUTARQUE, *De defectu oraculorum* 34 : NOUMÉNIOS selon EUSÈBE, *Prép. Évang.* XV, 17. Plotin valorisera au contraire l'idée de l'infinité de Dieu comprise comme plénitude et non comme privation d'être. Origène reste dans l'opinion hellénique : la finitude de la puissance de Dieu est exigée par sa perfection même ; cf. Ch. BIGG, *The Christian Platonists*, p. 159 note 2.

Faut-il voir un changement d'opinion dans *PEuch.* XXVII, 16, écrit plus de dix ans plus tard ? Il y est question d'un nombre considérable de siècles futurs : « Celui qui prie aujourd'hui Dieu qui est d'infinis en infini (ἐξ ἀπείρων ἐπ' ἄπειρον), non seulement pour aujourd'hui, mais encore en quelque façon pour chaque jour... ». Y a-t-il là une prise de conscience plus forte de l'infinité de Dieu ? Mais en fait il s'agit plutôt d'éternité.

3. *PArch.* II, 3, 6 ; *CCels.* VI, 59.

4. On ne voit pas pourquoi Fr. H. KETTLER, *Der ursprüngliche Sinn*, p. 23 note 102, conteste l'authenticité de cette phrase en disant qu'Origène limite la création *ex nihilo* au monde de la matière. Évidemment ce passage affirme clairement que les créatures raisonnables, non seulement ont été créées, mais encore l'ont été dans le temps, ont eu un commencement, ce qui empêche de faire d'elles, opinion pourtant fortement répandue, l'objet de cette création de toute éternité qu'Origène applique en réalité au monde intelligible des idées ou raisons : voir *PArch.* I, 2, 10 et la note correspondante 58, I, 4, 3-5 et le commentaire correspondant. Pour la création *ex nihilo* : I, 3, 3 et le commentaire correspondant, ainsi que la note 12 de la préface d'Origène. Pour le caractère accidentel des créatures opposé au caractère substantiel de la divinité, voir la note 69 de *PArch.* I, 2 : de même *Hom. I Rois (I Sam.)* I, 11. Notre être est un don de la grâce divine : *ComRom.* IV, 5 ou *FragmRom.* (Scherer, p. 204) ; *ComRom.* VI, 5 ; X, 38. Le « bienfait » du créateur s'identifie à la grâce. Sur la mutabilité inhérente aux créatures raisonnables : *PArch.* I, 5, 5 ; I, 6, 2 ; I, 8, 3.

5. *PArch.* I, 3, 6 ; I, 5, 2 ; I, 7, 2 ; I, 8, 3.

6. *PArch.* I, 3, 8 ; II, 6, 3 ; III, 6, 1.

7. Voir le commentaire de *PArch.* I, 3, 8, sur la négligence entraînant le dégoût et la satiété, note correspondante 54. De même *PArch.* I, 4, 1 ; *ComMatth.* XI, 17 ; *CCels.* VI, 44 ; *PEuch.* XXIX, 13.

8. Cette conception platonicienne domine la cosmologie et l'anthropologie d'Origène : *ComJn* II, 13 (7), 91-99.

9. C'est un des rares passages du *PArch.* qui laisserait supposer que la chute a atteint toutes les créatures raisonnables. Mais il ne considère pas l'exception certaine que constitue l'âme du Christ et peut-être ne prend-il en considération que celles qui sont effectivement tombées.

10. *PArch.* II, 1, 1 s.

11. *CCels.* IV, 70 ; *HomNombr.* XIV, 2 ; THÉOPHILE D'ALEXANDRIE, *Lettre* 98, 10, de la correspondance de Jérôme.

12. *PArch.* II, 3, 4 s. Sur l'unité du monde : *PArch.* II, 3, 6 et son commentaire.

13. En *PArch.* IV, 3, 10, Rufin traduit par *inferus* le χωρίον ᾅδου désignant ce que l'Ancien Testament nomme le Schéol. Pour TERTULLIEN, *inferi* désigne le lieu où séjournent les âmes avant la résurrection, heureuses ou malheureuses selon les cas : « *nunc animas torqueri fouerique penes inferos* » (*Resurr.* XVII, 2), car seuls les martyrs sont admis près du Seigneur au Paradis (*ibid.* XLIII, 4). Notre « enfer » est dit par lui *gehenna.* Nous traduisons donc ici *inferi* par Hadès, le terme néotestamentaire, pour éviter toute confusion avec l'*enfer.*

14. Le lieu supracéleste est distingué des cieux visibles en *CCels.* V, 4 et *PArch.* II, 3, 6 (voir commentaire). Origène considère donc que ces esprits ont des corps plus lumineux : il ne s'agit pas là des astres, mais des bienheureux, car *I Cor.* 15, 41, n'est chez Paul qu'une comparaison pour les degrés qui existent entre les ressuscités et il en est de même ici. Voir *CCels.* III, 42 ; III, 80 ; VI, 56.

15. La différence de condition où naissent et vivent les hommes était utilisée par les gnostiques en faveur de leur doctrine ; c'est un des motifs essentiels de la solution proposée contre eux par Origène : voir Introd. V, 3° ; de même *CCels.* III, 39.

16. *PArch.* I, 8, 1.

17. Parce que leur création est intervenue après la chute des êtres raisonnables et aussi parce que leur importance devant Dieu est inférieure et subordonnée à celle des hommes ; voir la discussion d'Origène avec Celse :

CCels. IV, 74-99 ; de même IV, 29. Ainsi *CCels.* IV, 74 : « Les êtres raisonnables qui sont les créatures principales jouent le rôle des enfants mis au monde, les êtres sans raison et les inanimés celui du placenta créé avec l'embryon » : l'image est de Chrysippe selon PLUTARQUE, *Platonicae quaestiones* 1000 f (édition Borret du *CCels.*, *SC* 136).

18. *PArch.* I, 2, 10 et commentaire ; de même I, 2, 2.

19. Pour la finale de *Jn* 1, 3, voir note 64 de *PArch.* I, 2.

20. La foi en la providence n'était pas le propre des premiers auteurs chrétiens, Justin, Irénée ou Clément : on la trouve chez bien des philosophes du temps.

21. Entre « *nisi ipsum uerbum* » (ligne 116) et « *aperiri* » (ligne 122), SCHNITZER, p. 141-142 en note, pense trouver une interpolation rufinienne à cause du ton déclamatoire. Mais ce genre de prière est fréquent chez Origène, non seulement dans les homélies, mais dans les commentaires : ainsi l'invitation à prier pour comprendre adressée à Ambroise en *ComJn* XX, 1, 1. Le passage présent est très proche par les idées et les termes de la finale de la lettre adressée à Grégoire le Thaumaturge (*Philoc.* XIII, 4), notamment l'expression « frapper à la porte ». Ce passage est très origénien. Rufin cependant y a mis sa marque. On y distingue en effet, selon G. BARDY, *Recherches*, p. 129, des réminiscences de textes liturgiques. Ainsi dans le canon de la messe : « *Supplices rogamus* » (*Sacramentarium Gregorianum*, 1, 27, éd. Lietzmann, p. 3) ou encore une des oraisons du Vendredi Saint : « *Cunctis mundum purget erroribus, morbos auferat, famem depellat, aperiat carceres*, etc. » (*ibid.*, 79, 11, p. 48). Bardy renvoie encore à CYPRIEN, *Ad Donatum* 4 et à PRISCILLIEN, *Tract.* XI.

22. Sur le Christ Illuminateur : *ComJn* I, 25 (24) s., 158 s. ; XIII, 42, 279 ; *CCels.* II, 71 ; III, 61 ; V, 1 ;

VI, 65-66 ; *ComMatth.* XVI, 11. Sur demander et recevoir : *PEuch.* X, 2 ; *CCels.* VI, 7 ; *Lettre à Grégoire, Philoc.* XIII, 4.

23. Origène prend beaucoup de précautions pour parler de la chute des âmes dans les corps : *CCels.* IV, 40 ; V, 29 ; *HomGen.* XV, 5.

24. Non parce que les cas individuels échappent à la providence, mais parce que leur recherche dépasse notre faiblesse. La connaissance de l'individuel n'est pas pour ce temps-ci, mais pour l'eschatologie (*PArch.* II, 11, 5). Il n'y a de science que du général, disons-nous encore.

25. *PArch.* II, 5. La doctrine des natures est valentinienne : Basilide s'en approche, mais on ne voit pas qu'elle ait été professée par Marcion ; de même est étrangère à Marcion la mythologie gnostique que lui reproche, ainsi qu'à Valentin et Basilide, le fragment du *ComTite* (*PG* 14, 1303). En fait il s'agit ici non des trois hérésiarques, mais de leurs disciples, et le marcionisme des disciples était plus proche que celui de Marcion du gnosticisme proprement dit (A. v. Harnack, *Marcion*, *TU* XLV, p. 166-167).

26. Il s'agit de l'ordre angélique des Trônes.

27. *CCels.* V, 27, avec à peu près les mêmes exemples. De même V, 34, qui rapporte un passage d'Hérodote, cité par Celse. Sur la croyance en l'existence de races inférieures, voir R. Cadiou, *La Jeunesse d'Origène*, p. 308-309. Même problématique dans les *Récognitions* pseudo-clémentines VIII, 55.

28. Voir l'*Iphigénie en Tauride* d'Euripide : la Tauride est l'actuelle Crimée. Cf. *CCels.* V, 27 ; V, 34.

29. Ou plutôt, d'après les gnostiques, il est l'œuvre d'un Démiurge aveugle et ignorant, créateur d'un monde sans liberté. Origène veut maintenir la justice et la bonté divines : voir P. NEMESHEGYI, *La paternité*, p. 111 s.

30. *PArch.* II, 5, 2 : si on interprète l'Écriture de façon uniquement littérale et l'histoire superficiellement, le créateur n'est même pas juste, il est mauvais.

31. *PArch.* II, 4, 5.

32. Voir les passages qui distinguent le ciel du firmament, la terre de l'aride (*PArch.* II, 3, 6 et II, 9, 1) et ceux qui, à la suite de PHILON (*Opif.* 134 ; *Leg. Alleg.* I, 31 s.), parlent d'une double création de l'homme, celle de l'homme raisonnable selon l'image (*Gen.* 1, 26-27), celle de l'homme corporel à partir du limon (*Gen.* 2, 7) : *ComGen.* I, 13-15 ; *ComCant.* prol. (*GCS* VIII, p. 63) ; *HomJér.* I, 10 ; *DialHér.* 12 ; *ComJn* XX, 22 (20), 182-183. Au sujet de l'interférence entre *Gen.* 2, 7 et 3, 21 (tuniques de peau), voir la note 7 de *PArch.* II, 2. La bonté de Dieu est cause de la création du monde pour les platoniciens de toute époque à partir de *Timée* 29 e.

33. *PArch.* I, 5, 3 ; I, 7, 2 ; I, 8, 3 ; II, 1, 2 ; III, 1, 3 s.

34. Contrastant avec ce qui est dit en II, 9, 2 (note 9), Origène affirme ici que certaines créatures ont progressé selon l'imitation de Dieu (*PArch.* IV, 4, 4) après leur création selon l'image (III, 6, 1) : il semble donc qu'elles n'aient pas participé à la chute. Il est trop simple d'expliquer cela comme une interpolation rufinienne.

35. Cette explication, déjà plusieurs fois donnée, reçoit du contexte une forte accentuation antignostique : avec tout ce qu'il y a de bon et de moins bon, Dieu a fait un monde unique et harmonieux.

36. *PArch.* I, 7, 4. L'interprétation origénienne de *Rom.* 9, 11-13, n'est guère conforme à la pensée paulinienne. Dieu ne peut être injuste : donc si on trouve ici-bas une injustice dont l'homme n'est pas responsable, on ne peut résoudre la difficulté qu'en rapportant cette apparente injustice à un acte de justice de Dieu antérieur à la création du monde. La polémique contre les gnostiques empêchait Origène de chercher refuge dans le caractère incompréhensible de la volonté divine : étant donné la violence de leur propagande, cela aurait été déserter le combat. C'est pourquoi, tout en affirmant constamment que Dieu seul peut l'expliquer, il ne renonce pas à hasarder une explication qui puisse repousser les attaques gnostiques. On ne peut la juger avec justice sans tenir compte des circonstances historiques : RUFIN le souligne avec raison contre Jérôme (*Apol. c. Hieron.* II, 12).

37. Toujours les gnostiques.

38. Ici Origène tend à voir dans les astres des êtres vivants et raisonnables, conformément aux philosophies platonicienne (*Timée* 40 b, *Epinomis* 981 e), aristotélicienne (*De caelo* 2, 12, 292 a), stoïcienne (*SVF* II, p. 200). De même *PArch.* I, 7, 2. Mais certains passages laissent la question ouverte : *PArch.* I, préf. 10 ; II, 11, 7 ; *CCels.* V, 10 ; *ComJn* I, 35 (40), 257.

39. Il s'agit encore de mérites, non de démérites, des créatures raisonnables : certes, *meritum* a les deux sens, mais les expressions qui accompagnent ici ce mot lui donnent une signification positive : « *pro meriti dignitate* » (ligne 245), « *plus uel minus ... meriti* » (lignes 249-250), « *melioribus meritis* » (ligne 251). Il n'y a donc pas à supposer que la chute ait été universelle : note 35 de *PArch.* I, 7. Outre les textes qui y sont cités, certains autres voient dans des personnages de l'ancienne alliance des anges qui se sont incarnés pour aider le salut des hommes : *ComJn* II, 29 (24), 176-179 (Jean Baptiste et Isaïe) ; II, 31 (25), 186-192 (Jean Baptiste et patriarches). Outre *ComÉphés.* I, sur *Éphés.* 1, 4, inspiré directement d'Origène, JÉRÔME rappelle souvent cette doctrine :

Lettre 73, 2 (à propos d'une homélie sur Melchisédech où Origène soutenait que c'était un ange) ; *ComAggée* I sur 1, 13 (Jean Baptiste, Aggée et Malachie) ; *ComMal.* prol. (Malachie). *Rom.* 8, 20 est appliqué aux astres soumis contre leur volonté à la condition corporelle pour le service des hommes, non nécessairement comme une punition mais comme un devoir imposé : *PArch.* I, 7, 5 ; II, 8, 3 ; III, 5, 4 ; *ComRom.* VII, 4.

40. Le Christ d'Origène a les fonctions des deux puissances de PHILON, la créatrice et la royale qui gouverne le monde : *Abr.* 121 ; *Fug.* 100. Voir *ComJn* I, 28 (30), 191 s.

41. *HomJér.* VI, 2.

42. Dans l'harmonie du monde origénien, les êtres raisonnables occupent des lieux déterminés suivant les catégories où les a placés leur libre arbitre : il y a une interdépendance étroite entre la situation topographique et la situation spirituelle : *HomJér.* VIII, 2.

43. *PArch.* II, 10, 4 s.

44. Voir *HomNombr.* XIV, 2.

45. Raisonnement analogique fondé sur le principe que la fin est semblable au commencement : *PArch.* I, 6, 2.

46. *HomLév.* IX, 8.

Cinquième traité (II, 10-11)

Nous retrouvons le problème de la fin, déjà abordé sous une autre forme dans *PArch.* I, 6, où il s'agissait des créatures en général, et en II, 3, à propos de l'état de la matière et des corps : ici il est question de l'homme et Origène suit de plus près la règle de foi, qui enseigne la résurrection du corps et la rétribution.

Une première section traite donc de la résurrection (II, 10, 1-3). La foi de l'Église en ce dogme provoque le scandale des hérétiques parce qu'ils la comprennent mal, suivant l'opinion qu'en ont les simples. Le terme de résurrection ne peut concerner que le corps, car c'est lui qui meurt : c'est donc lui qui doit ressusciter, non un autre corps qui serait créé à ce moment. A la résurrection, il aura abandonné la corruption et la mortalité (1). Origène argumente d'abord contre les hérétiques : tout corps a un σχῆμα *(schema)* ou une ἕξις *(habitus)*, c'est-à-dire se trouve dans un certain état. Cet état est différent suivant les corps, comme le montre *I Cor.* 15, 39-42, qui décrit ainsi de façon analogique des différences de gloire entre les corps ressuscités (2). Puis Origène se tourne vers les représentations matérialistes des « simples », pour qui le corps glorieux sera formé de la même matière que le corps terrestre. Ils ne comprennent pas ce que dit l'apôtre de la différence du corps animal et du corps spirituel : il y aura un changement et nous ne serons plus empêtrés dans les passions provenant de la chair et du sang. De même que du grain de blé sort la plante, par la vertu de la raison séminale qui est le principe du développement des corps vivants, de même la raison séminale présente dans le corps terrestre fera ressurgir le corps glorieux après qu'il sera mort comme le grain de blé dans la terre. Mais ce corps spirituel sera doué des qualités qui lui permettront de vivre dans les cieux ou, s'il s'agit des mauvais, de supporter les supplices sans être corrompu (3).

Ce bref exposé avait été précédé par un *Traité de la Résurrection* en deux tomes, dont il reste des fragments, et Origène avait de même consacré à ce sujet un développement dans le *Commentaire sur le Psaume* 1, développement conservé par Méthode (*Aglaophon ou De la Résurrection* I, 20-24) et par Épiphane (*Panarion* 64, 10 et 12-16). Il reviendra sur ce sujet souvent dans la suite, notamment dans le *CCels.* Sa conception, très remarquable, trop peut-être pour son époque et même pour les siècles qui suivront, visait à maintenir entre le corps terrestre et le corps glorieux à la fois l'identité et l'altérité qu'il y a entre le grain et la plante : voir H. Crouzel, « La doctrine origénienne du corps ressuscité ». Mal comprise par ses adversaires, Méthode, Épiphane, Théophile, Jérôme et Justinien, elle sera une des principales cibles des querelles origénistes. Voir H. Crouzel, « Les critiques adressées par Méthode et ses contemporains à la doctrine origénienne du corps ressuscité », *Gregorianum* 53, 1972, p. 679-716.

Une seconde section (II, 10, 4-8) concerne les châtiments. Le feu éternel est un feu que l'homme s'allume à lui-même par ses péchés et par les remords qu'ils causent (4). On peut en avoir une idée par tout ce que les hommes ici-bas peuvent souffrir des passions auxquelles ils se sont livrés et aussi par la perte de l'harmonie intérieure de l'âme (5). Dieu agit souvent comme le médecin qui n'hésite pas à faire souffrir pour guérir, comme le montre l'Écriture (6). Une autre image est employée par l'Évangile (*Lc* 12, 46 ; *Matth.* 24, 51) : le mauvais intendant surpris par le maître en train d'abuser de son autorité. Ce dernier à son retour le « coupera en deux » (διχοτομήσει) et mettra une partie de lui avec les infidèles. Trois explications sont données : séparation entre le *pneuma*, le don divin, et le reste de l'homme qui va en enfer — c'est la seule explication que l'on retrouve dans les autres exégèses de ce passage du reste de l'œuvre d'Origène — ; séparation entre la partie supérieure de l'âme, l'intelligence ou faculté hégémonique, et la partie inférieure, amie de la matière, qui est punie ; séparation entre l'ange gardien et son pupille qui est laissé seul avec les infidèles, l'ange lui ayant été enlevé (7). Enfin Origène interprète les « ténèbres extérieures » de celles de l'ignorance où sont plongés les mauvais et des corps sombres et obscurs qu'ils recevront à la résurrection (8).

Origène considère surtout le châtiment comme médicinal, appliqué en vue de provoquer la conversion. Il ne discute guère, si ce n'est par allusion ou indirectement, comme dans la première explication de *Lc* 12, 46, sur un châtiment qui serait définitif. Le supposer tel par décision divine heurtait certainement le sens qu'il avait de la bonté de Dieu. Mais l'idée qu'il pourrait être tel par suite de l'obstination irrémédiable dans le péché ne lui est pas étrangère : en effet selon *PArch.* I, 6, 3 (et note 25 correspondante), la malice permanente et invétérée pourrait se changer en nature, de même que selon II, 6, 5 (note 31 correspondante) l'intensité de la charité dans l'âme humaine du Christ a produit en elle une immutabilité dans le bien. Ce qui concerne l'opinion habituellement attribuée à Origène sur le salut du diable sera traité à propos de *PArch.* III, 6, 5. D'autre part Origène n'ignore pas l'aspect expiatoire de la peine : *HomLév.* XI, 2 ; XIV, 4 ; voir J. A. Alcain, *Cautiverio*.

Une troisième section enfin coïncide avec le chap. II, 11, de Delarue et Koetschau : elle concerne les promesses. L'homme est naturellement fait pour exercer une activité, soit la poursuite du plaisir corporel, soit le dévouement au bien public, soit la recherche de la vérité : tout dépend de ce qu'on prend pour bien suprême. En sera-t-il de même dans la « vraie vie », la vie dans le Christ (1) ? Suit une dure attaque contre les millénaristes, qui entendent dans un sens grossièrement corporel les promesses faites par les Écritures et se représentent la vie de l'au-delà sur le modèle de celle d'ici-bas, avec la seule différence que tous les désirs de plaisirs corporels seront satisfaits. Ils ne comprennent pas que les textes qu'ils invoquent sont à interpréter spirituellement, et c'est pourquoi ils entendent les promesses d'une manière indigne de Dieu (2). Les banquets promis concernent la connaissance de la vérité divine, bien plus parfaite et profonde dans l'au-delà qu'ici-bas (3). Celui qui admire une œuvre humaine désire savoir comment l'artisan s'y est pris pour la fabriquer : de même, en voyant l'œuvre de Dieu, nous sommes pris d'un désir irrépressible de connaître la manière dont il l'a réalisée. Ce désir, c'est Dieu lui-même qui l'a mis en nous, et il ne l'aurait pas fait s'il n'avait pas voulu le satisfaire. Certes, ici-bas nous n'avançons guère dans cette recherche, mais elle n'est cependant pas inutile, car elle constitue l'esquisse qui prépare le portrait définitif (4). Sont alors énumérées les questions qui recevront dans la béatitude leur réponse, les réalités célestes dont les faits de l'Ancien Testament sont des figures, tout ce qui concerne les puissances, bonnes ou mauvaises, et les âmes humaines, tout ce qui se produit dans l'histoire des hommes et ne vient pas du hasard, mais de la providence (5). Après la mort prendra place une éducation et une ascension progressives des hommes. Dans l'air qui est entre le ciel et la terre leur sera révélé ce qui se passe dans l'air et sa raison. Mais auparavant, ils séjourneront dans un paradis situé sur terre pour apprendre les raisons de tout ce qu'ils auront vu sur terre. Cette éducation sera plus ou moins longue selon les capacités des âmes. Puis ils traverseront, après l'espace aérien, les sphères planétaires, percevant ce qui se passe en chacune et en comprenant les raisons (6). Dans les lieux célestes ils seront instruits de la nature des astres, des raisons de leurs positions réciproques. Ils parviendront enfin à la contemplation des réalités invisibles, des mystères. Cette ascension est une croissance de l'âme, redevenue intelligence (νοῦς) : elle est alors de plus en plus capable de recevoir la connaissance parfaite et d'y demeurer. Cette connaissance parfaite est la contemplation et la compréhension de Dieu, dans la mesure où une créature peut y parvenir (7).

Le titre de cette troisième section, « Des Promesses » est le même que celui des deux tomes que Denys d'Alexandrie, élève d'Origène, écrivit contre l'évêque millénariste Nepos : EUSÈBE, *Hist. Eccl.* VII, 24-25. Sur *PArch.* II, 11, on peut lire A. RECHEIS, *Engel, Tod und Seelenreise*, *Temi e Testi* 4, Rome 1958, p. 90-98.

Peri Archon II, 10

1. *PArch.* I, préf., 5.

2. Le *Traité de la Résurrection* en deux tomes fut écrit par Origène avant le *PArch.* (EUSÈBE, *Hist. Eccl.* VI, 24, 2). Des fragments sont conservés par l'*Apologie* de PAMPHILE (*PG* 11, 91-94) et par le *De Resurrectione* de MÉTHODE dans le livre III qui est la réfutation d'Origène, selon la version paléoslave et le texte grec donné par PHOTIUS (*Bibl.* 234).

3. Les gnostiques sont d'une part en réaction contre la foi peu éclairée des « simples » qui, interprétant littéralement l'Écriture, se représentaient le corps ressuscité comme identique en tout dans sa matérialité au corps terrestre : telle est la conception que les gnostiques jugent stupide et insensée. D'autre part, sous l'influence du mépris grec du corps, ils n'admettaient pas la résurrection de la chair destinée à la dissolution et donnaient un sens allégorique aux textes scripturaires qui en parlent. TERTULLIEN s'oppose nommément à quatre d'entre eux, Basilide, Valentin, Marcion et Apelle, dans son propre *De Resurrectione*, et caractérise leur interprétation de ce dogme. La réflexion d'Origène va tenter de trouver une voie médiane entre la négation de fait des gnostiques et les conceptions des simples, en donnant une expression philosophico-théologique à l'identité et altérité du corps terrestre et du glorieux, comparés au grain et à la plante par *I Cor.* 15, 35-49. R. CADIOU (*La Jeunesse d'Origène* p. 124) voit aussi dans ces hérétiques des disciples du syrien Bardesane : il s'appuie sur le dialogue pseudo-origénien *De Recta in Deum Fide*, où l'on voit à la fin de la seconde partie (*GCS* 4, p. 222, d'après le grec complété par le latin de Rufin) s'affronter le bardésianiste Marinos et l'orthodoxe Adamantios. Dans *DialHér.* 5, Origène dit que toutes les hérésies nient la résurrection du corps mort que seule l'Église confesse. Cela ne semble pas vrai des montanistes, si on en juge par le *De Resurrectione* de Tertullien, déjà sous l'influence de la secte.

4. Argument longuement développé par TERTULLIEN, *Resurr.* XVII-XXVII contre l'interprétation allégorique des gnostiques.

5. La parenthèse « *sicut certe necesse est* » (lignes 34-35) est contestée par SCHNITZER, p. 148, parce qu'on ne la trouve pas dans les éditions du XVIe siècle, Merlin, Érasme, Génébrard et qu'elle apparaît pour la première fois dans Delarue : ce serait une interpolation de Rufin ou une insertion de copiste. L'apparat critique de P. Koetschau n'indique pas qu'elle serait absente d'un des manuscrits qu'il a utilisés. Si elle fait difficulté à Schnitzer, c'est semble-t-il, car il ne le dit pas, qu'elle ne paraît pas concorder avec l'indécision où semble rester Origène en *PArch.* II, 3, 7, entre l'incorporéité ou la corporéité finales. Il est possible que cette parenthèse soit un ajout de copiste : si c'était une interpolation de Rufin, on ne comprendrait pas qu'elle ait été absente des éditions du XVIe siècle. Mais on peut comprendre aussi qu'elle vienne d'Origène : autres sont les passages où il discute théoriquement, en pleine conscience des difficultés que les positions chrétiennes font à la mentalité philosophique de son temps, mentalité à laquelle il participe lui-même, et autres ceux où il approfondit, comme ici, le contenu de la règle de foi.

6. Il y a là la réponse à une objection : voir *PArch* II, 3, 2.

7. Entre le corps animal et le corps spirituel, il y a identité de substance : l'identité individuelle du corps est sauvegardée. La différence est dans la qualité qu'assume la substance matérielle : à la base de ces expressions se trouve la conception de la matière comme sans qualité par elle-même, mais susceptible de recevoir les qualités et d'en changer (*PArch.* II, 1, 4).

8. Seule la grâce de Dieu peut changer la qualité animale du corps en qualité spirituelle.

9. Si on étudie le vocabulaire qu'emploie ici Origène pour parler du corps glorieux, notamment dans le passage du *ComPs.* 1 (MÉTHODE I, 20-24 ; ÉPIPHANE, 64, 10 et 12-16), on voit qu'il y a une différence fondamentale entre deux mots que l'on serait tenté de traduire l'un et l'autre par « forme » : σχῆμα, que Rufin traduit par *schema* et explique par *habitus* qui correspond à ἕξις, et εἶδος. Le premier exprime la forme extérieure, l'état de la substance : selon les distinctions du *PArch.* il est du domaine de la qualité qui peut changer. Le second est employé par Origène dans un sens proche de celui de Platon et d'Aristote, mais après la confusion des idées platoniciennes et des raisons stoïciennes, donc du général et de l'individuel, qui s'est produite dans le moyen stoïcisme : il est au contraire du côté de la substance corporelle, il est ce qui assure l'identité du corps à travers ses σχήματα ou ses ἕξεις successives, car le corps terrestre est comme un fleuve et ne peut être défini par ses éléments matériels qui se succèdent continuellement. Dans sa réfutation d'Origène au livre III du *De Resurrectione* — réfutation qu'Épiphane ne reproduit pas, donnant à sa place celle du discours du médecin Aglaophon comme si elle était la réfutation d'Origène —, d'après la version paléoslave et les nombreux fragments conservés par PHOTIUS (*Bibl.* 234), MÉTHODE ne voit pas la différence que met Origène entre εἶδος et σχῆμα (ou μορφή) et leur donne à tous le sens d'apparence extérieure, commettant ainsi le considérable contresens qui lui permet d'attaquer si âprement la doctrine origénienne : voir les deux articles d'H. CROUZEL cités dans l'analyse du traité. Dans le passage que nous étudions, *schema* et *habitus* désignent donc la forme ou l'état du corps dans le sens de la qualité changeante qui informe une substance toujours la même. Nous traduisons par « apparence extérieure », « état extérieur » pour éviter toute confusion avec l'εἶδος du *ComPs.* 1 qui est au contraire la « forme » au sens métaphysique.

10. Voir *PG* 11, 94, un fragment du *De Resurrectione* d'Origène conservé par Pamphile. Origène cite souvent *I Cor.* 15, 39-42, pour montrer qu'il y aura des différences de gloire parmi les ressuscités et en cela il reste fidèle à la pensée paulinienne.

11. Il s'agit des *simpliciores* (ἁπλούστεροι), terme qui englobe non seulement des chrétiens ignorants, mais un certain courant existant parmi les orthodoxes — ce sont des membres de la Grande Église, non des hérétiques — et comprenant les traditions millénaristes d'origine asiate : elles supposaient, par une interprétation littérale d'*Apoc.* 20, 1-6, qu'avant la résurrection finale les saints régneraient mille ans avec le Christ dans la Jérusalem terrestre, d'une béatitude purement terrestre. Ces idées étaient partagées par des personnages aussi considérables que Justin (*DialTryph.* 80-82) et Irénée (*Adv. Haer.* V, 32-36, Massuet), qui cite avec louange (33, 3-4) un texte ahurissant de Papias ; le millénarisme du Pseudo-Barnabé et de Tertullien est moins évident. Les millénaristes confluaient avec les littéralistes, qui n'admettaient pas l'exégèse spirituelle, et les anthropomorphites, qui prenaient à la lettre les anthropomorphismes bibliques. Ces trois noms représentent trois aspects d'une même mentalité venant de la tradition asiate, influencée par le matérialisme stoïcien et constamment attaquée par Origène, dont les attaques, au moins en ce qui concerne l'interprétation du Millénium, ont été décisives : voir *ComMatth.* XVII, 35 ; *ComCant.* prol. (*GCS* VIII, p. 66) ; fragment du *ComPs.* 4, dans *Philoc.* XXVI, 6. Les « simples » sont égarés par des maîtres incapables qui ne savent pas interpréter l'Écriture : *SerMatth.* 14 ; *HomÉz.* III, 3. Or les « simples » se représentaient aussi le corps ressuscité comme absolument identique au corps terrestre, sauf l'incorruptibilité. C'est ce qu'on voit exprimé par les problèmes que se pose Athénagore dans son *De Resurrectione*, écrit dont l'authenticité a été contestée par R. M. Grant, à notre avis sans raison suffisante comme l'ont montré L. W. Barnard et E. Bellini. Son plus difficile problème est en effet le suivant : qu'arrivera-t-il si un homme est mangé par un animal et cet animal ensuite par un homme ? A qui appartiendront à la résurrection les éléments du corps du premier passés dans celui du second ? Ce problème, auquel Athénagore répond par des emprunts à la théorie de la digestion de Galien (*Resurr.* 3-8), illustre parfaitement ce qu'entend Origène quand il refuse, tout en « sauvant la tradition des anciens », de tomber « dans la sottise de pensées pauvres, à la fois impossibles et indignes de Dieu » (*ComPs.* 1, dans Méthode I, 22).

Cette représentation du corps glorieux explique l'accueil que firent à la conception origénienne Méthode, Épiphane et Jérôme, assez influencés par elle. L'anthropomorphisme de Méthode, atténué, certes, mais affirmé dans le *De Resurrectione* lui-même, et conservant des traces de millénarisme, est la raison la plus profonde du contresens qu'il a commis sur la pensée d'Origène. Ce dernier lutte donc sur deux fronts, contre les hérétiques qui volatilisent la résurrection et contre les millénaristes, dont les représentations grossières sont responsables des refus des hérétiques et des moqueries des philosophes (voir *ComMatth.* XVII, 33, où les hérétiques sont figurés par les Sadducéens). R. Cadiou (*La Jeunesse d'Origène*, p. 124) voit dans notre passage du *PArch.* la réponse d'Origène à la réaction qu'auraient eu bien des chrétiens d'Alexandrie à la lecture de son *De Resurrectione* et du *ComPs.* 1.

12. *I Cor.* 15, 50, est entendu par Origène comme excluant la résurrection d'un corps glorieux possédant les mêmes *qualités* que le corps terrestre ; il doit recevoir une *qualité* céleste, en d'autres termes éthérée : *PEuch.* XXVI, 6 ; *ExhMart.* 47 ; *CCels.* V, 19. Au contraire Tertullien, qui dans son *De Resurrectione* fait un bel éloge de la chair (V-X), donne seulement un sens moral à cette phrase de Paul (XLVIII-LI) : elle exclut du royaume des cieux ceux qui vivent selon les convoitises de la chair et du sang.

13. *I Cor.* 15, 35-38, est fréquemment cité par Origène dans un contexte de résurrection : *CCels.* V, 18 ; V, 23 ; fragment du *Resur.* selon Pamphile dans *PG* 11, 93.

14. Origène exprime de trois façons l'identité entre le corps terrestre et le ressuscité. 1) Par l'identité de la substance corporelle qui, après avoir reçu sur terre une qualité terrestre, recevra une qualité céleste ou éthérée (*PArch.* II, 1, 4). 2) Par la « forme » (εἶδος) corporelle, qui explique comment le corps déjà reste le même sur terre alors que ses éléments matériels, désignés dans cette perspective du terme ὑποκείμενον, « substrat », se renouvellent constamment dans le corps qui est comme un fleuve ; elle explique de la même façon son identité avec le corps qui ressuscitera. Cette explication se trouve seulement dans le *ComPs.* 1. 3) Par la doctrine stoïcienne du λόγος σπερματικός, ou raison séminale, que nous trouvons ici : elle donne une formulation philosophique à l'image paulinienne du grain et de la plante. La raison séminale est la force de développement qui, contenue dans la graine, en fait sortir la plante ou qui, contenue de même dans la semence humaine, donnera un enfant, puis un adulte, puis un vieillard ; lorsque le corps sera dans la terre comme le grain, elle le fera ressurgir en corps spirituel : fragment de *Resur.* selon PAMPHILE (*PG* 11, 93) ; fragment du *ComPs.* 1 (MÉTHODE I, 24 ; ÉPIPHANE 64, 16) ; *CCels.* V, 23 et VII, 32.

15. *CCels.* V, 18-19 ; V, 23 ; VII, 32.

16. Ce corps sera semblable à celui des anges (*ComMatth.* XVII, 30), fait d'une matière céleste (*PEuch.* XXVI, 6), doué d'une qualité éthérée (*CCels.* III, 41-42, dit de Jésus glorifié ; IV, 56-57). En effet le corps doit s'adapter à toutes les conditions et à tous les milieux où l'âme doit vivre : *ComPs.* 1 (MÉTHODE I, 22 ; ÉPIPHANE 66, 14) ; *CCels.* IV, 57. Comme le dit *II Cor.* 5, 4, nous désirons ne pas nous dépouiller de notre corps (la tente), mais revêtir par-dessus la qualité d'incorruptibilité : *CCels.* V, 19 ; VII, 32-33. De la condition spirituelle de l'âme dépend la position qu'elle occupe dans le monde et la qualité du corps dont elle est douée.

17. A cet endroit, Koetschau soupçonne l'omission par Rufin d'un passage où Origène aurait attribué aux corps des bienheureux une forme sphérique, selon une accusation soulevée au VIe siècle : JUSTINIEN, *Lettre à Ménas* (Mansi

IX, 516) ; anathématismes 5 de 543 et 10 de 553. De cette opinion qui découle de Platon, *Timée* 33 b, on ne trouve pas trace chez Origène. A. J. Festugière, « De la doctrine ' origéniste ' du corps glorieux sphéroïde », *Revue des Sciences philosophiques et théologiques* 43, 1959, p. 81-86, y voit une incompréhension des moines palestiniens du VIe siècle, soit des origénistes, soit des antiorigénistes qui ont fourni à Justinien le dossier accusateur : elle aurait pour base *PEuch.* XXXI, 3, où Origène parle de la forme sphérique des corps célestes, qui sont dans sa pensée les astres et non les ressuscités. Voir aussi J. Bauer, « Corpora orbiculata », *Zeitschrift für katholische Theologie* 82, 1960, p. 331-341, et A. Guillaumont, *Les Kephalaia Gnostica*, p. 143. Cependant l'accusation de Justinien a des précédents. Dans sa réfutation du fragment du *ComPs.* 1, Méthode (*De Resurrectione* III, 15), selon un fragment de Photius et la version paléoslave, ironise à propos de la forme extérieure du corps ressuscité selon Origène : « Sera-t-elle ronde, polygonale, cubique ou pyramidale ? » Et Jérôme remarque, contre l'origéniste Jean de Jérusalem, que le corps du Seigneur ressuscité n'a pas perdu ses membres pour apparaître aux apôtres « dans la rondeur du soleil ou d'une sphère » (*Contra Jo. Hier.* 29). Ces trois témoignages, dont deux sont ironiques, ne se réfèrent pas à un passage du *PArch.* qui soutiendrait la forme sphéroïde du corps ressuscité. Ils proviennent d'une suggestion à peine insinuée, mais assez légèrement, à trois reprises par Origène : comme Dieu ne fait rien d'inutile, les ressuscités n'auront plus les organes nécessaires dans un monde de devenir : *ComMatth.* XVII, 29 s. ; *ComPs.* 1 (Méthode I, 24 ; Épiphane 64, 16), et enfin un fragment cité par Jérôme dans *Apol. adv. lib. Ruf.* I, 28, comme tiré du *ComÉphés.* III d'Origène et que Jérôme avait déjà reproduit, sans sourciller et en le prenant à son compte, dans son propre *ComÉphés.* III (sur *Éphés.* 5, 29). Sur l'accusation de Justinien, voir G. Bardy, *Recherches*, p. 60-61.

18. De même *HomLév.* IX, 8 ; *ComRom.* II, 6. Mais ces deux textes eux-mêmes distinguent de ce feu propre au pécheur un autre feu qui dévore le péché et qui est Dieu lui-même, « feu dévorant » : voir note suivante.

19. H. Crouzel, « L'exégèse origénienne de *I Cor.* 3, 11-15 et la purification eschatologique » : 38 citations de ce texte ou allusions à ce texte, entendu de la purification eschatologique, y sont recensées, entre autres *PArch.* I, 1, 1 ; *CCels.* V, 15 ; *HomEx.* VI, 3. Le feu qui brûle bois, foin ou paille est Dieu « feu dévorant » (*Deut.* 4, 24) : *CCels.* IV, 13 ; *HomJér.* II, 3 ; XVI, 6 ; *ComJn* XIII, 23, 137-138. Telle est l'intuition qui sera celle de la mystique italienne médiévale, sainte Catherine de Gênes, dans son célèbre *Traité du Purgatoire* : le feu purifiant n'est autre que celui de l'amour divin, source à la fois d'une grande joie et d'une grande souffrance, car il fait sentir à l'âme son impureté. Plusieurs textes, dont *HomLév.* XIV, 3, mettent une différence de gravité entre les péchés figurés par la paille, le foin et le bois. Il y a donc, à côté du feu intérieur au pécheur, consistant dans la conscience de ses péchés, un feu extérieur à travers lequel tous sont destinés à passer, pour brûler les plus petites scories adhérentes à l'enveloppe corporelle qui revêt l'âme : ainsi *CCels.* V, 15, où le feu purificateur est mis en relation avec la conflagration finale du monde d'après les stoïciens. Les saints le traverseront saufs, mais les pécheurs seront atteints par lui : *HomPs.* 36, III, 1 ; *HomEx.* VI, 3 ; IX, 7 ; XIV, 3 ; *HomLc* XXIV ; *ComMatth.* XV, 23 ; Clément d'Alexandrie, *Strom.* VII, 6, 34. Il est compréhensible que, dans sa polémique contre la manière matérialiste dont tant de chrétiens se représentaient la vie future, soit dans ses récompenses, soit dans ses châtiments, Origène ait insisté sur le caractère intérieur du châtiment des pécheurs. Sur la différence du feu visible et temporel et du feu invisible et éternel qui punira les pécheurs, voir *SerMatth.* 72.

20. A partir d'ici « *Et arbitror* » (ligne 133) jusqu'à « *Christum* » (ligne 154), puis de « *Multa* » (ligne 186) à « *perdiderunt* » (ligne 199), et enfin de « *quoniam* » (ligne 218) à « *Iuda* » (ligne 228), ce passage est cité par PAMPHILE (*Apol.* VIII) pour réfuter l'accusation selon laquelle Origène aurait nié les supplices des pécheurs. Pamphile ajoute que l'on trouve dans les autres œuvres d'Origène d'innombrables témoignages sur ce sujet.

21. L'analogie entre les maux de l'âme et ceux du corps est abondamment exploitée par la tradition philosophique : PLATON, *Timée*, 86 b s. ; *SVF* III, 104, 117, 120, 121.

JÉRÔME, *Lettre* 124, 7 : ce n'est pas une citation, mais un résumé. « *Ignem quoque gehennae, et tormenta, quae scriptura sancta peccatoribus comminatur, non ponit in suppliciis, sed in conscientia peccatorum, quando Dei uirtute et potentia omnis memoria delictorum ante oculos nostros ponitur. Et ueluti ex quibusdam seminibus in anima derelictis, uniuersa uitiorum seges exoritur, et quidquid feceramus in uita uel turpe uel impium, omnis eorum in conspectu nostro pictura describitur, ac praeteritas uoluptates mens intuens, conscientiae punitur ardore, et paenitudinis stimulis confoditur.* — Le feu de la géhenne et les tourments dont l'Écriture sainte menace les pécheurs, il ne les met pas dans des supplices, mais dans la conscience des pécheurs quand le souvenir de toutes les fautes est mis devant nos yeux par la force et la puissance de Dieu. Et comme à partir de certaines semences laissées dans l'âme, toute la moisson des vices se lève : tout ce que nous avons fait dans notre vie de honteux ou d'impie est comme un tableau devant notre regard, et l'intelligence voyant ainsi les voluptés passées est punie par le feu de la conscience et percée des aiguillons du repentir. » Les idées concordent avec Rufin. On comprend difficilement l'opposition : « *non ponit in suppliciis, sed in conscientia peccatorum* », comme si ce que décrit Origène n'était pas un supplice bien pire qu'un châtiment qui reste extérieur. Voir Jérôme, *Apol. adv. Lib. Ruf.* II, 7.

22. L'idée que nos actes laissent leur trace sur notre âme et qu'au jour du Jugement ils seront dévoilés et tous pourront les lire, est fréquemment répétée : *ComRom.* II, 10 ; *HomJér.* XVI, 10 ; *HomPs.* 38, II, 2 ; *PEuch.* XXVIII, 5. Voir Platon, *Gorgias* 524 d s. ; Plutarque, *Stoic. Rep.* 19. Si l'homme est dans la durée, dirait H. Bergson, c'est que ses actes s'inscrivent sur lui et le modifient : et c'est pourquoi l'acte est source d'habitude.

23. Les maux qui suivront le jugement divin seront bien plus considérables que ceux qui affligent maintenant le corps : *SelPs.* 6 dans Pamphile (*PG* 12, 1177). Sur les tourments qui proviennent de la conscience des péchés : *HomPs.* 38, II, 7.

24. Deux possibilités : ou le pécheur sera affligé dans l'au-delà des mêmes passions qu'ici-bas, et en cela consistera son tourment ; ou toutes ces passions se transformeront en un châtiment commun à tous les pécheurs.

25. Sur l'âme comme un organisme harmonieux : Platon, *Rep.* III, 410 cd ; IX, 591 d ; *Doxographi Graeci* p. 387 et 651 ; *SVF* III, p. 121 ; Philon, *Immut.* 24 ; Clément, *Strom.* IV, 4, 18.

26. *PArch.* II, 7 note 12, sur le Christ Médecin et Dieu Médecin. A propos de peines médicinales selon Platon, voir Hal Koch, *Pronoia*, p. 193-195 : pour la guérison de celui qui est châtié ou des autres qui voient son châtiment ; dans le second cas l'aspect vindicatif de la peine est secondaire. De même chez les stoïciens (*ibid.*, p. 211-212) dans le cadre de leur foi envers la providence.

27. Sur la valeur médicinale des peines : *PArch.* I, 6, 3 ; II, 5, 3.

28. Même interprétation de *Jér.* 32, 1 s. (hébreu 25, 16 s.) dans *SerMatth.* 95. Jérôme la juge erronée : *ComJér.* V, 14, 3 sur *Jér.* 25, 15-17.

29. *PEuch.* XXIX, 16, cite aussi *Is.* 4, 4 et *Mal.* 3, 2 (non 3, 3 comme ici) à propos des châtiments purificateurs. De même *Is.* 4, 4, dans *HomJér.* II, 2 et *HomLc* XIV, 3, opposant au péché la souillure de la condition humaine. Entre « *quoniam* » et « *dicit* » (lignes 218-220), la traduction rufinienne de l'*Apologie* de Pamphile diffère de la traduction rufinienne du *PArch.* : « *pernecessaria poena est ea, quae per ignem inferri dicitur, Esaias docens de Israhel quidem sic dicit...* Isaïe enseigne que la peine qui est dite infligée par le feu est très nécessaire, lorsqu'il dit d'Israël... ».

30. *Is.* 47, 14-15 : voir *PArch.* II, 5, 3 ; *CCels.* V, 15 (*Mal.* 3, 2) ; VI, 56.

31. *Mal.* 3, 2 dans *CCels.* IV, 13.

32. Au lieu du pâle *diuidendi* de Rufin, nous traduisons le terme très fort qu'emploient *Matth.* 24, 51, et *Lc* 12, 46 : à son retour inattendu le maître « coupera en deux » (διχοτομήσει) le mauvais intendant surpris à abuser de son autorité et à se livrer à des excès. Sur ce texte J. Rius-Camps, *El dinamismo*, p. 65-68.

33. Il semble qu'il y ait là une confusion de Rufin, car c'est au contraire chez le damné la partie qui lui est propre, l'âme, qui est mise en enfer ; l'esprit, don de Dieu, retourne à Dieu.

34. Origène indique ici trois façons de comprendre ce passage évangélique. D'abord comme la séparation de l'esprit (*spiritus* = πνεῦμα) et de l'âme. L'esprit est don de Dieu, une certaine participation à l'Esprit Saint qui ne fait pas à proprement parler partie de la personnalité de l'homme ni ne partage son péché : telle est l'acception habituelle chez Origène de l'esprit de l'homme dans l'anthropologie trichotomique, et cette première interprétation se retrouve dans les deux autres passages qui expliquent le même verset, *SerMatth.* 62, et *ComRom.* II, 9. Ensuite comme une séparation intérieure à l'âme entre sa partie supérieure, élève de l'esprit, le νοῦς = *mens* ou ἡγεμονικόν = *principale cordis*, mot d'origine stoïcienne exprimant la fonction hégémonique que cette partie supérieure doit exercer sur l'ensemble de l'homme, et sa partie inférieure (voir note 37). Enfin comme une séparation entre l'ange gardien et son pupille (voir notes 38-40).

Origène distingue habituellement le πνεῦμα du νοῦς comme le maître et l'élève, le don divin et la faculté de l'homme qui reçoit le don. Si l'« esprit de l'homme » est une certaine participation à l'Esprit Saint, il s'agit d'une participation créée qui ne s'identifie pas à lui ; il se distingue même de l'Esprit Saint en tant qu'il est donné à l'âme : *DialHér.* 6 ; *ComMatth.* XIII, 2 ; *ComRom.* VII, 3. Voir notes 14 et 30 de *PArch.* II, 8, et J. Dupuis, *L'esprit de l'homme*, p. 150-153 (sur la seconde interprétation indiquée par Origène : p. 208 note 188).

35. Il est possible qu'Origène veuille parler ici, non plus simplement de l'esprit de l'homme, mais du don de l'Esprit Saint proprement dit, soit par le baptême, soit par suite de charismes. En effet l'esprit de l'homme, le seul dont il soit question dans les passages correspondants de *SerMatth.* 62 et de *ComRom.* II, 9, bien qu'il soit, avons-nous dit, une certaine participation créée à l'Esprit Saint, existe en tous les hommes, sans qu'il soit réservé aux baptisés. Et il n'est pas perdu par le péché tant que l'homme est vivant, mais seulement mis en sommeil, comme sans emprise sur une âme qui se refuse à lui. Origène ne pense pas dans les schèmes nature-surnaturel. L'esprit de l'homme est cependant une certaine approximation de la grâce sanctifiante. Le fait qu'il soit donné à tous les hommes et non réservé aux baptisés n'est pas pour cela un obstacle : lorsque l'Église catholique contemporaine reconnaît (Lettre du Saint Office à l'archevêque de Boston du 8 août 1949, DENZINGER-SCHÖNMETZER 3866-3873) qu'un non-baptisé qui se trouve à l'égard de la doctrine du Christ dans un état d'ignorance invincible peut être sauvé, parce que le désir qu'il a de se conformer à la volonté de Dieu équivaut à un désir implicite du baptême, elle suppose nécessairement qu'il puisse se trouver en état de grâce, sans avoir reçu en fait le baptême et sans en avoir un désir explicite.

36. Ce passage ne parle guère en faveur d'une possibilité de conversion des damnés. Puisque l'esprit est associé à l'âme comme celui qui l'entraîne dans la sanctification, comme son précepteur dans la vertu, la connaissance de Dieu et la prière, on ne voit pas comment l'âme pourrait se sanctifier une fois qu'il lui est ôté. Ici-bas, puisque le *pneuma* n'est jamais ôté au pécheur, mais seulement mis en sommeil — *FragmÉphés.* XXVI sur *Éphés.* 5, 14 (*JTS* III, p. 563 ; J. DUPUIS, *L'esprit de l'homme*, p. 146-147) —, l'homme garde la possibilité de revenir à Dieu. On ne peut pas tirer la même conclusion de la seconde hypothèse, puisque la partie supérieure de l'âme, qui est l'essentiel de l'homme, semble sauvée. Mais c'est la première hypothèse que l'on retrouve seule dans le reste de l'œuvre d'Origène.

37. Il s'agit de la partie inférieure de l'âme, qui l'attire vers le corps et qui est la conséquence du péché : *ComJn* XX, 22 (20), 182-183. C'est à elle que convient en premier lieu, de même qu'à l'âme de l'animal, la définition d'οὐσία φανταστικὴ καὶ ὁρμητική, de principe des impulsions et des passions (*PArch.* II, 8, 1). Elle est identifiée, tantôt à l'irascible et au concupiscible platoniciens (*SelPs.* 17, 29 ; *PG* 12, 1236) ; tantôt au φρόνημα τῆς σαρκός de *Rom.* 8, 6-7 (voir note 30 de *PArch.* II, 8) ; tantôt à l'« âme de toute chair », qui chez le vicieux ôte à l'*hégémonikon* ou intelligence son pouvoir hégémonique et le supplante (*PEuch.* XXIX, 2). C'est la concupiscence de la théologie scolastique, avec cependant une différence importante, parallèle à celle de l'esprit de l'homme avec la grâce sanctifiante : chez le juste, à plus forte raison chez le Christ, elle n'est pas détruite, mais spiritualisée, quand le νοῦς s'est livré tout entier à l'influence du πνεῦμα : *ComJn* XXXII, 18 (11), 218-228. Sur l'« âme de la chair », voir *PArch.* III, 4, 2. Le châtiment en lequel consiste la seconde exégèse est la division intérieure de l'âme.

38. Dans *PArch.* III, 2, 4, Origène appuie sur HERMAS (*Pasteur*, Précepte VI, 2) et le PSEUDO-BARNABÉ 18, cette doctrine de l'ange gardien. *CCels.* VIII, 34, en montre les rapports avec la démonologie païenne. Son garant scripturaire est *Matth.* 18, 10, expliqué en *HomJos.* IX, 4 ; XXIII, 3 ; *HomÉz.* I, 7 ; *HomLc* III ; XXIII, 8 ; XXIV, 3 ; *PArch.* I, 8, 2 ; CLÉMENT, *Strom.* V, 14, 91. Les « petits » dont il est question en *Matth.* 18, 10, sont les faibles dans la foi ; quand ils ont progressé, ils passent sous la tutelle directe du Christ : *HomJos.* IX, 4 ; *HomNombr.* XX, 3 ; *PEuch.* XI, 5 ; *CCels.* VIII, 34 et 36 ; *ComCant.* II (*GCS* VIII, p. 133) ; *ComMatth.* XIII, 26. On trouve, dans le *Remerciement à Origène* de GRÉGOIRE LE THAUMATURGE, un long passage sur l'ange gardien qui reflète la doctrine d'Origène (IV, 40-47) : Grégoire et son frère qui sont encore tout petits sont confiés à un ange, alors que leur maître a pour ange l'Ange du Grand Conseil, c'est-à-dire le Christ, selon *Is.* 9, 6. Voir M. SIMONETTI, « Due note sull'angelologia origeniana : I, Mt 18, 10 nell'interpretazione di Origene », *Rivista di cultura classica e medioevale*, IV, 1962, p. 165-179.

39. Voir le visage de Dieu, c'est, d'après *HomIs.* IV, 1, connaître « les principes des réalités divines », à identifier peut-être avec les « raisons des œuvres de Dieu » de *PArch.* II, 11, 7, c'est-à-dire avec les plans de la création contenus dans le Verbe-Sagesse. Origène ne reprend pas l'identification clémentine du « Visage de Dieu » avec son Fils (*Exc. ex Theod.* 10-11), peut-être à cause de ses sources gnostiques : IRÉNÉE, *Adv. Haer.* I, 13, 3 ; I, 13, 6 ; I, 14, 1, Massuet ; Valentin d'après CLÉMENT, *Strom.* IV, 13, 89-90. Voir M. SIMONETTI, article cité dans la note précédente, p. 165-167.

40. L'union de l'ange avec son pupille est représentée comme très étroite et les progrès de l'un rejaillissent sur l'autre. Les deux seront jugés ensemble au Jugement dernier : *ComMatth.* XIII, 28 ; *HomNombr.* XI, 4 ; XX, 4. Dans notre passage, ange et homme sont représentés comme la dimension céleste et la dimension terrestre d'une entité unique selon une conception iranienne (A. ORBE, *La Uncion del Verbo*, p. 222) qui est à la base de l'union du pneumatique, en tant qu'élément féminin, avec son ange dans une syzygie qui, selon les valentiniens, devait se former dans le Plérôme : *Exc. ex Theod.* 35-36 ; IRÉNÉE, *Adv. Haer.* I, 7, 1 ; HÉRACLÉON selon ORIGÈNE, *ComJn* XIII, 11, 67-70 ; *Évang. Phil.* 106, 11 ; 113, 24 ; 116, 22 ; 118, 17.

41. *ComJn* II, 20 (14), 133-136.

42. JÉRÔME, *Lettre* 124, 7. Fragment présenté en partie comme une citation : « *Et iterum :* ' *Nisi forte corpus hoc pingue atque terrenum caligo et tenebrae nominandae sunt, per quod, consummato hoc mundo, cui necesse fuerit in alium transire mundum, rursum nascendi sumet exordia* '. *Haec dicens, perspicue μετεμψύχωσιν Pythagorae Platonisque defendit.* — Et de nouveau : ' A moins que ce corps gras et terrestre ne doive être appelé obscurité et ténèbres : en lui, à la consommation du monde, celui qui devra passer dans un autre monde, trouvera le point de départ pour une nouvelle naissance. ' En disant cela il se montre ouvertement un défenseur de la métempsychose de Pythagore et de Platon. »

Ce fragment est placé là par Delarue, Schnitzer et Koetschau parce qu'il est question chez Rufin de ténèbres et de corps ; mais cette localisation n'est guère assurée. Quant au commentaire de Jérôme, il ne s'agit pas là de métempsychose, mais de l'hypothèse de mondes successifs.

43. Dans une liste d'erreurs d'Origène selon Épiphane, *Panarion* 64, 4, on lit : « Διόπερ καὶ δέμας κέκληται τὸ σῶμα διὰ τὸ δεδέσθαι τὴν ψυχὴν ἐν τῷ σώματι. — Et le corps est appelé δέμας parce que l'âme a été liée (δεδέσθαι) dans le corps. »

Cette étymologie est fantaisiste : δέμας viendrait plutôt de la racine Δεμ, « construire », représentée par δέμω, « je construis », δόμος, « maison » (latin *domus*) ; le mot désigne d'abord la charpente du corps. On ne le trouve pas chez Platon dans les étymologies du *Cratyle* qui donne seulement à propos du corps le rapprochement, encore plus pessimiste, σῶμα-σῆμα, « corps-tombeau » (400 c). Ce passage, que rien ne dit une citation du *PArch.*, est placé par Koetschau en I, 8, 1, pour colmater une hypothétique lacune. S'il fallait absolument qu'il trouve place dans le *PArch.*, il serait mieux ici, à cause de la mention de la prison. Mais quelle confiance peut-on avoir en l'information d'Épiphane ? Ici aussi Koetschau suppose une lacune où il serait question de la rédintégration des démons dans la béatitude primitive. Il y met un passage du Pseudo-Léonce de Byzance, *De Sectis* (*PG* 86, 1265), exposé de l'origénisme tel que le comprend un antiorigéniste des VIe-VIIe siècles : information qui ne présente aucune sécurité. Il y met aussi un texte de Justinien dans la *Lettre à Ménas* (Mansi IX, 517 C), qui n'est pas présenté comme une citation du *PArch.* Mais il n'y a pas ici d'indice qui puisse faire croire à une lacune de Rufin et on ne peut guère affirmer que les doctrines attribuées par ces textes à Origène aient été soutenues par lui comme des affirmations sûres, ni qu'elles aient trouvé place dans le *PArch.* :

ce peut être aussi bien des spéculations d'origénistes ou des suppositions d'antiorigénistes.

Peri Archon II, 11

1. *PArch.* III, 1, 1 s. Cette constatation fait partie de l'enseignement philosophique : *SVF* II, p. 35, 285.

2. Trois exemples d'activité humaine : le premier mauvais, le second bon, mais inférieur, le troisième correspondant à la vocation réelle de l'homme. Voir l'éloge de la « philosophie » qu'Origène faisait à Grégoire le Thaumaturge et à son frère Athénodore dans *RemOrig.* VI, 75-80 : les métiers de la vie civile, soldat, avocat, juriste, sont rangés parmi les faux biens, et seule la philosophie, c'est-à-dire l'effort pour connaître Dieu et se connaître vraiment, est digne de l'homme et pieux envers le Créateur. Ou encore *CCels.* IV, 76 : si l'homme n'a pas le courage d'utiliser son intelligence « pour chercher le divin et pour philosopher », deux termes équivalents et pratiquement synonymes, il est préférable qu'il ne reste pas oisif et exerce les techniques qui essaient de remédier à son indigence naturelle.

3. Peut-être, comme à plusieurs reprises, y a-t-il là dans la traduction de Rufin une réminiscence virgilienne : « *Felix qui potuit rerum cognoscere causas* » (*Géorg.* II, 490).

4. La « vraie » vie, selon la vertu, le Christ et Dieu, est souvent opposée à la vie commune aux êtres raisonnables et aux animaux sans raison : *ComJn* I, 27 (25), 181-182 ; II, 24 (19), 155-157 ; XIII, 23, 140 ; *ComMatth.* XVI, 28 ; *ComRom.* VI, 14 ; *HomNombr.* XIX, 4 ; *SelPs.* 26, 1 (*PG* 12, 1276) ; G. Gruber, *Zoé*, p. 9-72, étudiant la distinction de la « vraie vie » et de la « vie commune ».

5. Il s'agit toujours des millénaristes : voir *PArch.* II, 10, note 11.

6. Origène considère donc, non sans raison, que sa conception du corps spirituel est la seule fidèle à l'enseignement de Paul dans *I Cor.* 15.

7. Ce raisonnement millénariste est développé par IRÉNÉE, *Adv. Haer.* V, 34, 4, avec les mêmes passages bibliques et d'autres de même sens, dont il refuse (V, 35, 1-2) toute interprétation allégorique. De même JUSTIN, *DialTryph.* LXXXI.

8. JUSTIN, *DialTryph.*, CXXXIX, 5. Pour l'interprétation de *Lc* 19, 19 : *ComMatth.* XIV, 12.

9. Reproche continuel aux littéralistes : *SerMatth.* 15 ; *PArch.* IV, 2, 1.

10. *Theoriam* = θεωρίαν. Ce terme exprime chez Origène la contemplation des réalités divines, soit l'acte de contempler distingué de la πρᾶξις (*CCels.* VI, 61 ; *PEuch.* XXVII, 10 ; *ComJn* I, 16, 94 ; VI, 19 (11), 103 ; XIII, 33, 206), soit l'objet contemplé, souvent identifié au sens spirituel de l'Écriture (*CCels.* I, 18 ; II, 6 ; II, 69 ; III, 56 ; VII, 10 ; VIII, 21 ; *ComJn* XIII, 24, 146). Voir H. CROUZEL, *Connaissance*, p. 375-382. Ici le sens du mot est proche de celui que donnent à θεωρία Diodore de Tarse et l'école d'Antioche pour désigner ce que les Alexandrins appelaient plutôt allégorie au sens paulinien de *Gal.* 4, 24.

11. *PEuch.* X, 2 ; XXVII, 4 ; *ComJn* XX, 43 (33), 406. Le plus souvent Origène ne donne pas au discours johannique sur le Pain de Vie (*Jn* 6, 26-65) un sens eucharistique, mais le rapporte au Verbe qui, en tant que Parole, est nourriture des âmes : *ComJn* XX, 43 (33), 406 ; *ComMatth.* XI, 14 ; *ComCant.* I (*GCS* VIII, p. 104) ; *CCels.* VI, 44 ; *HomLév.* XVI, 5.

12. Les divers aliments figurent les diverses formes sous lesquelles le Verbe en tant que Parole nourrit les âmes : herbe pour les âmes encore animales, lait pour les enfantines, légumes pour les malades, nourriture forte, c'est-à-dire chairs de l'Agneau et pain descendu du ciel, pour les adultes spirituels : le tout est appuyé sur des textes du Nouveau Testament : *HomLév.* I, 4 ; *HomNombr.* XXVII, 1 ; *HomJos.* VI, 1 ; IX, 9 ; *HomÉz.* VII, 10 ; *PEuch.* XXVII, 5 ; *ExhMart.* I ; *CCels.* III, 53 ; IV, 18 ; *ComJn* XIII, 33, 203-214 ; XIII, 37, 241 ; Irénée, *Adv. Haer.* IV, 38, 1 ; Clément, *Strom.* V, 10, 66. Voir H. Crouzel, *Connaissance*, p. 166-184.

13. Le vin de la vigne qu'est le Christ-Sagesse enivre d'une « sobre ivresse » : *ComJn* I, 30 (33), 205-208 ; XIII, 33, 213 ; *HomCant.* II, 7 ; *ComCant.* III (*GCS* VIII, p. 220) ; *HomLév.* VII, 1-2. Voir H. Crouzel, *Connaissance*, p. 184-191. Mais cette ivresse n'est pas un état d'inconscience qui serait diabolique : sur ce point et sur l'origine philonienne de l'oxymoron, voir la note 16 de *PArch.* II, 7.

14. Le péché recouvre l'image de Dieu de l'image du diable, sans cependant pouvoir l'effacer : *PArch.* III, 1, 13 ; IV, 4, 9-10 ; H. Crouzel, *Image*, p. 181-215. Parfois Origène affirme que l'homme est créé à l'image et à la ressemblance de Dieu sans les distinguer : *HomGen.* I, 13 ; *HomLc* XXXIX, 5 ; *ComJn* II, 23 (17), 144. D'autres fois il distingue l'image donnée au début de la ressemblance, perfection de l'image, réservée pour la fin : *PArch.* III, 6, 1. Voir Crouzel, *ibid.*, p. 217-222.

15. Interprétation spirituelle d'*Apoc.* 21, 2, livre dont Origène refuse, face aux millénaristes, l'interprétation littérale : *CCels.* VI, 33. Il cite l'Apocalypse comme Écriture. D'autres lui refusaient la qualité d'écrit inspiré et lui donnaient pour auteur l'hérétique Cérinthe. Denys d'Alexandrie, élève d'Origène, ne le rejette pas à proprement parler, mais en refuse la paternité à l'apôtre Jean, tout en n'y voyant qu'un sens spirituel. Il s'explique là-dessus dans un passage de son livre *Sur les Promesses* que cite Eusèbe, *Hist. Eccl.* VII, 25, livre dirigé contre celui du millénariste égyptien Nepos, *Réfutation des allégoristes*. Sur la Jérusalem céleste, voir J. Chênevert, *L'Église*, p. 63-71 ; H. J. Vogt, *Das Kirchenverständnis* d'après l'index.

16. Le concept de παιδεία est important dans la philosophie du temps et dans la pensée d'Origène : la purification du pécheur se fait par l'enseignement (*PArch.* I, 6, 2-3) et même après la mort l'âme devra progresser dans la connaissance par l'enseignement ; voir Clément, *Eclogae* 57.

17. *CCels.* VIII, 19 ; *HomEx.* XIII, 3.

18. Il s'agit des anges qui instruisent les bienheureux : *PArch.* III, 6, 9 ; *HomJér.* X, 8. Cette instruction suppose une montée progressive dans les cieux et la fonction de ces anges rappelle ce que l'on lit dans les apocalypses apocryphes de Baruch *(III Baruch)* ou d'Isaïe.

19. La raison (*rationem* = λόγον) présente dans les êtres et qui en constitue non une essence statique, mais un principe dynamique de développement : telle est la raison séminale qui explique le développement de la semence humaine en embryon, enfant, adulte, vieillard et, pour Origène, ressuscité (*PArch.* II, 10, 3). Ces « raisons » des œuvres de Dieu, principes individuels, constituent avec les « idées » de nature générale, genres et espèces, et les « mystères » eschatologiques le Monde Intelligible contenu dans le Verbe-Sagesse (H. Crouzel, *Connaissance*, p. 47-84).

20. L'analogie des cinq sens sensibles auxquels correspondent des objets qui leur sont connaturels a déjà été développée en *PArch.* I, 1, 7. La *propinquitas* de l'homme avec Dieu, due à sa création selon l'image, explique qu'il puisse y avoir pour l'homme une connaissance de Dieu, car seul le semblable connaît le semblable ; cette connaissance s'approfondit d'autant plus que la pratique des vertus achemine l'homme vers la ressemblance. Le désir de connaître Dieu subsiste chez le pécheur lui-même, puisque sa participation à l'image de Dieu, si elle peut être recouverte, ne peut être détruite par l'image du diable. Dieu n'a pas mis en l'homme ce désir pour qu'il reste vain : *PArch.* IV, 4, 10 ; *ComJn* XX, 22 (20), 182-183 ; *ComCant.* I (*GCS* VIII, p. 91) ; *ExhMart.* 47 ; *HomGen.* XIII, 4 ; *HomNombr.* XVII, 4. Dans ce dernier texte la recherche de Dieu est représentée comme un progrès sans fin. Sur le désir naturel de connaître Dieu d'après ce texte-ci, voir H. DE LUBAC, « Origène et saint Thomas d'Aquin », *Recherches de Science Religieuse* 36, 1949, p. 602-603.

Il y a, dans ce raisonnement d'Origène, l'amorce du principe scolastique « *desiderium naturae nequit esse inane* — un désir de la nature ne peut être vain ». Le désir de Dieu que supposent les tendances de l'homme vers l'éternel, l'infini, l'absolu, le parfait, l'intelligible, l'universel, l'un, le vrai, le bon, le beau, etc., tendances qui constituent véritablement l'homme dans son essence la plus profonde et sont la source de tout le progrès humain, doit pouvoir être satisfait, donc ce Dieu existe en qui et par qui il trouvera sa satisfaction. Dans *L'Être et le Néant* (Paris 1943), J. P. SARTRE, analysant les « projets » de l'homme, arrive à la conclusion que son projet fondamental est « de se perdre pour fonder l'être et pour constituer du même coup l'En-soi qui échappe à la contingence en étant son propre fondement, l'*Ens causa sui* que les religions nomment Dieu. Ainsi la passion de l'homme est-elle inverse de celle du Christ, car l'homme se perd en tant qu'homme pour que Dieu naisse. Mais l'idée de Dieu est contradictoire et nous nous perdons en vain : l'homme est une passion inutile » (p. 208). Contrairement à toute la tradition chrétienne, que nous voyons ici représentée par Origène, Sartre accepte que l'homme puisse être, constitutionnellement pour ainsi dire, un être absurde, puisque ce vers quoi il tend immanquablement dans toute son activité, par une tendance qui constitue le plus profond de sa nature, — et Sartre le reconnaît, toute son analyse aboutissant à cette conclusion — puisse être contradictoire, donc impossible. Or une tendance est définie, ou même constituée, pourrait-on dire, par son objet. Quelqu'un qui a le sens de l'existence peut-il accepter qu'une tendance aussi fondamentale, aussi enracinée dans l'existant que celle-ci, qui fait de l'homme l'homme, ait pour fondement un objet purement imaginaire, donc non existant ?

21. *SerMatth.* 69.

22. *HomPs.* *36*, V, 1.

23. *PArch.* I, 7, 5.

24. Sur *Ps.* 50 (51), 12-14, voir *SelPs.* 50, 14 (*PG* 12, 1456) et *FragmPs.* 50, 14 (Cadiou, p. 84) ; pareillement H. Ch. PUECH, « Origène et l'exégèse trinitaire du *Ps.* 50, 12-14 », dans *Aux sources de la tradition chrétienne*, *Mélanges offerts à Maurice Goguel*, Neuchâtel-Paris 1950, p. 180-194. Peut-être y a-t-il là l'écho des conceptions médicales d'inspiration stoïcienne sur les divers *pneumata* qui ont leur siège dans le cerveau et dans le cœur : G. VERBEKE, *L'évolution de la doctrine du Pneuma*, Paris-Louvain 1945, p. 175 s.

25. *PArch.* I, 3, 5.

26. Énumération semblable de questions en *PArch.* IV, 3, 12. Toutes les réalités de l'Israël terrestre sont images de celles de l'Israël céleste : *PArch.* II, 3, 7 ; *HomEx.* I, 2 ; *HomLév.* XIII, 4 ; *HomNombr.* I, 3 ; III, 3 ; *CCels.* VII, 29.

27. Nous traduisons par « clan », *populus* désignant ici un groupement humain intérieur à la tribu ; il traduit δῆμος que l'on trouve avec ce sens de clan intérieur à la φυλή dans le texte grec *(Philoc.)* de *PArch.* IV, 3, 7-8 :

après les douze patriarches, fondateurs des tribus, sont nommés les δήμαρχοι, chefs de clans, puis les simples Israélites ; voir *Nombr.* 1-2.

28. Déjà dans Philon, les gnostiques et Clément, prêtres et lévites sont des symboles : PHILON, *Leg. Alleg.* III, 82 ; *Deter.* 132 s. ; *Spec.* I, 66 ; II, 164 ; HÉRACLÉON selon ORIGÈNE *ComJn* X, 33 (19), 211 ; CLÉMENT, *Strom.* III, 11, 72 ; IV, 25, 157 ; V, 6, 32 ; ORIGÈNE, *HomNombr.* III, 2 ; *HomLév.* II, 3 s. ; III, 1 ; VI, 3 s. ; VII, 1 s. ; VIII, 2 s.

29. Voir surtout dans les *HomEx.* et les *HomNombr.*, J. DANIÉLOU, *Sacramentum futuri*, 1950, p. 191 s.

30. Dans PHILON, ils symbolisent la rémission future des péchés : *Spec.* II, 122 ; 176 ; *Decal.* 164 ; *Mutat.* 228. Chez ORIGÈNE, les semaines d'années sont appliquées aux mondes qui suivront le présent jusqu'à la restauration finale : *ComMatth.* XV, 32 ; *PEuch.* XXVII, 13-16.

31. *HomLév.* III, IV, V, IX.

32. *HomLév.* XIII, 5 s.

33. *PArch.* I, 5, 1-2 ; I, 6, 2 ; I, 8, 1. Dans I, 6, 2, elles sont comprises parmi les anges, à côté des Trônes et des Dominations. De même *ComMatth.* XVII, 2 où il est question des bonnes et des mauvaises.

34. *PArch.* III, 2, 1 s.

35. *PArch.* II, 8, 1 s. Le *PArch.* ne manifeste guère d'intérêt pour le monde physique et les êtres sans raison, qui ne sont pas principaux, mais secondaires (II, 9, 3), et dans l'ensemble de son œuvre Origène ne s'intéresse aux sciences naturelles que pour en tirer des leçons spirituelles. Dans ce contexte cependant, il manifeste une connaissance poussée des sciences de son époque : nous l'avons vu pour l'astronomie en II, 3, 6-7. Il enseignait à ses élèves les sciences de la nature pour leur faire admirer l'œuvre de Dieu dans sa création : GRÉGOIRE LE THAUMATURGE, *RemOrig.* VIII, 109-114. La physique, qui constitue une des branches de sa « divine philosophie », « discute de la nature de chaque chose, afin que rien dans la vie ne soit fait contre nature, mais que tout soit employé aux usages voulus par le Créateur », « elle distingue les causes et les natures des êtres » (*ComCant.*, prol., *GCS* VIII, p. 75-78). Plusieurs articles ont rassemblé les données scientifiques qu'on peut tirer de l'œuvre d'Origène. Au sujet des herbes servant aux incantations : *CCels.* VIII, 61.

36. *PArch.* III, 1, 12 ; *HomÉz.* IX, 5.

37. *PArch.* III, 2 ; *CCels.* VIII, 6 ; *HomÉz.* VI, 8.

38. *PArch.* II, 1, 2. Les cas individuels seront alors compris, tandis qu'ici-bas nous ne pouvons percevoir que les raisons générales : II, 9, 4.

39. *Matth.* 10, 29-30, est pareillement invoqué pour montrer la providence : *ExhMart.* 34 ; *PEuch.* XI, 5 ; *CCels.* VIII, 70 ; *HomLc* XXXII, 3 ; CLÉMENT, *Strom.* VI, 17, 153.

40. Nous n'avons plus le tome du *ComMatth.* qui devait expliquer *Matth.* 10, 29-30. Voir l'exégèse des passereaux dans *FragmLc* 192 (*GCS* IX², p. 308), répété en *FragmMatth.* 212 (*GCS* XII/1, p. 101) ; celle des cheveux dans *HomNombr.* I, 1 ; *PArch.* IV, 3, 12.

41. R. CADIOU, *La Jeunesse d'Origène*, p. 154 note 3, rapproche *PArch.* II, 11, 6, de *ComJn* XIII, 40-43, 260-293, et écrit : « Ces derniers passages donnent très exactement l'équivalent grec de la traduction de Rufin. Il est facile de reconstituer ainsi les principales expressions du texte original du *Traité des Principes.* » Sur l'influence considérable que la description, en *PArch.* II, 11, 6-7, d'une *schola animarum* après la mort a eu sur le monachisme postérieur, voir B. STEIDLE, « Dominica schola servitii :

Zum Verständnis des Prologs der Regel Sankt-Benedikts », dans *Benediktinische Monatschrift* (Beuron) 28, 1952, p. 397-406, voir p. 399-400.

42. La croyance que les anges et les démons demeurent dans l'air entre ciel et terre est courante dans la littérature apocalyptique juive et chrétienne et chez les Grecs : *III Baruch* 2 ; *II Henoch* 4 s. ; PHILON, *Gig.* 6 ; *Plant.* 14 ; *Confus.* 77 ; *Somn.* I, 135 ; *SVF* II, p. 321.

43. La terre dont il s'agit ici n'est pas, d'après le contexte, la « vraie terre », opposée à l'« aride », celle qui se trouve au-dessus du ciel des étoiles fixes (*PArch.* II, 3, 6-7 et notes correspondantes 35 et 43), mais notre terre. Habituellement, Origène allégorise le paradis comme le lieu originaire des créatures raisonnables et le lieu futur des bienheureux, qui, suivant certains textes, plus qu'un endroit déterminé, est un état de joie surnaturelle : *HomLév.* XVI, 15 ; *HomNombr.* XII, 3 ; *Hom. I Rois (I Sam.)* I, 1 ; *ComCant.* I (*GCS* VIII, p. 104). C'est ainsi qu'il interprète spirituellement la création du paradis en *Gen.* 2, 8 s. (*SelGen.* 2, 8, *PG* 12, 97 s.) et peut parler de diverses sortes de paradis (*HomÉz.* XIII, 2 ; *SelGen.* 2, 15, *PG* 12, 100). Si ce monde est terre de péché, de malédiction et de mort, on ne voit pas comment le paradis pourrait y être logé : *HomÉz.* IV, 1 ; *HomJér.* VIII, 1 ; *CCels.* VII, 29. Le paradis est le lieu où se trouvent les créatures raisonnables avant la chute (*HomÉz.* XIII, 1), un lieu céleste, tel qu'il est représenté par Paul (*II Cor.* 12, 2-4), par des apocryphes (*II Henoch* 8 ; *Apoc. Mosis* 40) et des auteurs chrétiens primitifs (MÉLITON, *Hom. Pasch.* 47 s.; IRÉNÉE, *Adv. Haer.* V, 5, 1), situé sur un autre monde (*ComJn* II, 29 (24), 175-176 ; *HomNombr.* XXVI, 4). *HomNombr.* XXVI, 5, affirme que le Paradis ne se trouve pas sur l'« aride », mais sur la « vraie terre », puisque Adam en fut précipité sur l'« aride », après le péché. M. RAUER, « Origenes über das Paradies », dans *Studien* *zum Neuen Testament und zur Patristik Erich Klostermann... dargebracht*, *TU* 77, 1961, p. 253-259, cite comme d'Origène un fragment inédit qui parle d'un παράδεισος αἰσθητός, qui constituerait un autre témoignage pour la localisation du Paradis terrestre sur cette terre. Malheureusement ce fragment est en réalité un passage d'ÉPIPHANE, *Ancoratus*, 58, 6-8.

44. La pureté de cœur est la vertu fondamentale qui rend possible la connaissance : H. CROUZEL, *Connaissance*, p. 430-434. Cette instruction préliminaire sera plus ou moins longue selon le degré de connaissance déjà acquis sur terre : *HomPs.* 36, V, 1.

45. L'ascension des bienheureux renvoie à PLATON, *Phèdre* 246-247 et *Timée* 42 ab : leurs visions rappellent d'une part la littérature hellénique sur l'Hadès à partir du mythe de Er (voir Hal KOCH, *Pronoia*, p. 95, note 2), par exemple chez Plutarque, d'autre part les apocalypses juives et chrétiennes *(III Baruch*, *Ascension d'Isaïe)*. On retrouve ce motif dans la gnose : IRÉNÉE, *Adv. Haer.* I, 21, 5 ; I, 24, 6. Dans *CCels.* VII, 31, Origène établit aussi sur *Aggée* 2, 6, la distinction entre l'« aride » et la « terre ». En *CCels.* VI, 21-24, Origène affirme contre Celse que les chrétiens n'ont pas tiré des Perses, mais de l'Ancien Testament, leur doctrine de l'ascension des âmes, et il cite PHILON, *Somn.* I, 133, sur l'échelle de Jacob. Quant à la montée des âmes chez CLÉMENT : *Strom.* II, 11, 51 ; VII, 2, 10 ; VII, 3, 13 ; VII, 13, 82.

46. Nous sommes obligés de traduire ainsi *mansiones*, alors qu'il serait plus simple de dire seulement *étapes*, à cause de la citation de *Jn* 14, 2, située un peu plus bas pour appuyer ce mot : on ne peut y traduire *mansiones* = μοναί que par *demeures*, parce qu'il n'y est pas question d'un itinéraire. Ces étapes ou demeures correspondent aux sept sphères planétaires et à celle des fixes.

47. Voir la note 46 et *PArch.* II, 3, 6-7, ainsi que les notes correspondantes 35 et 43. PHILON, *Somn.* I, 22 loge les âmes désincarnées dans l'air inférieur le plus proche de la terre.

48. Voir note 46. Origène applique aussi *Jn* 14, 2 aux diverses conditions des bienheureux dans le ciel : *HomJos.* X, 1 ; XXIII, 4 ; *HomNombr.* XXVII, 2.

49. *ComJn* VI, 38 (22), 188-190 ; *PArch.* II, 1, 3. Sur le contraste entre la présence universelle du Verbe et les limitations qu'il assume par son Incarnation : *PArch.* IV, 4, 3 ; *SerMatth.* 65 ; *ComJn* X, 10 (8), 43-47. Sur son abaissement et ses limites comme homme : *PArch.* II, 6, 2 ; *CCels.* IV, 15 ; *PEuch.* XXIII, 2.

50. *PArch.* I, préf. 10 ; I, 7, 2-5.

51. *ComJn* I, 16, 92-93 : seul le Fils connaît le Père, ainsi que tous ceux qui parviennent à devenir avec lui un seul Fils. Le motif de renaître comme Fils de Dieu se trouve aussi dans le *Corpus Hermeticum* XIII, 6-7, 10.

52. Conception stoïcienne de l'harmonie de l'univers et de l'interdépendance de ses éléments.

53. Les bienheureux dans leur « vrai ciel » et leur « vraie terre » situés au-delà de la sphère des fixes contemplent les réalités intelligibles (*PArch.* II, 3, 6-7 et commentaire), en contemplant le Christ-Sagesse qui les contient en tant que Monde Intelligible.

54. *PArch.* IV, 1, 7 ; *ComJn* VI, 46 (28), 241 ; X, 40 (24), 283-284.

55. JÉRÔME, *Lettre* 124, 7 : « *Et in fine secundi uoluminis de perfectione nostra disputans, intulit : ' Cumque in tantum profecerimus, ut nequaquam carnes, et corpora, forsitan ne animae quidem fuerimus, sed mens et sensus ad perfectum* *ueniens, nulloque perturbationum nubilo caligatus, intuebitur rationabiles intellegibilesque substantias facie ad faciem.'* — Et à la fin du second volume discutant de notre achèvement : ' Lorsque nous aurons tellement progressé que nous ne serons plus chairs ni corps, peut-être même plus âmes, mais l'intelligence ou pensée venant à son achèvement, sans être obscurcie par aucun nuage ni trouble, contemplera les substances raisonnables et intelligibles face à face. ' »

Faut-il penser que Jérôme a résumé ou que Rufin a paraphrasé ? Le retour de l'âme à l'état d'intelligence semble être chez Jérôme plus conforme à l'état originaire que chez Rufin : *PArch.* II, 8, 3. Mais il est possible que Jérôme ait représenté à sa manière ordinaire l'incorporéité finale à la place de la corporéité éthérée et que, sur ce point, Rufin soit plus près de l'original. La « vie immatérielle et incorporelle » que menaient les intelligences préexistantes selon *ComJn* I, 17, 97, est à prendre dans un sens moral, comme nous en assurent plusieurs textes affirmant que les saints vivant encore sur terre ne vivent plus selon le corps ni la chair : *Fragm. I Thess.* (*PG* 14, 1299, traduction de Jérôme, *Lettre* 119) ; *ComJn* XIII, 53 (52), 357-361 ; fragment grec correspondant à *HomJér.* latine II, 9 ; *Fragm. X sur Éphés.* (*JTS* III, p. 405). Voir H. Crouzel, « L'anthropologie », p. 14-18.

56. Sur l'opposition de *I Cor.* 13, 12, voir *PArch.* I, 4, 1 note 4.

57. Chez Rufin : *theoremata.* Θεωρήματα désigne l'objet de la connaissance plus que l'acte de connaître, en référence soit à une connaissance scientifique (*CCels.* VI, 57 ; VII, 15 ; *ComJn* XIII, 46, 302 ; XXXII, 15 (9), 181), soit à une connaissance religieuse (*PEuch.* XIII, 3 ; XXX, 3 ; *CCels.* VI, 19 et 20 ; *ComJn* I, 30 (33), 208 ; I, 38 (42), 283 ; VI, 1, 2 ; X, 17 (13), 102). Le Fils en tant que Sagesse est un ensemble de « théorèmes » qui sont les idées, raisons et mystères qu'il contient : *ComJn* I, 34 (39), 244 ; II, 18 (12), 126 ; V, 5.

58. *ComMatth.* XVII, 5, où les mystères divins sont servis comme nourriture au banquet nuptial eschatologique de *Matth.* 22, 2 s. ; *PEuch.* XXVII, 13.

59. Affirmation d'allure aristotélicienne : voir *Fragm. I Cor.* 33 (*JTS* IX, p. 500).

60. Même dans la béatitude, au plus haut de leur progrès, les bienheureux ne peuvent épuiser la connaissance des mystères divins qui dépassent trop la nature de l'homme : *PArch.* IV, 3, 14 ; *HomIs.* I, 2 ; IV, 1.

Liste des fragments (ou résumés) du *Peri Archon* cités dans le Commentaire

ANTIPATER DE BOSTRA (*apud* Jean Damascène) : Préf. Orig. note 35 ; I, 8 note 14.

JEAN DE SCYTHOPOLIS (*alias* Ps.-Maxime le Conf.) : I, 6 note 29.

JÉRÔME, *Lettre* 124 :

§ 2 : Préf. Orig. notes 14, 21 ; I, 1 note 36 ; I, 2 notes 38, 41, 43, 48, 75 ; I, 3, 5 - 4, 2, introd.
§ 3 : I, 5 notes 17, 20, 32 ; I, 6 notes 8, 22, 24.
§ 4 : I, 7 notes 28, 37 ; I, 8 notes 12, 28.
§ 5 : II, 3 notes 1, 6, 15, 16, 43.
§ 6 : II, 3 note 43 ; II, 4 note 17 ; II, 6 note 15 ; II, 8 notes 16, 27.
§ 7 : II, 10 notes 21, 42 ; II, 11 note 55.

JUSTINIEN (d'après Mansi IX)

489 (525) : II, 9 note 2.
524 : I, 3, 5 - 4, 2 introd.
525 : I, 2 notes 41 et 75.
528 : I, 3 notes 20, 23 ; II, 6 note 25 ; I, 2 note 61 ; I, 6 note 13.
529 : I, 6 note 24 ; II, 1 note 4 ; I, 8 note 28 ; II, 3 note 16 ; II, 8 note 26.
532 : II, 8 note 16 ; I, 7 notes 28, 36.

MARCEL D'ANCYRE (*apud* Eusèbe) : Préf. Orig. note 1.

PAMPHILE (trad. Rufin) : I, 3 note 33 ; I, 8 notes 11, 29.

TABLE DES MATIÈRES

SOURCES CHRÉTIENNES

LISTE COMPLÈTE DE TOUS LES VOLUMES PARUS

N. B. — L'ordre suivant est celui de la date de parution (nº 1 en 1942) et il n'est pas tenu compte ici du classement en séries : grecque, latine, byzantine, orientale, textes monastiques d'Occident ; et série annexe : textes para-chrétiens.

Sauf indication contraire, chaque volume comporte le texte original, grec ou latin, souvent avec un apparat critique inédit.

La mention *bis* indique une seconde édition. Quand cette seconde édition ne diffère de la première que par de menues corrections et des *Addenda et Corrigenda* ajoutés en appendice, la date est accompagnée de la mention « réimpression avec supplément ».

1. Grégoire de Nysse : **Vie de Moïse.** J. Daniélou (3e édition) (1968).

2 bis. Clément d'Alexandrie : **Protreptique.** C. Mondésert, A. Plassart (réimpression de la 2e éd., 1976).

3 bis. Athénagore : **Supplique au sujet des chrétiens.** *En préparation.*

4 bis. Nicolas Cabasilas : **Explication de la divine Liturgie.** S. Salaville, R. Bornert, J. Gouillard, P. Périchon (1967).

5. Diadoque de Photicé : **Œuvres spirituelles.** É. des Places (réimpr. de la 2e éd., avec suppl., 1966).

6 bis. Grégoire de Nysse : **La création de l'homme.** *En préparation.*

7 bis. Origène : **Homélies sur la Genèse.** H. de Lubac, L. Doutreleau (1976).

8. Nicétas Stéthatos : **Le paradis spirituel.** M. Chalendard. *Remplacé par le nº 81.*

9 bis. Maxime le Confesseur : **Centuries sur la charité.** *En préparation.*

10. Ignace d'Antioche : **Lettres — Lettres et Martyre** de Polycarpe de Smyrne. P.-Th. Camelot (4e édition) (1969).

11 bis. Hippolyte de Rome : **La Tradition apostolique.** B. Botte (1968).

12 bis. Jean Moschus : **Le Pré spirituel.** *En préparation.*

13. Jean Chrysostome : **Lettres à Olympias.** A.-M. Malingrey. Trad. seule (1947).

13 bis. 2e édition avec le texte grec et la **Vie anonyme d'Olympias** (1968).

14. Hippolyte de Rome : **Commentaire sur Daniel.** G. Bardy, M. Lefèvre. Trad. seule (1947).
2e édition avec le texte grec. *En préparation.*

15 bis. Athanase d'Alexandrie : **Lettres à Sérapion.** J. Lebon. *En préparation.*

16 bis. Origène : **Homélies sur l'exode.** H. de Lubac, J. Fortier. *En préparation.*

17. Basile de Césarée : **Sur le Saint-Esprit.** B. Pruche. Trad. seule (1947).

17 bis. 2e édition avec le texte grec (1968).

18 bis. Athanase d'Alexandrie : **Discours contre les païens.** P. Th. Camelot (1977).

19 bis. Hilaire de Poitiers : **Traité des Mystères.** P. Brisson (réimpression, avec supplément, 1967).

20. Théophile d'Antioche : **Trois livres à Autolycus.** G. Bardy, J. Sender. Trad. seule (1948).
2e édition avec le texte grec. *En préparation.*

21. Éthérie : **Journal de voyage.** H. Pétré (réimpression, 1975).

22 bis. Léon le Grand : **Sermons,** t. I. J. Leclercq, R. Dolle (1964).

23. Clément d'Alexandrie : **Extraits de Théodote** (réimpression, 1970).

24 bis. Ptolémée : **Lettre à Flora.** G. Quispel (1966).
25 bis. Ambroise de Milan : **Des Sacrements. Des Mystères. Explication du Symbole.** B. Botte (1961).
26 bis. Basile de Césarée : **Homélies sur l'Hexaéméron.** S. Giet (réimpr. avec suppl., 1968).
27 bis. **Homélies Pascales,** t. I. P. Nautin. *En préparation.*
28 bis. Jean Chrysostome : **Sur l'incompréhensibilité de Dieu.** J. Daniélou, A.-M. Malingrey, R. Flacelière (1970).
29 bis. Origène : **Homélies sur les Nombres.** A. Méhat *En préparation.*
30 bis. Clément d'Alexandrie : **Stromate I.** *En préparation.*
31. Eusèbe de Césarée : **Histoire ecclésiastique,** t. I. G. Bardy (réimpression, 1965).
32 bis. Grégoire le Grand : **Morales sur Job,** t. I Livres I-II. R. Gillet, A. de Gaudemaris (1975).
33 bis. **A. Diognète.** H. I. Marrou (réimpr. avec suppl., 1965).
34. Irénée de Lyon : **Contre les hérésies,** livre III. F. Sagnard. *Remplacé par les nos 210 et 211.*
35 bis. Tertullien : **Traité du baptême.** F. Refoulé. *En préparation.*
36 bis. **Homélies Pascales,** t. II. P. Nautin. *En préparation.*
37 bis. Origène : **Homélies sur le Cantique.** O. Rousseau (1966).
38 bis. Clément d'Alexandrie : **Stromate II.** *En préparation.*
39 bis. Lactance : **De la mort des persécuteurs.** 2 vol. *En préparation.*
40. Théodoret de Cyr : **Correspondance,** t. I. Y. Azéma (1955).
41. Eusèbe de Césarée : **Histoire ecclésiastique,** t. II. G. Bardy (réimpression 1965).
42. Jean Cassien : **Conférences,** t. I. E. Pichery (réimpression, 1966).
43. Jérôme : **Sur Jonas.** P. Antin (1956).
44. Philoxène ne Mabboug : **Homélies.** E. Lemoine. Trad. seule (1956).
45. Ambroise de Milan : **Sur S. Luc,** t. I. G. Tissot (réimpr. avec suppl., 1971).
46. Tertullien : **De la prescription contre les hérétiques.** P. de Labriolle et F. Refoulé (1957).
47. Philon d'Alexandrie : **La migration d'Abraham.** R. Cadiou (1957).
48. **Homélies Pascales,** t. III. F. Floëri et P. Nautin (1957).
49 bis. Léon le Grand : **Sermons,** t. II. R. Dolle (1969).
50 bis. Jean Chrysostome : **Huit Catéchèses baptismales inédites.** A. Wenger (réimpr. avec suppl., 1970).
51 bis. Syméon le Nouveau Théologien : **Chapitres théologiques, gnostiques et pratiques.** J. Darrouzès. *En préparation.*
52 bis. Ambroise de Milan : **Sur S. Luc,** t. II. G. Tissot (réimpr. avec suppl., 1976).
53 bis. Hermas : **Le Pasteur.** R. Joly (réimpr. avec suppl., 1968).
54. Jean Cassien : **Conférences,** t. II. E. Pichery (réimpression, 1966).
55. Eusèbe de Césarée : **Histoire ecclésiastique,** t. III. G. Bardy (réimpres. sion, 1967).
56. Athanase d'Alexandrie : **Deux apologies.** J. Szymusiak (1958).
57. Théodoret de Cyr : **Thérapeutique des maladies helléniques.** 2 volumes. P. Canivet (1958).
58 bis. Denys l'Aréopagite : **La hiérarchie céleste.** G. Heil, R. Roques, M. de Gandillac (réimpr. avec suppl., 1970).
59. **Trois antiques rituels du baptême. A. Salles.** Trad. seule. *Épuisé.*
60. Aelred de Rievaulx : **Quand Jésus eut douze ans.** A. Hoste, J. Dubois (1958).
61 bis. Guillaume de Saint-Thierry : **Traité de la contemplation de Dieu.** J. Hourlier (réimpression, 1977).
62. Irénée de Lyon : **Démonstration de la prédication apostolique.** L. Froidevaux. Nouvelle trad. sur l'arménien. Trad. seule (réimpr. 1971).
63. Richard de Saint-Victor : **La Trinité.** G. Salet (1959).

64. Jean Cassien : **Conférences,** t. III. E. Pichery (réimpr., 1971).
65. Gélase Ier : **Lettre contre les Lupercales et dix-huit messes du sacramentaire léonien.** G. Pomarès (1960).
66. Adam de Perseigne : **Lettres,** t. I. J. Bouvet (1960).
67. Origène : **Entretien avec Héraclide.** J. Scherer (1960).
68. Marius Victorinus : **Traités théologiques sur la Trinité.** P. Henry, P. Hadot. Tome I. Introd., texte critique, traduction (1960).
69. **Id.** — Tome II. Commentaire et tables (1960).
70. Clément d'Alexandrie : **Le Pédagogue,** t. I. H. I. Marrou, M. Harl (1960).
71. Origène : **Homélies sur Josué.** A. Jaubert (1960).
72. Amédée de Lausanne : **Huit homélies mariales.** G. Bavaud, J. Deshusses, A. Dumas (1960).
73 bis. Eusèbe de Césarée : **Histoire ecclésiastique,** t. IV. Introd. générale de G. Bardy et tables de P. Périchon (réimpr. avec suppl., 1971).
74 bis. Léon le Grand : **Sermons,** t. III. R. Dolle (1976).
75. S. Augustin : **Commentaire de la 1re Épître de S. Jean. P. Agaësse** (réimpression, 1966).
76. Aelred de Rievaulx : **La vie de recluse.** Ch. Dumont (1961).
77. Defensor de Ligugé : **Le livre d'étincelles,** t. I. H. Rochais (1961).
78. Grégoire de Narek : **Le livre de Prières.** I. Kéchichian. Trad. seule (1961).
79. Jean Chrysostome : **Sur la Providence de Dieu.** A.-M. Malingrey (1961).
80. Jean Damascène : **Homélies sur la Nativité et la Dormition.** P. Voulet (1961).
81. Nicétas Stéthatos : **Opuscules et lettres.** J. Darrouzès (1961).
82. Guillaume de Saint-Thierry : **Exposé sur le Cantique des Cantiques.** J.-M. Déchanet (1962).
83. Didyme l'Aveugle : **Sur Zacharie.** Texte inédit. L. Doutreleau. Tome I. Introduction et livre I (1962).
84. **Id.** — Tome II. Livres II et III (1962).
85. **Id.** — Tome III. Livres IV et V, Index (1962).
86. Defensor de Ligugé : **Le livre d'étincelles,** t. II. H. Rochais (1962).
87. Origène : **Homélies sur S. Luc.** H. Crouzel, F. Fournier, P. Périchon (1962).
88. **Lettres des premiers Chartreux,** tome I : S. Bruno, Guigues, S. Anthelme. Par un Chartreux (1962).
89. **Lettre d'Aristée à Philocrate.** A. Pelletier (1962).
90. **Vie de sainte Mélanie.** D. Gorce (1962).
91. Anselme de Cantorbéry : **Pourquoi Dieu s'est fait homme.** R. Roques (1963).
92. Dorothée de Gaza : **Œuvres spirituelles.** L. Regnault, J. de Préville (1963).
93. Baudouin de Ford : **Le sacrement de l'autel.** J. Morson, É. de Solms, J. Leclercq. Tome I (1963).
94. **Id.** — Tome II (1963).
95. Méthode d'Olympe : **Le banquet.** H. Musurillo, V.-H. Debidour (1963).
96. Syméon le Nouveau Théologien : **Catéchèses.** B. Krivochéine, J. Paramelle. Tome I. Introduction et Catéchèses 1-5 (1963).
97. Cyrille d'Alexandrie : **Deux dialogues christologiques.** G. M. de Durand (1964).
98. Théodoret de Cyr : **Correspondance,** t. II. Y. Azéma (1964).
99. Romanos le Mélode : **Hymnes.** J. Grosdidier de Matons. Tome I. Introduction et Hymnes I-VIII (1964).
100. Irénée de Lyon : **Contre les hérésies,** livre IV. A. Rousseau, B. Hemmerdinger. Ch. Mercier, L. Doutreleau. 2 vol. (1965).
101. Quodvultdeus : **Livre des promesses et des prédictions de Dieu.** R. Braun. Tome I (1964).

102. **Id.** — Tome II (1964).
103. JEAN CHRYSOSTOME : **Lettre d'exil.** A.-M. Malingrey (1964).
104. SYMÉON LE NOUVEAU THÉOLOGIEN : **Catéchèses.** B. Krivochéine, J. Paramelle. Tome II. Catéchèses 6-22 (1964).
105. **La Règle du Maître.** A. de Voguë. Tome I. Introduction et chap. 1-10 (1964).
106. **Id.** — Tome II. Chap. 11-95 (1964).
107. **Id.** — Tome III. Concordance et Index orthographique. J.-M. Clément, J. Neufville, D. Demeslay (1965).
108. CLÉMENT D'ALEXANDRIE : **Le Pédagogue,** tome II. Cl. Mondésert, H. I. Marrou (1965).
109. JEAN CASSIEN : **Institutions cénobitiques.** J.-C. Guy (1965).
110. ROMANOS LE MÉLODE : **Hymnes.** J. Grosdidier de Matons. Tome II. Hymnes IX-XX (1965).
111. THÉODORET DE CYR : **Correspondance,** t. III. Y. Azéma (1965).
112. CONSTANCE DE LYON : **Vie de S. Germain d'Auxerre.** R. Borius (1965).
113. SYMÉON LE NOUVEAU THÉOLOGIEN : **Catéchèses.** B. Krivochéine, J. Paramelle. Tomme III. Catéchèses 23-34, Actions de grâces 1-2 (1965).
114. ROMANOS LE MÉLODE : **Hymnes.** J. Grosdidier de Matons. Tome III. Hymnes XXI-XXXI (1965).
115. MANUEL II PALÉOLOGUE : **Entretien avec un musulman.** A. Th. Khoury (1966).
116. AUGUSTIN D'HIPPONE : **Sermons par la Pâque.** S. Poque (1966).
117. JEAN CHRYSOSTOME : **A Théodore.** J. Dumortier (1966).
118. ANSELME DE HAVELBERG : **Dialogues,** livre I. G. Salet (1966).
119. GRÉGOIRE DE NYSSE : **Traité de la Virginité.** M. Aubineau (1966).
120. ORIGÈNE : **Commentaire sur S. Jean.** C. Blanc. Tome I. Livres I-V (1966).
121. ÉPHREM DE NISIBE : **Commentaire de l'Évangile concordant ou Diatessaron.** L. Leloir. Trad. seule (1966).
122. SYMÉON LE NOUVEAU THÉOLOGIEN : **Traités théologiques et éthiques** J. Darrouzès. Tome I. Théol. 1-3, Éth. 1-3 (1966).
123. MÉLITON DE SARDES : **Sur la Pâque (et fragments).** O. Perler (1966).
124. **Expositio totius mundi et gentium.** J. Rougé (1966).
125. JEAN CHRYSOSTOME : **La Virginité.** H. Musurillo, B. Grillet (1966).
126. CYRILLE DE JÉRUSALEM : **Catéchèses mystagogiques.** A. Piédagnel, P. Paris (1966).
127. GERTRUDE D'HELFTA : **Œuvres spirituelles.** Tome I. **Les Exercices.** J. Hourlier, A. Schmitt (1967).
128. ROMANOS LE MÉLODE : **Hymnes.** J. Grosdidier de Matons. Tome IV. Hymnes XXXII-XLV (1967).
129. SYMÉON LE NOUVEAU THÉOLOGIEN : **Traités théologiques et éthiques** J. Darrouzès. Tome II. Éth. 4-15 (1967).
130. ISAAC DE L'ÉTOILE : **Sermons.** A. Hoste. G. Salet. Tome I. Introduction et Sermons 1-17 (1967).
131. RUPERT DE DEUTZ : **Les œuvres du Saint-Esprit.** J. Gribomont, É. de Solms. Tome I. Livres I et II (1967).
132. ORIGÈNE : **Contre Celse.** M. Borret. Tome I. Livres I et II (1967).
133. SULPICE SÉVÈRE : **Vie de S. Martin.** J. Fontaine. Tome I. Introduction, texte et traduction (1967).
134. **Id.** — Tome II. Commentaire (1968).
135. **Id.** — Tome III. Commentaire (suite), Index (1969).
136. ORIGÈNE : **Contre Celse.** M. Borret. Tome II. Livres III et IV (1968).
137. ÉPHREM DE NISIBE : **Hymnes sur le Paradis.** F. Graffin, R. Lavenant. Trad. seule (1968).
138. JEAN CHRYSOSTOME : **A une jeune veuve. Sur le mariage unique.** B. Grillet, G. H. Ettlinger (1968).
139. GERTRUDE D'HELFTA : **Œuvres spirituelles.** Tome II. **Le Héraut.** Livre I et II. P. Doyère (1968).

140. Rufin d'Aquilée : **Les bénédictions des Patriarches.** M. Simonetti, H. Rochais, P. Antin (1968).
141. Cosmas Indicopleustès : **Topographie chrétienne.** Tome I. Introduction et livres I-IV. W. Wolska-Conus (1968).
142. **Vie des Pères du Jura.** F. Martine (1968).
143. Gertrude d'Helfta : **Œuvres spirituelles.** Tome III. **Le Héraut.** Livre III. P. Doyère (1968).
144. **Apocalypse syriaque de Baruch.** Tome I. Introduction et traduction. P. Bogaert (1969).
145. **Id.** — Tome II. Commentaire et tables (1969).
146. **Deux homélies anoméennes pour l'octave de Pâques.** J. Liébaert (1969).
147. Origène : **Contre Celse.** M. Borret. Tome III. Livres V et VI (1969).
148. Grégoire le Thaumaturge : **Remerciement à Origène. — La lettre d'Origène à Grégoire.** H. Crouzel (1969).
149. Grégoire de Nazianze : **La passion du Christ.** A. Tuilier (1969).
150. Origène : **Contre Celse.** M. Borret. Tome IV. Livres VII et VIII (1969).
151. Jean Scot : **Homélie sur le Prologue de Jean.** E. Jeauneau (1969).
152. Irénée de Lyon : **Contre les hérésies,** livre V. A. Rousseau, L. Doutreleau, C. Mercier. Tome I. Introduction, notes justificatives et tables (1969).
153. **Id.** — Tome II. Texte et traduction (1969).
154. Chromace d'Aquilée : **Sermons.** Tome I. Sermons 1-17. A. J. Lemarié (1969).
155. Hugues de Saint-Victor : **Six opuscules spirituels.** R. Baron (1969).
156. Syméon le Nouveau Théologien : **Hymnes.** J. Koder, J. Paramelle. Tome I. Hymnes I-XV (1969).
157. Origène : **Commentaire sur S. Jean.** C. Blanc. Tome II. Livre VI et X (1970).
158. Clément d'Alexandrie : **Le Pédagogue.** Livre III. Cl. Mondésert, H. I. Marrou et Ch. Matray (1970).
159. Cosmas Indicopleustès : **Topographie chrétienne.** Tome II. Livre V. W. Wolska-Conus (1970).
160. Basile de Césarée : **Sur l'origine de l'homme.** A. Smets et M. Van Esbroeck (1970).
161. **Quatorze homélies du IX siècle d'un auteur inconnu de l'Italie du Nord.** P. Mercier (1970).
162. Origène : **Commentaire sur l'Évangile selon Matthieu.** Tome I. Livres X et XI. R. Girod (1970).
163. Guigues II le Chartreux : **Lettre sur la vie contemplative** (ou **Échelle des Moines**). **Douze méditations.** E. Colledge, J. Walsh (1970).
164. Chromace d'Aquilée : **Sermons.** Tome II. Sermons 18-41. J. Lemarié (1971).
165. Rupert de Deutz : **Les œuvres du Saint-Esprit.** Tome II. Livres III et IV. J. Gribomont, É. de Solms (1970).
166. Guerric d'Igny : **Sermons.** Tome I. J. Morson, H. Costello, P. Deseille (1970).
167. Clément de Rome : **Épître aux Corinthiens.** A. Jaubert (1971).
168. Richard Rolle : **Le chant d'amour (Meos amoris).** F. Vandenbroucke et les Moniales de Wisques. Tome I (1971).
169. **Id.** — Tome II (1971).
170. Évagre le Pontique : **Traité pratique.** A. et C. Guillaumont. Tome I. Introduction (1971).
171. **Id.** — Tome II. Texte, traduction, commentaire et tables (1971).
172. **Épître de Barnabé.** R. A. Kraft, P. Prigent (1971).
173. Tertullien : **La toilette des femmes.** M. Turcan (1971).
174. Syméon le Nouveau Théologien : **Hymnes.** J. Koder, L. Neyrand. Tome II. Hymnes XVI-XL (1971).

175. CÉSAIRE D'ARLES : **Sermons au peuple.** Tome I. Sermons I-20. M.-J. Delage (1971).
176. SALVIEN DE MARSEILLE : **Œuvres.** Tome I. G. Lagarrigue (1971).
177. CALLINICOS : **Vie d'Hypatios.** G.J.M. Bartelink (1971).
178. GRÉGOIRE DE NYSSE : **Vie de sainte Macrine.** P. Maraval (1971).
179. AMBROISE DE MILAN : **La Pénitence.** R. Gryson (1971).
180. JEAN SCOT : **Commentaire sur l'évangile de Jean.** É. Jeauneau (1972).
181. **La Règle de S. Benoît.** Tome I. Introduction et Chapitres I-VII. A. de Vogüé et J. Neufville (1972).
182. **Id.** — Tome II. Chapitres VIII-LXXIII, Tables et concordance. A. de Vogüé et J. Neufville (1972).
183. **Id.** — Tome III. Étude de la tradition manuscrite. J. Neufville (1972).
184. **Id.** — Tome IV. Commentaire (Parties I-III). A. de Voguë (1971).
185. **Id.** — Tome V. Commentaire (Parties IV-VI). A. de Voguë (1971).
186. **Id.** — Tome VI. Commentaire (Parties VII-IX), Index. A. de Vogüé (1971).
187. HÉSYCHIUS DE JÉRUSALEM, BASILE DE SÉLEUCIE, JEAN DE BÉRYTE, PSEUDO-CHRYSOSTOME, LÉONCE DE CONSTANTINOPLE : **Homélies pascales.** M. Aubineau (1972).
188. JEAN CHRYSOSTOME : **Sur la vaine gloire et l'éducation des enfants.** A.-M. Malingrey (1972).
189. **La chaine palestinienne sur le psaume 118.** Tome I. Introduction, texte critique et traduction. M. Harl (1972).
190. **Id.** — Tome II. Catalogue des fragments, Notes et Index. M. Harl 1972.
191. PIERRE DAMIEN : **Lettre sur la toute-puissance divine.** A. Cantin (1972).
192. JULIEN DU VÉZELAY : **Sermons.** Tome I. Introduction et Sermons 1-16. D. Vorreux (1972).
193. **Id.** — Tome II. Sermons 17-27, Index. D. Vorreux (1972).
194. **Actes de la Conférence de Carthage en 411.** Tome I. Introduction. S. Lancel (1972).
195. **Id.** — Tome II. Texte et traduction de la Capitulation et des Actes de la première séance. S. Lancel (1972).
196. SYMÉON LE NOUVEAU THÉOLOGIEN : **Hymnes.** J. Koder, J. Paramelle, L. Neyrand. Tome III. Hymnes XLI-LVIII, Index (1973).
197. COSMAS INDICOPLEUSTÈS : **Topographie chrétienne,** t. III. Livres VI-XII, Index. W. Wolska-Conus (1973).
198. **Livre** (cathare) **des deux principes.** Ch. Thouzellier (1973).
199. ATHANASE D'ALEXANDRIE : **Sur l'incarnation du Verbe.** C. Kannengiesser (1973).
200. LÉON LE GRAND : **Sermons,** tome IV. Sermons 65-98, Éloge de S. Léon, Index. R. Dolle (1973).
201. **Évangile de Pierre.** M.-G. Mara (1973).
202. GUERRIC D'IGNY : **Sermons.** Tome II. J. Morson, H. Costello, P. Deseille (1973).
203. NERSÈS ŠNORHALI : **Jésus, Fils unique du Père.** I. Kéchichian. Trad. seule (1973).
204. LACTANCE : **Institutions divines,** livre V. Tome I. Introd., texte et trad. P. Monat (1973).
205. **Id.** — Tome II. Commentaire et index. P. Monat (1973).
206. EUSÈBE DE CÉSARÉE : **Préparation évangélique,** livre I. J. Sirinelli, É. des Places (1974).
207. ISAAC DE L'ÉTOILE : **Sermons.** A. Hoste, G. Salet, G. Raciti. Tome II. Sermons 18-39 (1974).
208. GRÉGOIRE DE NAZIANZE : **Lettres théologiques.** P. Gallay (1974).
209. PAULIN DE PELLA : **Poème d'action de grâces et Prière.** C. Moussy (1974).
210. IRÉNÉE DE LYON : **Contre les hérésies,** livre III. A. Rousseau, L. Doutreleau. Tome I. Introduction, notes justificatives et tables (1974).
211. **Id.** — Tome II. Texte et traduction (1974).
212. GRÉGOIRE LE GRAND : **Morales sur Job.** Livres XI-XIV. A. Bocognano (1974).

213. Lactance : **L'ouvrage du Dieu créateur.** Tome I. Introduction, texte critique et traduction. M. Perrin (1974).
214. **Id.** — Tome II. Commentaire et index. M. Perrin (1974).
215. Eusèbe de Césarée : **Préparation évangélique,** livre VII. G. Schroeder, É. des Places (1975).
216. Tertullien : **La chair du Christ.** Tome I. Introduction, texte critique et traduction. J. P. Mahé (1975).
217. **Id.** — Tome II. Commentaire et Index. J. P. Mahé (1975).
218. Hydace : **Chronique.** Tome I. Introduction, texte critique et traduction. A. Tranoy (1975).
219. **Id.** — Tome II. Commentaire et index. A. Tranoy (1975).
220. Salvien de Marseille : **Œuvres,** t. II. G. Lagarrigue (1975).
221. Grégoire le Grand : **Morales sur Job.** Livres XV-XVI. A. Bocognano 1975.
222. Origène : **Commentaire sur S. Jean.** Tome III. Livre XIII. C. Blanc (1975).
223. Guillaume de Saint-Thierry : **Lettre aux Frères du Mont-Dieu (Lettre d'or).** J. Déchanet (1975).
224. **Actes de la Conférence de Carthage en 411.** Tome III. Texte et traduction des Actes de la 2e et de la 3e séance. S. Lancel (1975).
225. Dhuoda : **Manuel pour mon fils.** P. Riché, B. de Vregille et C. Mondésert (1975).
226. Origène : **Philocalie 21-27 (Sur le libre arbitre).** E. Junod. (1976).
227. Origène : **Contre Celse.** M. Borret. Tome V. Introduction et index (1976).
228. Eusèbe de Césarée : **Préparation évangélique.** Livres II-III. É. des Places (1976).
229. Pseudo-Philon : **Les Antiquités Bibliques.** D. J. Harrington, C. Perrot, P. Bogaert, J. Cazeaux. Tome I. Introduction critique, texte et traduction (1976).
230. **Id.** — Tome II. Introduction littéraire, commentaire et index (1976).
231. Cyrille d'Alexandrie : **Dialogues sur la Trinité.** Tome I. Dial. I et II. G. M. de Durand (1976).
232. Origène : **Homélies sur Jérémie.** P. Nautin et P. Husson. Tome I. Introduction et homélies I-XI (1976).
233. Didyme l'Aveugle : **Sur la Genèse.** Tome I (Sur Genèse I-IV). P. Nautin et L. Doutreleau (1976).
234. Théodoret de Cyr : **Histoire des moines de Syrie.** Tome I. Introduction et **Histoire Philotée** I-XIII. P. Canivet et A. Leroy-Molinghen (1977).
235. Hilaire d'Arles : **Vie de S. Honorat.** M. D. Valentin (1977).
236. **Rituel cathare.** Ch. Thouzellier (1977).
237. Cyrille d'Alexandrie : **Dialogues sur la Trinité.** Tome II. Dial. III-V. G. M. de Durand (1977).
238. Origène : **Homélies sur Jérémie.** Tome II. Homélies XII-XX et homélies latines, index. P. Nautin et P. Husson (1977).
239. Ambroise de Milan : **Apologie de David.** P. Hadot et M. Cordier (1977).
240. Pierre de Celle : **L'école du cloître.** G. de Martel (1977).
241. **Conciles gaulois du IVe siècle.** J. Gaudemet (1977).
242. S. Jérôme : **Commentaire sur S. Matthieu.** Tome I. Livres I et II. É. Bonnard (1978).
243. Césaire d'Arles : **Sermons au peuple.** Tome II. Sermons 21-55. M.-J. Delage (1978).
244. Didyme l'Aveugle : **Sur la Genèse.** Tome II (Sur Genèse V-XVII). Index. P. Nautin et L. Doutreleau (1978).
245. **Targum du Pentateuque.** Tome I : **Genèse.** R. Le Déaut et J. Robert. Trad. seule (1978).
246. Cyrille d'Alexandrie : **Dialogues sur la Trinité.** Tome III. Dial. VI-VII, index. G. M. de Durand (1978).

247. Grégoire de Nazianze : **Discours** 1-3. J. Bernardi (1978).

248. **La doctrine des douze apôtres.** W. Rordorf et A. Tuilier (1978).

249. S. Patrick : **Confession et Lettre à Coroticus.** R.P.C. Hanson et C. Blanc (1978).

250. Grégoire de Nazianze : **Discours** 27-31 (Discours théologiques). P. Gallay.

251. Grégoire le Grand : **Dialogues,** tome I. Introduction, bibliographie et cartes. A. de Vogüé (1978).

252. Origène, **Traité des principes.** Livres I et II. Tome I : Introduction, texte critique et traduction. H. Crouzel et M. Simonetti (1978).

253. Origène, **Traité des principes.** Livres I et II. Tome II : Commentaire et fragments. H. Crouzel et M. Simonetti (1978).

Hors série :

Directives pour la préparation des manuscrits (de « Sources Chrétiennes »). A demander au Secrétariat de « Sources Chrétiennes », 29, rue du Plat, 69002 Lyon.

La Règle de S. Benoît. VII. Commentaire doctrinal et spirituel. A. de Vogüé (1977).

SOUS PRESSE

Théodoret de Cyr : **Histoire des moines de Syrie,** t. II. P. Canivet et A. Leroy-Molinghen.

Gertrude d'Helfta : **Œuvres spirituelles.** Tome IV. **Le Héraut.** Livre IV. J.-M. Clément, B. de Vregille et les Moniales de Wisques.

Grégoire le Grand : **Dialogues,** t. II et III. P. Antin et A. de Vogüé.

Hilaire de Poitiers : **Sur Matthieu.** J. Doignon (2 volumes).

S. Jérôme : **Commentaire sur S. Matthieu,** t. II. É. Bonnard.

Targum du Pentateuque. Tome II : **Exode et Lévitique.** R. Le Déaut.

Eusèbe de Césarée : **Préparation évangélique,** livres IV, 1 - V, 17. O. Zink et É. des Places.

Eusèbe de Césarée : **Préparation évangélique,** livres V, 18 - VI. É. des Places.

PROCHAINES PUBLICATIONS

Pseudo-Macaire : **Œuvres spirituelles,** t. I. V. Desprez.

Irénée de Lyon : **Contre les hérésies,** livres I et II. A. Rousseau et L. Doutreleau.

Théodoret de Cyr : **Commentaire sur Isaïe.** J.-N. Guinot.

SOURCES CHRÉTIENNES

(1-253)

Également aux Éditions du Cerf :

LES ŒUVRES DE PHILON D'ALEXANDRIE

publiées sous la direction de

R. Arnaldez, C. Mondésert, J. Pouilloux.

Texte grec et traduction française.

1. **Introduction générale. De opificio mundi.** R. Arnaldez (1961).
2. **Legum allegoriae.** C. Mondésert (1962).
3. **De cherubim.** J. Gorez (1963).
4. **De sacrificiis Abelis et Caini.** A. Méasson (1966).
5. **Quod deterius potiori insidiari soleat.** I. Feuer (1965).
6. **De posteritate Caini.** R. Arnaldez (1972).

7-8. **De gigantibus. Quod Deus sit immutabilis.** A. Mosès (1963).

9. **De agricultura.** J. Pouilloux (1961).

10. **De plantatione.** J. Pouilloux (1963).

11-12. **De ebrietate. De sobrietate.** J. Gorez (1962).

13. **De confusione linguarum.** J.-G. Kahn (1963).

14. **De migratione Abrahami.** J. Cazeaux (1965).

15. **Quis rerum divinarum heres sit.** M. Harl (1966).

16. **De congressu eruditionis gratia.** M. Alexandre (1967).

17. **De fuga et inventione.** E. Starobinski-Safran (1970).

18. **De mutatione nominum.** R. Arnaldez (1964).

19. **De somniis.** P. Savinel (1962).

20. **De Abrahamo.** J. Gorez (1966).

21. **De Iosepho.** J. Laporte (1964).

22. **De vita Mosis.** R. Arnaldez, C. Mondésert, J. Pouilloux, P. Savinel (1967).

23. **De Decalogo.** V. Nikiprowetzky (1965).

24. **De specialibus legibus.** Livres I-II. S. Daniel (1975).

25. **De specialibus legibus.** Livres III-IV. A. Mosès (1970).

26. **De virtutibus.** R. Arnaldez, A.-M. Vérilhac, M.-R. Servel et P. Delobre (1962).

27. **De praemiis et poenis. De exsecrationibus.** A. Beckaert (1961).

28. **Quod omnis probus liber sit.** M. Petit (1974).

29. **De vita contemplativa.** F. Daumas et P. Miquel (1964).

30. **De aeternitate mundi.** R. Arnaldez et J. Pouilloux (1969).

31. **In Flaccum.** A. Pelletier (1967).

32. **Legatio ad Caium.** A. Pelletier (1972).

33. **Quaestiones in Genesim et in Exodum. Fragmenta graeca.** F. Petit (1978).

34 A. **Quaestiones in Genesim,** I-II (e vers. armen.) (sous presse).

34 B. **Quaestiones in Genesim,** III-IV (e vers. armen.) (en préparation).

34 C. **Quaestiones in Exodum,** I-II (e vers. armen.) (en prépar.).

35. **De Providentia,** I-II. M. Hadas-Lebel (1973).